WŁADCA LICZB

MAREK KRAJEWSKI

WŁADCA LICZB

WYDAWNICTWO ZNAK · KRAKÓW 2014

Projekt okładki
Katarzyna Borkowska
kb-design@o2.pl

Fotografia na pierwszej stronie okładki
© Roy Bishop / Arcangel Images

Fotografia autora na czwartej stronie okładki
Adam Golec
www.adamrade.eu

Mapa i rysunek
Anna Styrska-Mróz

Opieka redakcyjna
Karolina Macios

Adiustacja
Urszula Horecka

Korekta
Anna Krzyżak
Katarzyna Onderka

Opracowanie typograficzne
Daniel Malak

Łamanie
Piotr Poniedzialek

ISBN 978-83-240-3218-1 (oprawa twarda)
ISBN 978-83-240-3219-8 (oprawa broszurowa)

znak

Książki z dobrej strony: www.znak.com.pl
Społeczny Instytut Wydawniczy Znak, 30-105 Kraków, ul. Kościuszki 37
Dział sprzedaży: tel. (12) 61 99 569, e-mail: czytelnicy@znak.com.pl
Wydanie I, 2014. Printed in EU

ἴδοις δέ κα οὐ μόνον ἐν τοῖς δαιμονίοις καὶ θείοις πράγμασι
τὰν τῶ ἀριθμῶ φύσιν καὶ τὰν δύναμιν ἰσχύουσαν,
ἀλλὰ καὶ ἐν τοῖς ἀνθρωπικοῖς ἔργοις καὶ λόγοις πᾶσιν...

Ujrzyj sens i potężne działanie liczb
nie tylko w świecie bogów i demonów,
ale także we wszystkich ludzkich czynach i słowach...

Filolaos (V w. p.n.e.)

PROLOG

SZEŚCIOLETNI PIOTRUŚ KUŹNICA CZEKAŁ na ten dzień od dawna. Kuzyn, który mieszkał po sąsiedzku, obiecał, że dzisiaj nauczy go pływać. Piotruś, wymykając się o poranku z domu, nie wiedział jeszcze, że ta obietnica nigdy się nie ziści.

Nurt Odry w okolicach Brzegu Dolnego płynął nieśpiesznie. Zakosy i skręty, upodabniające rzekę do węża lub jaszczurki, spowalniały jej bieg, a wody spiętrzające się w zatokach i zakolach znajdowały swe ujście w licznych rozlewiskach. Pod wsią Grodzanów jedno z takich rozlewisk było bardzo malowniczo położone. Nad wodą rozpościerały się piaszczyste łachy, szumiały szuwary i kołysały się brązowe pałki trzcin. W blasku słońca bezgłośnie śmigały ważki.

Piotruś i jego dziesięcioletni kuzyn Krzysiek traktowali piękno przyrody z obojętnością właściwą dzieciom. Poza tym obaj nastawieni byli praktycznie do życia, a teraz mieli do wykonania ważne zadanie. Młodszy z nich miał teraz przeżyć pływacką inicjację, która była przepustką do świata starszych kolegów spędzających każdą wakacyjną chwilę nad rzeką. Starszy natomiast chciał wreszcie położyć kres natrętnym prośbom i błaganiom kuzyna.

Kiedy tego lipcowego poranka już rozebrani stali na brzegu, a niewielkie fale obmywały ich stopy, usłyszeli dźwięk samochodowego silnika. Krzysiek ukucnął instynktownie i ruchem ręki nakazał Piotrusiowi, by uczynił to samo. Ryk silnika wzmógł się, a właściwie podwoił. Niezbyt często na piaszczyste brzegi Odry pod Grodzanowem zajeżdżały auta. A właśnie teraz przyjechały aż dwa naraz – jednym z nich była karetka pogotowia.

Chłopcy delikatnie rozsuwali szuwary i szli w stronę samochodów. Nie musieli zachowywać się aż tak cicho. Wiatr, który nagle się zerwał, rozkołysał trzciny i ich szelest tłumił wszelkie odgłosy.

Piotruś widział, jak jeden z mężczyzn, sąsiad z końca wsi, pokazuje coś na wodzie. Sanitariusz wszedł do rzeki. Zanurzony po pas, obszedł dokoła wznoszącą się nad powierzchnią pływającą szarą bryłę. Potem mocno ją popchnął w stronę brzegu. Trzej mężczyźni zbliżyli się, chwycili ją z czterech stron za uchwyty i wyciągnęli na piasek. Chłopcu zrobiło się niedobrze – ta bryła była człowiekiem, a uchwytami jego kończyny.

– Chodź bliżej, Piotrek – szepnął Krzysiek. – Nie pękaj!

Piotruś nie chciał pokazać po sobie, jak wielkie wrażenie zrobiło na nim pierwsze w życiu spotkanie z trupem. Splunął pogardliwie i ruszył w ślad za kuzynem, który cicho, na czworakach zaczął posuwać się w stronę ciała. Od dorosłych odgradzała ich przegniła burta łodzi rybackiej, która przypominała o czasach, kiedy we wsi Grodzanów uprawiano rybołówstwo.

Byli niecałe dwa metry od zwłok i Piotruś dokładnie je widział. Od białych palców topielca, które zaciskały się kurczowo na kamykach i roślinach, odchodziła skóra i rozmiękczone, pofałdowane paznokcie. Twarz i policzki były napięte i szarozielone. Wydęte wargi odsłaniały jamę ustną, w której widać było lustro wody, co chwila zniekształcane przez bąbelki powietrza, dochodzące z głębi ciała. Piotruś przełknął ślinę, aby nie zwymiotować.

– Kolejny samobójca? – usłyszał i schował natychmiast głowę. – Już trzeci topielec w ciągu trzech miesięcy?

– Mylisz się. – Ten głos musiał należeć do grubego człowieka, bo pomiędzy słowami słychać było lekkie sapnięcia. – Tamci nie byli samobójcami. Nie mieli żadnych powodów do popełnienia samobójstwa. A o tym pływaku jeszcze nic nie wiemy...

Piotruś wychylił się. Widział teraz wyraźnie, jak otyły mężczyzna w mocno opiętym garniturze schyla się nad topielcem. Uniósł dłoń i plasnął mocno w jego policzek.

– Jestem kapitan Franczak, a ty kto? – zapytał. – No, przedstaw się grzecznie, kolego!

Twarz trupa zafalowała, a usta rozwarły się w krzywym grymasie.

Policzek wznosił się i opadał. Zmarły wyglądał, jakby płukał sobie usta. Po chwili wysunął się z nich długi cienki drucik, który zaczął się kręcić dokoła – jak antenka, która szuka zasięgu. Po chwili szczęka topielca się rozwarła i wylała się z niej woda upstrzona zielonymi cętkami. Wraz z nią wypadła z ust skręcona skorupa. Rak. Zwierzę wyskoczyło na piasek, zamachało czułkami i zaczęło wykonywać gwałtowne ruchy odwłokiem – jakby chciało odepchnąć się od piasku.

Piotruś nie wytrzymał. Buchnął wymiocinami, a potem rzucił się do ucieczki.

Od tego momentu miewał wizje. Zawsze, kiedy zbliżał się do wody, widział, jak wychyla się z niej trupia szara głowa, a wargi topielca rozciągają się w uśmiechu.

Chłopiec już nigdy nie nauczył się pływać.

I

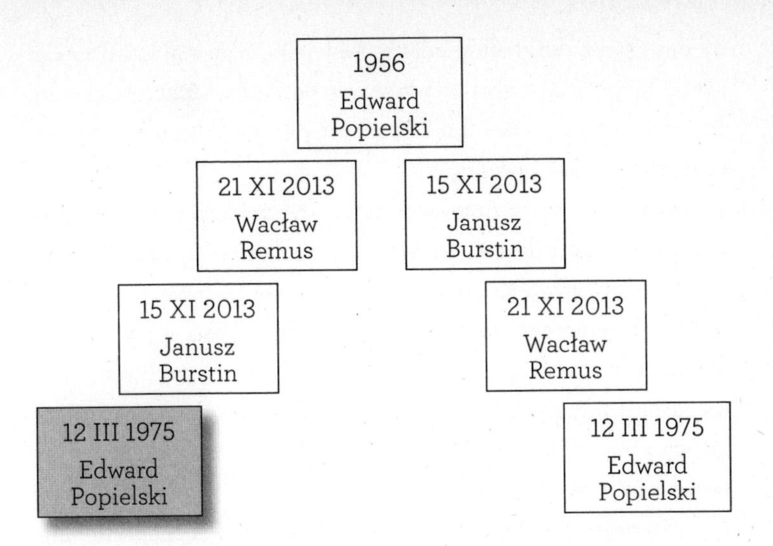

EDWARD POPIELSKI WIEDZIAŁ, że wkrótce nadejdzie godzina jego śmierci. Tysiąc dziewięćset siedemdziesiąt pięć lat po narodzeniu Chrystusa, najpóźniej w maju, miał się wypełnić jego długi i niebezpieczny żywot. Ta terminalna data dawała mu spokojną pewność siebie. Ufał temu, który ją ustanowił. Nie została ona bowiem wyznaczona w przepojonym kadzidlaną wonią „pokoju przeznaczenia" na ulicy Grunwaldzkiej, gdzie od lat urzędowała cygańska wróżka i gdzie – takie krążyły plotki – częstymi gośćmi byli milicjanci z położonego po sąsiedzku komisariatu. Nie została ona też wyliczona przez emerytowanego buchaltera starego pana Abrama Lotmana z ulicy Ładnej, który na emeryturze oddał się pasji wykreślania horoskopów, przez co dorobił się licznej klienteli i chronicznego zapalenia spojówek. Ustanowienie tej daty nie miało charakteru wróżbiarskiego, wręcz przeciwnie – było ono naukowe i możliwie ściśle.

– Medycyna nie odnotowała przypadku, by pacjenci w takim stanie jak pański żyli dłużej niż pół roku. Pański śmiertelny wróg siedzi teraz w środku, w miąższu tkanki płucnej. Jest umiejscowiony obwodowo, lecz na szczęście nie na tyle blisko przepony, by razić pana dotkliwym bólem. Będzie pan kaszlał i pluł krwią, jak do tej pory, a potem po prostu się pan udusi. Chciał pan wiedzieć wszystko o chorobie? Bez żadnych niedomówień? No to spełniłem pańską prośbę.

Tę diagnozę i te przewidywania przedstawił Popielskiemu doktor Roman Pilewski, który jako absolwent Wydziału Lekarskiego Uniwersytetu Jana Kazimierza we Lwowie cieszył się w oczach dawnego komisarza specjalną estymą – jak zresztą wszystko, co miało jakiś związek z jego ukochanym i utraconym na zawsze miastem. Doktor Pilewski, wypowiedziawszy tę prognozę, spojrzał uważnie w oczy swego pacjenta i nie dostrzegł tam niczego poza lekkim rozbawieniem.

– To dobrze. – Popielski włożył kapelusz. – Przynajmniej nie ma najmniejszego powodu, bym rzucał palenie. To byłaby dopiero męka.

– Coś o tym wiem – powiedział poważnie lekarz i pogładził swe wąsy żółte od nikotyny.

Wróciwszy wtedy do domu, do swego dwupokojowego parterowego mieszkania na Grunwaldzkiej, Popielski zapalił carmena i podziękował Bogu za swe życie i za swą rychłą, prawie bezbolesną śmierć. Zrobił sobie herbaty, usiadł przy biurku i pogłaskał w myślach zwierzę zwane rakiem płuc, które rozrastało się w jego piersi i w odróżnieniu od swoich licznych krewniaków nie naciekało na nerwy, przez co nie powodowało większych cierpień. Otworzył biurko i spojrzał na fiolki morfiny, którymi miał zamiar wprowadzić się w błogą nieświadomość, gdy już się będzie dusił. Potem sięgnął jeszcze głębiej i wyjął gruby liniowany brulion. I wtedy to właśnie, krótko po świętach Bożego Narodzenia 1974 roku, stary, prawie dziewięćdziesięcioletni Popielski zaczął pisać swój pamiętnik.

Czynność tę powtarzał codziennie przed południem i dzięki tej systematyczności zaczernił już dwa bruliony. Muza była dla niego nadzwyczaj przychylna. Pisał szybko i prawie bez skreśleń. Kiedy codziennie rano odczytywał na głos to, co napisał poprzedniego dnia, czuł jakieś dziwne wewnętrzne rozbicie. Z jednej strony czytane fragmenty nieodmiennie mu się podobały, a z drugiej - nienawidził ich, bo mówiły głównie o jego porażkach i upadkach.

To odczucie pojawiało się codziennie, także i tego dnia – tego ciemnego marcowego poranka, który o szóstej rano ledwo majaczył gdzieś za chmurami i spryskiwał mżawką zakratowane okno dawnej jadalni. Popielski siedział w świetle starej onyksowej lampy i jak zwykle czytał głośno swe zapiski, nie przejmując się wcale tym, że ludzie śpieszący do pracy zwalniają i przez niezasłonięte okno rzucają ciekawskie spojrzenia w głąb mieszkania. Po naniesieniu kilku poprawek sięgnął po pióro.

„Mój ukochany synu Wacławie! Zaczynam dzisiaj pisać trzeci, ostatni już tom pamiętnika. Porządek zapisków, jak Ci wiadomo, nie jest chronologiczny, ale raczej merytoryczny. Zaczynam od wydarzeń najważniejszych, by przejść do mniej istotnych. W tym tomie przedstawię najpierw przerażające zdarzenia, jakich byłem świadkiem dziewiętnaście lat temu, latem i wczesną jesienią roku tysiąc dziewięćset pięćdziesiątego szóstego po Chrystusie. Byłem wtedy w siedemdziesiątym roku życia i wydawało mi się, że już mnie nic nie zadziwi i nic nie przerazi. Bo co mogło zadziwić starego policjanta, który największe bestialstwa widział, i to często u najbardziej szanowanych osobistości? Jakie zwroty historii mogłyby zastanawiać człowieka, który żył we Lwowie, w mieście, gdzie za jego żywota powiewały flagi austriacka, polska, ukraińska i znienawidzona sowiecka? Który – niegdyś niepoprawny germanofil – przeżył śmierć dwudziestoletniej chorej psychicznie córki zabitej niemiecką kulą? Któremu porwano na zawsze i bez wieści ukochanego wnuczka, dwuletnie wtedy dziecko? Który całe życie walczył z Moskalami, a potem widział, jak ci odwieczni wrogowie Polski, wyrwawszy nasze dwa serca – Wilno i Lwów – i pomniejszywszy nasz kraj o obszar wielkości Czech, są przez zdrajców, swych marionetkowych namiestników, nazywani największymi naszymi dobroczyńcami?

Dość tej litanii narzekań, Wacławie. Już i tak się za dużo nażalałem nad sobą i nie będę wspominać złych zdarzeń. Chciałem tylko rzec, iż – w moim mniemaniu – niewiele rzeczy mogło mnie zdziwić czy przejąć lękiem. A jednak tak się stało dziewiętnaście lat temu. I powodem nie była wcale historia – ani wielka, polska, ani mała, osobista. Wszystko przez matematykę. Tak, mój drogi, nie pomyliłem się, napisawszy te słowa. Rzeczywiście – sprawczynią przerażających zdarzeń, o których zaraz przeczytasz, była królowa nauk wszelakich, ta sama, której poświęcałem się, jak wiesz, w Wiedniu na początku tego krwawego stulecia i do której ty masz odziedziczoną po mnie skłonność. Zawsze, kiedy myślałem nad matematycznymi kwestiami, czułem, że to nie ja roztrząsam problemat, ale to on mnie roztrząsa, on ma mnie w swoim posiadaniu, on mną manipuluje, on mnie poddaje nieznośnej presji, aż do momentu, kiedy – zmęczony, wyjałowiony i szczęśliwy – mogłem postawić na końcu dowodu trzy litery Q.E.D. *Quod erat demonstrandum**. I dopiero wtedy oddychałem z ulgą i uwalniałem się od jakiejś nieznośnej, niewidzialnej istoty. Tak, dopiero wtedy odrzucałem demona ukrytego w matematycznych symbolach. Ale on nie na długo zostawiał mnie w spokoju. Zmuszał mnie znów do budowania kolejnych abstrakcyjnych gmachów, do projektowania chybotliwych konstrukcyj, gdzie prawie zawsze siedział matematyczny wirus – jakiś niedostrzeżony zawczasu błąd, który wyraźnie pokazywał, że zbudowałem zamek na piasku. Nie mogłem się pozbyć na stałe mojego prześladowcy, musiałem go znosić. Na swój sposób

---

* Co było do u dowodnienia.

nawet go polubiłem – tak jak się przewrotnie lubi znienawidzonego nauczyciela, który nagle pochwali i doceni. Demon ustąpił dopiero wtedy, gdy zmieniłem studia z matematycznych na filologiczne. Wydawało mi się wówczas, że „bóstwo geometrii", jak go nazywałem, przepadło na zawsze. Ale ono nie zginęło, o nie! Pojawiło się znowu we Wrocławiu w tym znamiennym i pełnym dla Polaków nadziei roku 1956. Wtedy ze zgrozą zauważyłem, że bóstwo geometrii panuje także nad innymi ludźmi. O ile ja wcześniej, w latach studenckich, składałem mu ofiary w postaci nieprzespanych nocy, o tyle w roku 1956 popełniano zbrodnie w jego imię. Nawet znam to imię. Brzmi złowrogo. Belmispar".

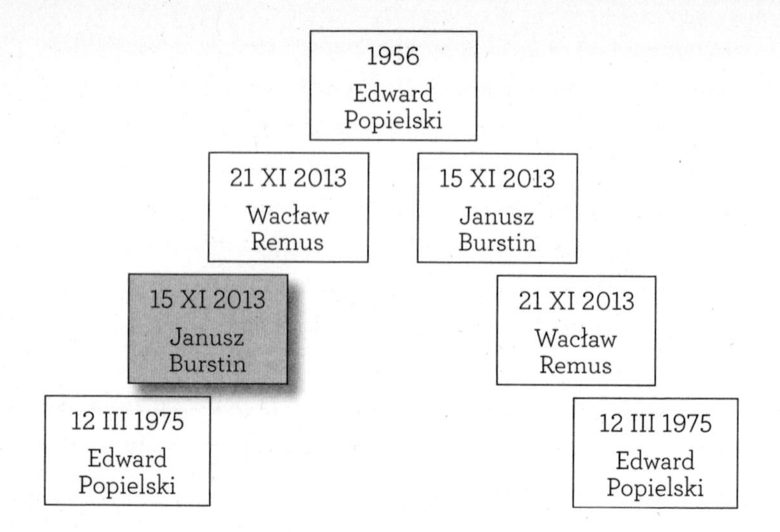

PRZEZ PIERWSZĄ DEKADĘ SWOJEGO ISTNIENIA Instytut Matematyczny Uniwersytetu Wrocławskiego przy bulwarze Joliot-Curie zachwycał nie tylko architektów, nie tylko uczelnianych notabli, lecz także zwykłych mieszkańców, którzy zaraz po wybudowaniu przyznali mu osobliwie nieco brzmiący tytuł „Mister Wrocławia '71". Dla nich gmach ten był przykładem tak upragnionej nowoczesności, dla władz uniwersyteckich przedmiotem dumy, a dla architektów wzorem do naśladowania. Ci ostatni przyjeżdżali z różnych zakątków Polski i analizowali przestrzenno-geometryczne osobliwości budynku – jego przeszkloną elewację zachodnią, dwie umieszczone nad sobą wielkie i bezokienne sale wykładowe oraz pochyłe platformy, które w części audytoryjnej spełniały funkcję schodów. Wraz z upływem lat budził on coraz mniejsze zainteresowanie, a jego architektoniczną sławę mocno przyćmiły wybudowane tuż obok oryginalne, obłe bloki mieszkalne o piętnastu piętrach i okrągłych oknach, zwane przesadnie „wrocławskim Manhattanem" albo nieżyczliwie „sedesowcami".

W ludziach, którzy bywali codziennie w instytucie, budynek zawsze budził o wiele mniejszy entuzjazm. Wszyscy oni zgodnie narzekali na ciasnotę panującą na korytarzach i na schodach, na wysoką temperaturę, zwłaszcza w ciepłych miesiącach roku, oraz na nieustanne usterki kanalizacyjne, skutkujące kloaczną wonią.

Ta ostatnia dolegliwość była wprost nie do zniesienia dla pięćdziesięciosiedmioletniego profesora Wacława Remusa, który w dzień święta uniwersytetu siedział w pierwszym rzędzie Audytorium imienia Hugona Dionizego Steinhausa. Choć smród nieszczelnej kanalizacji był niewielki i nasilał się tylko chwilami, niezwykle wrażliwe powonienie Remusa wyczuwało najlżejsze nawet jego przypływy. Przez wstrętną woń profesor filozofii nie mógł się skupić na wykładzie inauguracyjnym, zatytułowanym „Samotność matematyka" i wygłaszanym przez znakomitego przedstawiciela tej dziedziny, zdobywcę Medalu Fieldsa, profesora Janusza Burstina z Tel Awiwu. Złość Remusa na niesprawne urządzenia kanalizacyjne była tym większa, że prelekcja naprawdę go interesowała.

Dla wszystkich słuchaczy była ona niezwykle odkrywcza, a dla niektórych wręcz szokująca. Matematycy zdali sobie sprawę, że werbalizuje ona ich lęki, dotąd mgliście uświadamiane, i buduje obraz człowieka zajmującego się liczbami jako wyobcowanego „autystycznego geniusza". Studenci, zajmujący górne rzędy audytorium, ci pełni zapału młodzi ludzie, którzy święto uniwersyteckie, dzień wolny od zajęć, spędzali w dusznej sali, byli wstrząśnięci.

Burstin nie poruszał zagadnień szczegółowych, a na żadnej z dziewięciu przesuwanych tablic nie pojawił się jak dotąd żaden formalny zapis. Ekscentryczny profesor, ubrany w rozciągnięty golf, dżinsy i stare buty o spłaszczonych, jakby rozdeptanych czubkach, donośnym głosem niszczył naiwne marzenia młodzieży.

– Waszą zmorą – grzmiał – będzie ciągły brak pewności. Każdy przeprowadzony nowy dowód okupicie bezsenną nocą, w czasie której przed waszymi oczami będą się przesuwały linie dowodowe. Co z tego, że w którejś z nich znajdziecie błąd i go poprawicie? Uzyskacie pozorny tylko spokój i to w dodatku nie na długo. Spójrzcie na waszego kolegę, studenta historii albo archeologii śródziemnomorskiej! Będzie on siedział godzinami – mówię tu oczywiście o ambitnym studencie – nad księgami i dokumentami, a później będzie was straszył bladością swego oblicza. Ale on będzie miał zdrowe nerwy! A wy? Choć zdrowi fizycznie, wszak dowody można obmyślać choćby tu – wskazał ręką w nieokreślonym kierunku – nad Odrą, to wy, powtarzam, wciąż będziecie się zrywać w nocy i sprawdzać, czy w jakiejś linii dowodu nie ma błędu. Okaże się, że nie ma, ale wy już nie zaśniecie. Wirus, który wtargnie w wasz mózg na studiach, nie pozwoli już wam zasnąć... – Burstin łyknął wody ze szklanki i zaczął prawie szeptać do mikrofonu. – Tak, moi drodzy, znam tę niepewność.... Ileż to razy, mocując się z dowodami, chciałem rzucić topologię! W tych trudnych chwilach chciałem być choćby algebraikiem, nie topologiem. Algebraik idzie od przeróbki do przeróbki i wszystkie są one stuprocentowo pewne. Kombinacje algebraiczne uspokajają, bo ich formalizm zastępuje dużą część myślenia... Ale ja nie mogłem zostać algebraikiem, bo nie rozumiałem nigdy i do dziś nie rozumiem idei całości algebry...

Kiedy wykładowca – ku wyraźnej uldze dziekana i dyrekcji instytutu – przestał zniechęcać młodzież i przeszedł do przykładów szczegółowych, myśli profesora Remusa poszły w zupełnie innym kierunku.

Mimo szacunku dla matematyki i sporej wiedzy zwłaszcza z zakresu logiki i teorii mnogości, był on zupełnym laikiem w dziedzinie topologii, a na algebrze znał się tylko w tym stopniu, w jakim przed laty nauczył go jej jego nieodżałowany nauczyciel licealny, legenda wrocławskiego IX Liceum profesor Klemens Słota. Na ten wykład inauguracyjny Remus został zaproszony właściwie jako urzędnik – przewodniczący uniwersyteckiej Komisji Etyki, czyli, mówiąc prościej, tropiciel plagiatów.

Oczywiście dzisiaj nie zamierzał prowadzić swych antyplagiatowych śledztw, do sali Steinhausa przybył z wewnętrznej potrzeby, odrzuciwszy rozliczne zaproszenia na obchody święta uniwersytetu na innych wydziałach. Nie przyjął ich, bo intrygował go niezwykle sam profesor Burstin oraz to, co miał do powiedzenia. Już po kilku minutach wykładu okazało się, że tytuł „Samotność matematyka" nie jest marketingowym sloganem. Treść wystąpienia nie zawiodła Remusa. Najbardziej zaciekawił go wątek „wiecznego niepokoju odczuwanego przez dowodzącego twierdzenie".

Remus dobrze znał „matematyczną" i metaforyczną konotację wyrazu „wirus". Spotkał się z nią podczas lektury pamiętników swojego ojca Edwarda Popielskiego – w trzecim ich tomie opisane były przerażające zdarzenia z roku, w którym on sam był się urodził. Choć cała ta historia zagadkowych zbrodni była niezwykła i nieprawdopodobna, na logice i na zwartości wcale jej nie zbywało. Był w niej jednak pewien słaby punkt, który nie pozwalał domknąć ciągu zdarzeń i zatruwał go tak skutecznie, jak wspomniany wirus niweczył sen matematyków. Remus dobrze wiedział, gdzie jest ten wirus, ale nie mógł go nigdy wypreparować i usunąć – mimo że nad trzecim tomem ojcowskich pamiętników przesiedział niejedną bezsenną noc.

– No wreszcie, wreszcie! – szepnął mu nagle do ucha rozogniony dziekan wydziału. – Myślałem, że już nie skończy tych bredni o szkodliwości matematyki, a mnie później zjedzą, że go zaprosiłem... Wreszcie jest pochwała! Słuchaj, Wacławie, jaka to sztuczka retoryczna: najpierw zohydzić, a potem pochwalić?

– Nie wiem. – Remus z ulgą wyczuł od swojego sąsiada nieco tłumiącą kloaczne wyziewy wodę toaletową Gucci. – Nie pamiętam, czy w ogóle taka była...

Burstin tymczasem rzeczywiście dokonywał przewrotnej apologii. Patrzył na młodą publiczność i grzmiał teraz patetycznie – w zupełnie innym duchu niż przed chwilą.

– Ależ ja na nic bym nie zamienił tych nielicznych momentów, kiedy choć na chwilę uzyskiwałem pewność dowodu! Cała moja samotność, całe moje społeczne nieprzystosowanie, wszystkie kpiny, a nawet obelgi, jakich mi nie szczędzono, były tylko ofiarą dla dobrego w gruncie rzeczy boga matematyki, dla przyjaznego demona, dla którego pracują wprawione w ruch równania... To jego kapłanami byli i Newton, i Euler, i Gauss, i Lebesgue, i mój wielki mistrz z tego uniwersytetu profesor Bronisław Knaster. Życzę, abyście i wy znaleźli się w ich gronie i – dodał znacznie ciszej, ale jego szept rozległ się jak grom w dobrze nagłośnionym audytorium – nie przypłacili samotnością swojego kapłaństwa.

Wśród potężnych braw i wiwatów Wacław Remus usiłował zebrać myśli. Nie klaskał ani nie pukał niemieckim zwyczajem w rozłożony przed sobą blat. Patrzył niewidzącym wzrokiem na swoich uniwersyteckich kolegów profesorów, którzy urządzali Burstinowi owację na stojąco i pokrzykiwali „brawo!" jak w filharmonii lub w operze. Wszystkich ich pytałem o Belmispara – myślał Remus, przechodząc wzrokiem od twarzy do twarzy. – I nic o nim nie wiedzieli. Do wielu matematyków w Europie i w Stanach pisałem w tej sprawie. I znowu nic. Jeśli ten oto człowiek, co mówi o demonach matematyki i o wirusach w dowodach, ten oto Burstin, nie będzie wiedział o Belmisparze, to nikt już chyba nie będzie o nim wiedział. Filozof, nie doczekawszy się końca owacji, ruszył do wykładowcy, który – nie przejmując się brawami – chował swe notatki do reklamówki z nadrukiem „Aldi". Tym samym udało się Remusowi ubiec innych i dopadł Burstina pierwszy.

– Panie profesorze! – przekrzyczał hałas. – Nazywam się Wacław Remus, jestem profesorem filozofii. Mam do pana bardzo ważne pytanie!

– Nie mam czasu – mruknął Burstin, przerzucając papiery w reklamówce. – Na filozoficzne pytania! One są najczęściej nieistotne.

– To jest jedno słowo, tylko jedno! – Remus z niepokojem patrzył na zbliżających się do niego profesorów, którzy najwyraźniej mieli zamiar wyrwać Burstina z rąk natręta. – Chcę zapytać, czy pan profesor to słowo zna...

– „Wyraz", proszę pana, „wyraz", nie „słowo". – Wykładowca spojrzał na rozmówcę z pewnym zainteresowaniem. – Używajmy właściwej, możliwie ścisłej terminologii. Wyraz „słowo" jest wieloznaczny, a wyraz „wyraz" jednoznaczny. No oczywiście pojawia się pytanie, co to właściwie jest wyraz. Jest to ciąg symboli oddzielony przestrzenią niesymboliczną. No dobrze, jaki jest ten pański wyraz, profesorze?

– Belmispar, nazwa własna – powiedział Remus i zapisał szybko na tablicy to imię.

– Januszu, czas na obiad – powiedział jeden z matematyków, przepchnąwszy się bezceremonialnie pomiędzy Burstina a Remusa. – O szesnastej jest główna uroczystość w Auli Leopoldyńskiej! Panie profesorze! – zwrócił się z wyrzutem do filozofa. – Przed naszym czcigodnym doktorem *honoris causa in spe** jeszcze inne liczne obowiązki i ceremonie!

– Belmispar, Belmispar – mamrotał Burstin. – Chciałbym poznać kontekst pańskiego pytania...

– Znam historię, w której się pojawia jego imię. Jest ona długa, a my nie mamy czasu...

– Nigdy nie słyszałem tej nazwy własnej. – Burstin spojrzał uważnie na Remusa. – Ale wiem, co ona znaczy. To po hebrajsku „władca liczb". Bardzo jestem ciekaw historii Belmispara. Niech pan do mnie zadzwoni dziś wieczorem! – Wyrecytował ciąg cyfr,

---

* W przyszłości.

które Remus szybko zapisał na tablicy. – Niespecjalnie lubię ceremonie i będę miał wolny wieczór.

Burstin, ponaglany przez kolegów, minął go już obojętnie, a w przelocie rzucił jeszcze jakby od niechcenia:

– Interesuje mnie demonologia i znam tylko jednego demona o podobnym imieniu. To „władca much". Po hebrajsku Belzebub.

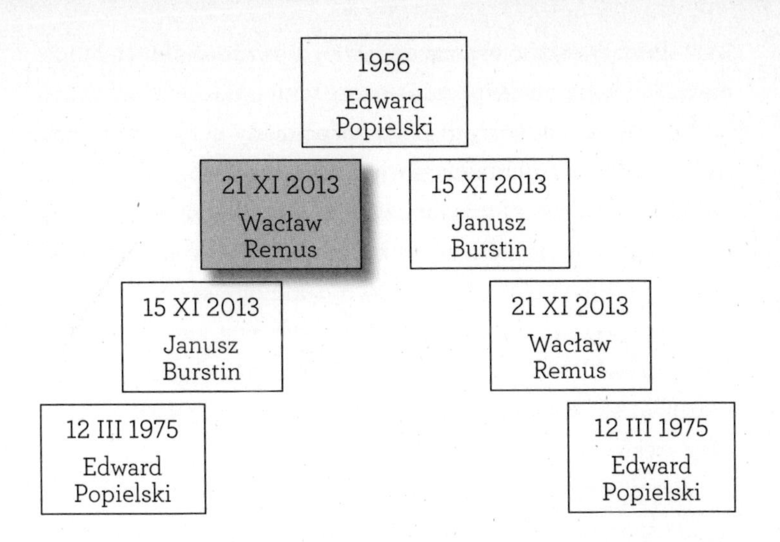

W LATACH DZIEWIĘĆDZIESIĄTYCH WŁADZE WROCŁAWIA postanowiły stworzyć na ulicy Bogusławskiego konkurencyjne dla Rynku zagłębie gastronomiczne i rozrywkowe. Jak grzyby po deszczu wyrosły tutaj knajpy, jadłodajnie, pornograficzne kabiny, zaopatrzone w wizjer i akcesoria do samogwałtu, oraz sklepiki oferujące tak zwane śmieszne rzeczy, na przykład sztuczne fekalia lub gumowe karaluchy w kostkach cukru. Te wszystkie instytucje przechodziły różne koleje losu. Przedstawiciele usług seksualnych po kilkuletniej prosperity w większości zwinęli swe interesy – co korespondowało zresztą z powolnym, lecz ciągłym upadkiem wielu wrocławskich burdeli w pierwszym dziesięcioleciu nowego wieku.

Nawet jeśliby ktoś wyciągnął przy tej okazji pochopny raczej wniosek o poprawie obyczajności nadodrzańskiej metropolii, to z całą pewnością nie powiedziałby tego o alkoholowych nawykach jej mieszkańców. Tu nic się nie zmieniło. Knajpy „pod wagonami", jak najczęściej nazywano te przy nasypie kolejowym na ulicy Bogusławskiego, niezmienne działały, bo przez wiele lat dorobiły się stałej na ogół klienteli. Należeli do niej przede wszystkim młodzi niezamożni ludzie, głównie studenci, którzy chcieli się tanio napić piwa, a jeszcze taniej własnej wódki spod stołu, oraz kibice, których pasję zaspokajały liczne telewizory. Inne lokale gastronomiczne – jadłodajnie, pierogarnie i kebabowe restauracje – funkcjonowały tylko dlatego, że raz na jakiś czas zapełniały się uczestnikami integracyjnych imprez lub gośćmi urodzinowych przyjęć. Wszystkie one kończyły się podobnie: czasami striptizem podstarzałych dam, zawsze nieprzytomnym ochlajem ich towarzyszy, często chóralnym śpiewem i rozbijaniem pustych butelek o bruk pamiętający jeszcze czasy Bismarcka.

W tym zagłębiu gastronomicznym profesor Wacław Remus nigdy nie gościł i nie miał zielonego pojęcia, gdzie jest lokal Hells Bells, w którym miał się po raz pierwszy w życiu spotkać z narkotykowym dilerem. Nie musiał zresztą wiedzieć, gdzie jest ta knajpa, miał dobrego przewodnika. Doktor socjologii Mariusz Rudzki wyraźnie zastrzegł, że muszą tam wejść razem, bo tak sobie życzy jego znajomy diler zwany Słoniu.

Remus znalazł wolne miejsce do parkowania pod Wydziałem Komunikacji Urzędu Miejskiego na ulicy Zapolskiej, gdzie niedawno zarejestrował był swoją nowiutką toyotę avensis. Wysiadł i machnął ręką do Rudzkiego stojącego na schodach Teatru Polskiego. Znali się od dawna, dobre kilka lat temu współpracowali przy pewnym grancie. Już wtedy dla Remusa nie było żadną tajemnicą, że Rudzki jest notorycznym marihuanistą. Wiedział również, że socjolog jest człowiekiem bardzo uczynnym i na pewno nie odmówi osobliwej prośbie starszego od siebie profesora. Poza tym Remus ostatnio opiniował jego podanie o stypendium i Rudzkiemu po prostu nie wypadało odmówić. Podali sobie ręce, a potem poszli powoli ulicą Bogusławskiego.

– Muszę pana o czymś uprzedzić, panie profesorze – mówił szybko Rudzki, rozglądając się na boki. – Słoniu jest ostatnio bardzo podejrzliwy, policja chyba mu depcze po piętach. To dlatego uparł się, że sprzeda panu kwas osobiście. Że musi pana poznać. I chciał koniecznie w miejscu publicznym.

– Rozumiem. – Remus kiwał głową.

– On nie jest przyjemnym facetem. – Rudzki westchnął. – Na pewno będzie pana tykał, zadawał głupie pytania i czynił jakieś aluzje. Być może pod adresem pańskiego wieku... Musi się pan pozbyć swoich dobrych uniwersyteckich manier, bo one mogą go zdenerwować... To straszny cham i prostak... Proszę nie wdawać się z nim w dłuższą rozmowę i unikać kontaktu wzrokowego. A teraz dwie ważne rzeczy – spojrzał z niepokojem na Remusa – przede wszystkim Słoniu może insynuować, że ja chcę urwać jakiś procent z pańskiej transakcji... Proszę mi wierzyć, że tak nie jest... I jeszcze coś. Najważniejsze. W tej branży jest prosta zasada: diler najpierw bierze kasę, a potem daje towar. Często diler znika, dokądś wychodzi, a klient siedzi i czeka... Czasami długo czeka...

– Dziękuję za uprzedzenie – odparł Remus. – Zależy mi na tym towarze. Nie będę zatem drażnił Słonia.

– To dobrze. – Rudzki uśmiechnął się i wskazał na obite blachą drzwi z gotyckim napisem Hells Bells. – Ach, jeszcze jedno, musimy sobie, przynajmniej tymczasowo, mówić ty...

– Wacław jestem. – Remus po dłuższym namyśle wyciągnął rękę do swojego towarzysza. – I to wcale nie tymczasowo...

– Mariusz...

W Hells Bells – mimo iż zaczynał się weekend – klientów było jeszcze niewielu. Zwykle tłoczno tu było dopiero około dziesiątej, a do tej godziny brakowało dziewięćdziesięciu minut. Kiedy weszli, telewizory emitowały koncert zespołu Black Sabbath. Ciężkie gitarowe riffy właśnie cichły i ponad zgiełk gwałtownych dźwięków wybijał się charakterystyczny głos Ozzy'ego Osbourne'a. Wokalista wyśpiewywał jakąś apokaliptyczną wizję – początek końca albo końcowy etap początku.

Nieliczni klienci lokalu pogrążeni byli w rozmowie przy szklanicach czeskiego piwa Holba i wybuchali co chwila głośnym śmiechem. Ciemne proroctwa Osbourne'a nie robiły na nich wrażenia, podobnie zresztą jak na wykolczykowanym i wytatuowanym barmanie, który śledził mecz Zagłębie Lubin – Piast Gliwice na małym telewizorze za barem.

Kiedy Rudzki i Remus podchodzili do baru, z trzech zajętych stolików padły na nich spojrzenia i trafiły w nich ironiczne uwagi. Starszy z mężczyzn wzbudzał wyraźną wesołość u młodzieży. Niespełna czterdziestoletni Mariusz Rudzki, nieogolony i ubrany w bluzę z kapturem i w spodnie bojówki, mimo pewnej różnicy wieku nie odstawał tak rażąco swym wyglądem od siedzącego tu towarzystwa jak profesor. Filozof posłuchał wprawdzie wskazówek Rudzkiego, który stanowczo mu odradzał jego codzienny strój – marynarkę, krawat i kapelusz – proponując, by tym razem ubrał się „luźno". Najwidoczniej jednak Remus inaczej niż jego młodszy kolega rozumiał słowo „luz". Zwykle pedantyczny i mający wielką słabość do dobrych zegarków i butów ubrał się tak, jak się zawsze ubierał na przykład w słoneczne niedziele, kiedy wraz z żoną i z ukochaną suką udawali się na długi spacer dokoła Wielkiej Wyspy. Wtedy nie różnił się zanadto od innych spacerowiczów, zwłaszcza od tych zamożniejszych z pobliskich willowych dzielnic Zacisze i Zalesie. Teraz jednak jego spacerowy styl drastycznie odstawał od sznytu młodzieńców w bluzach i T-shirtach oraz ich dziewczyn z wampirycznym makijażem. Ten wygolony na łyso pięćdziesięcioletni na oko mężczyzna budził dużą nieufność swym wiekiem i starannie dobranym strojem – wypucowanymi butami, spodniami z grubego sztruksu i welurową jasnobrązową kurtką.

Obaj wykładowcy, nie zdjąwszy wierzchniego odzienia, usiedli przy drzwiach ze szklanicami piwa, z którego prawie natychmiast uszła piana. Rudzki łyknął, Remus udał. Po kilku minutach od jednego ze stolików odwrócił się mężczyzna koło trzydziestki, ubrany w czapkę bejsbolówkę i T-shirt z jakimś rysunkiem i napisem „Prawda jest straszna". Spojrzał na Rudzkiego, a potem kiwnął nań palcem i gwizdnął przeciągle, po czym zaraz się odwrócił do swoich.

Ta demonstracja poruszyła Remusa. Oto diler pokazał swemu koledze, a zwłaszcza obu dziewczynom, że takich frajerów jak ci dziwni przybysze to on ma na skinienie ręki. Gwizdnę, a już waruje! – mówiły oczy dilera. Był to wyraźny, prymitywny przekaz: Ja jestem tu szefem, ja tu rozdaję karty, do mnie się łaszą ćpuny, nie ja do nich! Socjolog rzeczywiście potruchtał do stolika, co wzbudziło w Remusie spory niesmak.

Nie jesteś w krainie estetyki ani racjonalności – uspokajał się w myślach. – Jesteś w świecie nałogowców. Zdobędziesz swoje LSD i nigdy tu nie wrócisz. Milcz, panuj nad sobą, zrób swoje, a potem omijaj to miejsce łukiem parabolicznym.

– Dosiadamy się do nich. – Rudzki wrócił. – Ostrzegam cię, może być ostro. Słoniu jest na coś, powiem dosadnie, wkurwiony.

Wzięli krzesła w ręce i zanieśli je do stolika, przy którym siedzieli diler wraz z rudowłosym kompanem i dwiema dziewczynami. Remus spojrzał tylko przelotnie – zgodnie z zaleceniami Rudzkiego – na drobnego ruchliwego człowieczka. Ten siedział rozwalony na krześle i wpatrywał się w profesora z lekkim uśmieszkiem. Jego spocone dłonie zostawiały plamy na blacie stołu, mała podłużna głowa, osadzona na chudej szyi, wciąż się kręciła na boki, pokazując kilka pryszczy na policzkach, widocznych wśród rzadkich włosów brody.

Remusowi zrobiło się wstyd za kolegę. Oto sympatyczny i kulturalny człowiek, znany i dobrze zapowiadający się naukowiec, musi dla nałogu znosić chamstwo jakiegoś śmiecia kiwającego na niego palcem jak na psa.

– Co jest, dziadek? – Słoniu najwidoczniej dostrzegł na jego twarzy wyraz obrzydzenia. – No co jest, dziadek? Mówię do ciebie!

Zapadła kłopotliwa cisza. Dziewczyny uśmiechały się, jakby usłyszały świetny dowcip, kolega Słonia wpatrywał się w telewizor, Rudzki nerwowo przewracał w palcach papierosa, a Remus milczał i patrzył w szklane oczy bizona, którego wypchana głowa wisiała nad barem obok ogromnych zdjęć aniołów piekieł.

– Ten gościu nie umie mówić, Chudy? – Słoniu spojrzał na Rudzkiego.

– Umiem, ale nie wiem, jak odpowiedzieć na pańskie pytanie. – Remus cały czas patrzył w blat. – Przecież pan wie, po co tu przyszedłem...

– Chcesz wyrywać małolaty na kwas, co dziadek? – Źrenice oczu Słonia były rozszerzone. – Chcesz sobie dobrze podymać, co?! Ale ja tu nie sprzedaję wiagry!

Dziewczyny parsknęły śmiechem. Remus poczuł, że skóra jego głowy staje się ciepła.

Opanuj się – pomyślał. – Ty zaraz stąd wrócisz do uporządkowanego świata, a ten ekskrement wyląduje tam, gdzie jego miejsce: w gnojowicy.

W tym momencie rozległy się dźwięki marimby. Słoniu przyłożył do ucha swojego iPhone'a.

– Jak to nie klepie! Co ty pierdolisz! – krzyknął po kilkunastu sekundach słuchania. – Poczekaj chwilę, to cię, kurwa, klepnie! Mówiłem ci, nie ma bomby od razu! A zresztą wypierdalaj, ćpunie!

Położył telefon na stole i kręcił nim na wszystkie strony. Potem beknął kwaśno. Profesor patrzył w bok i analizował w myślach treść nadruku na jego T-shircie. Pod napisem „Prawda jest straszna" widniały schematyczne postaci kobiety i mężczyzny. Ona miała serce na właściwym miejscu, a on między nogami.

– No dobra, dziadek. – Słoniu potarł palcami o siebie. – Dawaj kaskę. Trzy stówy za siedem sztuk, tak jak mówił Chudy!

Remus podał mu trzy banknoty. Diler chował je do kieszeni, gdy znowu zadzwonił telefon. Odebrał i słuchał może z pół minuty.

– Nie znam cię, nie dzwoń do mnie! – powiedział spokojnie i zaraz się rozłączył.

Wstał. Kiedy szedł do toalety, kołysał się na boki jak zadowolony i pewny siebie marynarz. Jego szerokie, nisko opuszczone dżinsy wydawały szelest przy każdym kroku. Czekali. Rudzki chował i wyciągał papierosy, kolega Słonia pił w milczeniu piwo, Remus patrzył w oczy bizonowi, a dziewczyny rozmawiały ze sobą o jakiejś Patrycji, która się ostatnio „za ostro nahukała i narobiła obory". Słoniu wrócił z toalety i usiadł.

– Woreczek jest przyklejony do kibla – powiedział cicho do Remusa, a potem dodał głośniej: – No, dalej! Sprintem, dziadek, tylko uważaj, bo się odlałem i miałem tam dobry rozprysk!

Dziewczyny zachichotały. Profesor wstał i poszedł do toalety. Było to ciasne pomieszczenie wyłożone na przemian różowymi i bordowymi kafelkami, tu i ówdzie obtłuczonymi. Śmierdziało moczem i starymi, niestarannie wypłukanymi szmatami. Remus z obrzydzeniem sięgnął ręką pod muszlę klozetową. Przejechał palcami pod jej lepką mokrą krawędzią. Wzbierały w nim mdłości. Przełknął ślinę i wtedy poczuł folię pod opuszkami palców. Szarpnął lekko i po sekundzie trzymał przed oczami strunowy woreczek, na którym rozpłaszczona była guma do żucia. To ona przed chwilą przyklejała towar do porcelanowej powierzchni. Przez folię widać było małe okrągłe opłatki ozdobione symbolami jin-jang. Znów poczuł skurcz żołądka, kiedy sobie uzmysłowił, że jego palce miały kontakt z gumą do żucia, którą diler trzymał w swych parszywych ustach, i z moczem, który spłynął po muszli po jego „rozprysku". Szybko odkręcił kran nad mikroskopijną umywalką.

Zaklął głośno, kiedy zdał sobie sprawę, że w podajniku nie ma mydła w płynie i nie będzie mógł dokładnie umyć rąk.

W innym podajniku nie było ręczników papierowych. Zaklął jeszcze głośniej. Mokrymi dłońmi umieścił woreczek za skarpetką. Wydawało mu się, że po jego nodze spływa nie woda, lecz ślina dilera.

Twarz mu płonęła, kiedy wyszedł z toalety. Ręce wciąż miał mokre.

– Co, dziadek, dobry miałem rozprysk? – krzyknął Słoniu.

Remusowi tym razem wydawało się, że z jego palców kapią krople moczu. Przezwyciężając wstręt, pochylił się ku dilerowi.

– Posłuchaj – syknął. – Jestem twoim klientem, nie psem!

Powiedziawszy to, wytarł dłonie o T-shirt Słonia. A potem uderzył. Otwartą dłonią. Nie rozległo się typowe w takich sytuacjach klaśnięcie, profesor bowiem trafił go nie w policzek, lecz w skroń. Poczuł na palcach dotyk spoconych włosów. Słoniu zachwiał się na krześle, stracił równowagę, lecz nie upadł. Oparł się o ścianę. Spojrzał na Remusa. W jego oczach pojawiła się mgła. Dopamina, która pod wpływem zażytego wcześniej proszku zalała jego mózg, wprowadziła go teraz w furię. Uniósł ręce i sięgnął do kieszeni. Światło odbiło się nagle od otwartego ostrza sprężynowego noża.

Remus poczuł, że Rudzki łapie go za rękę i woła: „Spierdalamy stąd!".

Nie widział, co się dalej działo – jak Słoniu skoczył za nimi, jak jego rudy towarzysz rozrzucił wokół kopnięciami tarasujące drogę krzesła, jak barman wpadł na zaplecze.

Nie ujrzał tego wszystkiego, bo biegł już pędem do samochodu. Za sobą czuł oddech Rudzkiego i tupanie goniących. Jego dobrze wytrenowane codziennym joggingiem ciało nie odmawiało mu posłuszeństwa. Biegł cicho i szybko, choć dziurkowane oksfordy nie były idealnym dla biegacza obuwiem. Odwrócił się na chwilę. Rudzki też dobrze pędził. Był tuż za nim pochylony do przodu, trzepocząc rękami jak ptak. Trzydzieści metrów za socjologiem czterech mężczyzn waliło podeszwami o bismarckowski bruk. Remus minął budynek Teatru Polskiego, wyszarpnął z kieszeni kluczyki do auta, przyciskiem pilota otworzył drzwi i wpadł za kierownicę. Podświetlona stacyjka ułatwiła mu zadanie. Mimo drżenia rąk trafił od razu. Zapuścił silnik. Usłyszał jeszcze, jak Rudzki szarpie za klamkę i pada obok, drzwi zatrzaskują się z hukiem i coś ciężkiego rozbija tylną szybę jego nowiutkiego auta. Do wnętrza wsypały się kryształki szkła. Ruszył z piskiem opon w stronę ulicy Piłsudskiego i niezgodnie z przepisami skręcił w lewo, zmuszając do hamowania i przekleństw kierowcę starego forda mondeo nadjeżdżającego od strony teatru Capitol. Ryknął silnikiem, przejechał na czerwonym świetle skrzyżowanie z ulicą Zielińskiego, po czym zwolnił na wysokości filharmonii. Popatrzył uważnie w lusterko. Nikogo nie widział, tylko kierowcę forda, który stał na światłach.

– Przepraszam – powiedział do Rudzkiego, kiedy byli na placu Legionów. – Przeze mnie straciłeś dostawcę towaru...

– Upokorzyłeś go przy dziewczynach i przy kumplach – odparł socjolog. – Już za chwilę pod wagonami zrobi się głośno, że jakiś dziadek, wybacz to określenie „przyłożył Słoniowi z liścia". On tego nie puści płazem... Będzie cię szukał, ostrzegam! A ja? Jestem wkurwiony, bo przecież cię uprzedzałem! Ale zaraz mi minie... Mnie zemsta Słonia już nie dotyczy... Wystarczy, że przez najbliższy tydzień nie będę się pokazywał na mieście. A potem wyjeżdżam. Do Warwick w Anglii... Sam mi opiniowałeś to stypendium... I może już tu nie wrócę...

Zapadło milczenie. Remus skręcił w ulicę Zdrową, gdzie mieszkał Rudzki. Szukał odpowiednich słów, by przeprosić swego towarzysza. Ten jednak go uprzedził.

– Sprawdzałeś towar? – zapytał, otwierając drzwi. – Słoniu cię nie oszukał? Jest rzeczywiście siedem sztuk?

– Nie liczyłem, ale na pewno jest kilka płatków...

– Pamiętaj – Rudzki patrzył z niepokojem na swego towarzysza – nie bierz ich wszystkich naraz, bo będziesz miał betripa...

– Co proszę!?

– *Bad trip* – wyjaśnił Rudzki. – Zła podróż, być może do samego piekła...

– To dobrze – Remus uśmiechnął się – bo właśnie za chwilę się wybieram na spotkanie z Belzebubem.

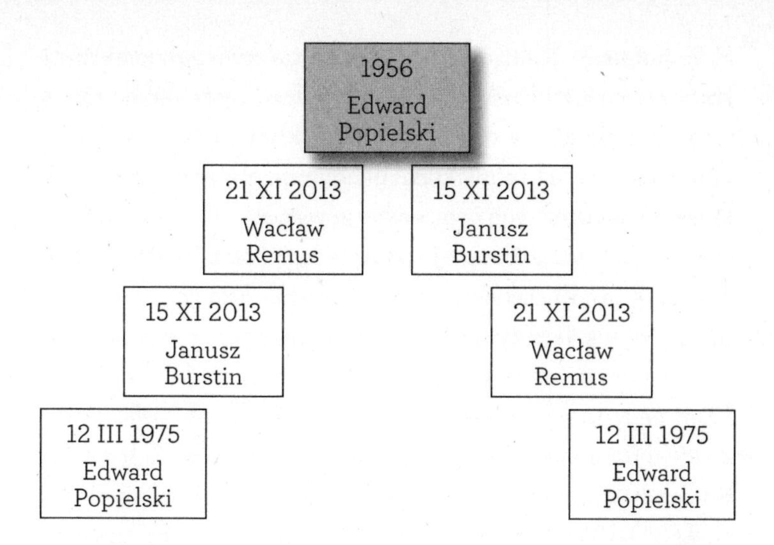

JUŻ JEDENAŚCIE LAT MIESZKAŁEM WE WROCŁAWIU, od początku w tym samym miejscu, na ulicy Grunwaldzkiej. Mieliśmy z Leokadią całe dwupokojowe mieszkanie na parterze, które jeszcze rok wcześniej dzieliliśmy z byłym niemieckim właścicielem kamienicy. Dzięki grubej łapówce, wręczonej pod stołem naczelnikowi Urzędu Kwaterunkowego, udało mi się zablokować dokwaterowanie nowych lokatorów.

Dobrze nam się tu mieszkało. Leokadia zajmowała duży pokój z zakratowanym oknem, w którym stały pianino, kredens i tapczan, a ja nieco mniejszy i ascetycznie wyposażony w żelazne łóżko, szafę i biurko. Dawną służbówkę przerobiliśmy na kuchnię. Sąsiedztwo komisariatu milicji było wielkim atutem tego miejsca i nie chodzi tu bynajmniej o poczucie większego bezpieczeństwa w tak niebezpiecznej dzielnicy, jaką było i jest wrocławskie Śródmieście. Atut ten postrzegałem w kategoriach raczej psychologicznych – oto ja, stary przedwojenny policjant, cieszyłem się, że mam prawie za ścianą ludzi mojej profesji. W ciepłe niedzielne poranki siadywałem przed kamienicą pod zakratowanym oknem dużego pokoju i – prawie niewidoczny za gęstym żywopłotem – obserwowałem milicjantów transportujących do komisariatu różnych łotrzyków. Nie był to częsty widok, ale zawsze nań cierpliwie czekałem. Pokrzykiwania stróżów prawa i poszturchiwania wymierzane bandytom, protesty i obelgi wykrzykiwane przez tych ostatnich – to wszystko przenosiło mnie w myślach do mego dawnego policyjnego świata. Widziałem wtedy knajpy i zaułki Lwowa, hardych batiarów, którzy czasem pluli na mój widok, lecz zawsze ukradkiem, za moimi plecami; znów wchodziłem do uniwersyteckiego prosektorium doktora Iwana Pidhirnego zamęczonego później bestialsko przez Rosjan w więzieniu u Brygidek; znów przechadzałem się po pokojach dawnej Komendy Wojewódzkiej na Łąckiego, która teraz jest najpewniej siedzibą NKWD. W tych pokojach rozmawiałem w mej imaginacji z kolegami, których dawno nie ma wśród żywych: z Wilhelmem Zarembą zabitym w jednej z policyjnych akcji, z Hermanem Kacnelsonem zamordowanym w getcie i z moim szefem Marianem Zubikiem, który z rosyjską kulą w potylicy spoczywa w katyńskich dołach.

Do świata żywych przywoływały mnie zawsze dźwięki pianina, narzędzia pracy kuzynki Leokadii, która mimo siedemdziesiątego czwartego roku życia czuła się znakomicie, a jej wielki dydaktyczny talent sprawiał, że nie narzekała na brak uczniów – ani takich, którzy u niej poznawali język Wiktora Hugo, ani takich, którzy pod jej kierunkiem usiłowali grać sonaty i ballady Chopina.

Gdyby nie dzieci bawiące się w klasy na chodniku, to w takie ciepłe niedzielne poranki ulica Grunwaldzka byłaby całkiem wyludniona. Czasami do komisariatu przyjeżdżała milicyjna garbata warszawa, czasami stary handlarz złomu i makulatury zaterkotał dwukołowym wehikułem, czasami jakiś mężczyzna, ogoliwszy się, zamknął z hałasem okno, w którym pierwej przeglądał się był jak w lustrze w czasie swych higienicznych czynności.

Z otwartych okien mieszkań dochodziły zapachy gotowanego niedzielnego obiadu, okrzyki dzieci, dźwięki radia albo pianina, narzekania i połajanki kobiet oraz grube głosy mężczyzn rozdrażnionych kacem.

Lubiłem te odgłosy niedzieli. Kiedy już się ich nasłuchałem, opuszczałem mój ogródek pod oknem i z Cyceronem pod pachą szedłem do Ogrodu Botanicznego. Dzieła Arpinaty, czytane tam wśród drzew i ozdobnych krzewów, pozwalały mi uspokoić umysł po tygodniowych uciążliwościach mojej pracy.

Tak miałem zamiar uczynić i tego dnia, piętnastego lipca 1956 roku przed południem. Kiedy już nasyciłem się odgłosami miasta, wstałem, włożyłem lekki beżowy kapelusz i marynarkę, do jej kieszeni wsunąłem mały szkolny egzemplarz *De natura deorum* i spojrzałem przez otwarte okno na siedzącą przy pianinie panienkę, której Leokadia spokojnym jak zwykle głosem udzielała odpowiednich wskazówek. Moja kuzynka uśmiechnęła się do mnie ponad jej głową, przekazując mi bezsłownie życzenie: „Przyjemnej lektury!".

Podziękowałem jej skinieniem kapelusza i zza żywopłotu wyszedłem na chodnik.

Mężczyzna stojący koło mojego ogródka nie spuszczał ze mnie wzroku. Kiedy na niego spojrzałem, uchylił melonika, ukazując kilka pasm włosów przyklejonych do łysej czaszki. Odwzajemniłem mu się tym samym gestem, z tą wszakże różnicą, że moja głowa była całkiem łysa, gdyż wszelkie fryzjerskie zaczeski i pożyczki miałem zawsze w głębokiej pogardzie. Na niewysokim, dość korpulentnym panu ciepło lipcowego poranka nie robiło najwyraźniej większego wrażenia, bo był ubrany nadzwyczaj – by tak rzec – szczelnie. Miał mianowicie na sobie wełniany brązowy garnitur z kamizelką i takiejż barwy melonik. Nieco jaśniejsza ręcznie wiązana mucha uszczelniała go pod szyją i od góry uniemożliwiała dopływ świeżego powietrza. W swych brązach wyglądał jak angielski lord, który dziwnym zrządzeniem losu żywcem został przeniesiony do rozpalonego upałem Wrocławia ze swych wrzosowisk w Yorkshire.

– Czy mam zaszczyt z panem Edwardem Popielskim? – zapytał.

– Tak, owszem, to ja – odrzekłem.

Obejrzałem przybysza od stóp do głów i nie mogłem się opanować, by nie parsknąć śmiechem na widok jego przedwojennej elegancji, która była godnie dopełniona przez pumpy wpuszczone w długie kraciaste getry.

– Nie wiem, co pana tak śmieszy, lecz ja nie jestem postacią z tingiel-tanglu, panie Popielski. – Sześćdziesięcioletni na oko mężczyzna podniósł głos. – Jestem Władysław hrabia Zaranek-Plater.

Wzniósł oczy ku górze. Najwidoczniej spodziewał się przeprosin i podziwu, ale doczekał się czegoś zupełnie innego.

– Zaraz zacznę wiwatować! – Uśmiechnąłem się szeroko. – A potem poproszę, by się pan wpisał do mojego sztambucha...

Dowcip ten najwyraźniej zrobił na przybyszu większe wrażenie niż upał, bo zdjął melonik i wielką kraciastą chustą otarł pot, zręcznie przy tym manewrując, by nie zburzyć swej misternej fryzury.

– Jestem przyjacielem pańskiego szefa mecenasa Aleksandra Becka. – Wręczył mi swoją wizytówkę i prychnął pogardliwie, włożywszy na powrót melonik. – Wiem, czym się pan naprawdę zajmuje, i chcę pana wynająć do ważnego, nadzwyczaj dobrze płatnego zadania.

Przysłówek „naprawdę" sprawił, że straciłem ochotę do dalszych żartów. Moje czteroletnie już zatrudnienie u mecenasa Becka jako „pełnomocnika procesowego" nie było żadną tajemnicą, a moja codzienna praca żadną sensacją. Gdyby ktoś mnie śledził, zobaczyłby, że dzień w dzień o ósmej rano przychodzę do biura mecenasa na Świerczewskiego, przeglądam akta aktualnych spraw i sporządzam jakieś notatki. Gdyby temu hipotetycznemu śledzącemu chciało się jeszcze dłużej mnie poobserwować, to dowiedziałby się, że spotykam się z różnymi ludźmi i po prostu z nimi rozmawiam.

„Naprawdę" jednak zajmowałem się czymś, co nie było wcale odległe od mej dawnej detektywistycznej profesji. Tak zwane zbieranie materiału procesowego polegało bowiem głównie na szukaniu jakichś wad i skaz świadków oskarżenia, a potem na umiejętnym wykorzystywaniu tych ułomności. Ponieważ ta działalność często była połączona z delikatnym szantażem – by nie rzec zastraszaniem – niespecjalnie mi zależało na tym, aby osoby postronne, takie jak na przykład ów operetkowy hrabia, wiedziały, na czym „naprawdę" polega moja praca.

– Proszę nie zaczepiać ludzi na ulicy – powiedziałem spokojnie. – Jeśli pan jest komiwojażerem, to niech pan komu innemu sprzedaje swoje magiczne osełki.

Z Cyceronem pod pachą poszedłem w stronę ruin na rogu Górnickiego i Benedyktyńskiej. W oddali błyszczały w słońcu katedralne wieże.

Hrabia Zaranek-Plater biegł za mną.

– Niechże pan poczeka, panie Popielski. – Ciężko dyszał, a ton jego głosu zdał mi się błagalny. – Tu zaraz jest taksówka. Możemy pojechać do mecenasa Becka i on wszystko potwierdzi... Że z nim rozmawiałem o panu, że mi pana polecił... On jest teraz nad Odrą z rodziną, ale wcale się nie pogniewa, jeśli mu przeszkodzimy... To mój stary przyjaciel, krajan, pochodzimy z tych samych stron...

Przystanąłem. Rzeczywiście wiedziałem o tym, że Beck wybiera się w tę niedzielę ze swoją żoną i z dwojgiem dzieci na nadodrzańską plażę za Biskupinem. Jeszcze wczoraj piękna mecenasowa zawitała do naszej kancelarii i – burząc swymi ruchami spokój młodego aplikanta – wypytywała mnie dokładnie (jakbym był co najmniej znawcą urządzeń wodnych!) o niebezpieczeństwa, jakie czyhają na kąpiących się koło Wyspy Opatowickiej.

Hrabia Zaranek-Plater nie zdobył jednak całkiem mojego zaufania. Mógł przecież te wiadomości wydobyć od wspomnianego aplikanta. Miałem inny nieco sposób, aby się upewnić, czy ewentualny zleceniodawca nie kłamie na temat swojej zażyłości z moim pryncypałem.

– A z jakich to stron, dokładnie z jakiego miasta, pochodzi mecenas Beck? – zapytałem.

– No przecież tak jak ja – odparł zadyszany – z Maniewicz na Wołyniu... Znamy się bardzo blisko, od dzieciństwa, proszę pana...

– Czy rodzina Becków miała jakiś zakład, jakąś fabryczkę?

– Mieszkali w Maniewiczach, ale mieli tartak. – Hrabia, odpoczywając po biegu, opierał dłonie na kolanach i pokaszliwał. – W małej wiosce... No jak się ona nazywała? A, już wiem! Czerewacha!

Te kresowe nazwy – Maniewicze, Czerewacha – obudziły we mnie ciepłe uczucia, podobnie jak uwiarygodnienie się Zaranek-Platera. Mało kto wiedział, gdzie Aleksander Beck spędził swe dzieciństwo. Ja wiedziałem, ponieważ mój szef kiedyś przy wódce opowiadał mi o Czerewasze jako o swej utraconej Arkadii. Nie szczędził mi przy tym pikantnych szczegółów dotyczących zwłaszcza bliskich spotkań na zapleczu tartaku z młodymi okolicznymi Żydówkami. Mecenas Beck miał – podobnie jak ja – słabość do kobiet z narodu wybranego.

– Dobrze – patrzyłem z rozbawieniem, jak Zaranek-Plater rozstawia teraz w równej odległości pasma włosów na swej czaszce. – Wierzę panu hrabiemu... No cóż... Nie zapraszam teraz do domu, bo tam moja kuzynka udziela lekcyj. Proponuję, abyśmy pospacerowali po Ogrodzie Botanicznym. Tam właśnie szedłem i tam mi pan hrabia przedstawi swoje zlecenie. To co? Idziemy?

– Jedziemy! To wynajęty szofer! – odparł pewnie hrabia i wskazał na taksówkę na rogu Ładnej i Miłej, obok której stał kierowca ubrany w podkoszulek i beret z antenką. – I pojedziemy nie do Ogrodu Botanicznego, ale na Dworzec Główny.

– Po co? Chce się pan wybrać ze mną na podmiejską wycieczkę?

– Mój tryb życia jest bardzo regularny! Oto zbliża się jedenasta, a ja o tej porze zawsze jem ciastko z kremem i piję kawę w kawiarni dworcowej... No, zapraszam pana na ciastko!

Poczułem, że i na mnie lipcowy upał zaczął oddziaływać. Zdjąłem kapelusz i rozpiąłem drugi guzik koszuli, której kołnierz wyłożyłem już wcześniej na marynarkę.

– Panie hrabio – powachlowałem się kapeluszem – ja bardzo cierpię, kiedy tracę czas. A nie lubię cierpieć. Skąd ja wiem, że pańskie ciastko mi posmakuje? Skąd ja wiem, że będzie warto porzucić dzisiaj rozmowę z tym wspaniałym myślicielem – tu wyjąłem *De natura deorum* i podsunąłem to dzieło pod oczy memu rozmówcy – na rzecz pańskiego zlecenia? Ja nie szukam wcale dodatkowego zarobku...

– Panie Popielski – Zaranek-Plater przeczytał tytuł książki, a potem ujął mnie pod łokieć i zaczął delikatnie prowadzić w stronę taksówki – jestem pewien, że dla mojego zlecenia chętnie pan dzisiaj porzuci piękne Cycerońskie okresy. Jestem gotów się z panem o to założyć. Jeśli pan odrzuci moją propozycję, zapłacę panu pięć setek za fatygę i taksówka odwiezie pana do domu...

– A jeśli ją przyjmę?

– To wtedy mój przyjaciel Olek Beck mnie przeklnie, bo straci niezawodnego pracownika!

– Jaśniej, proszę pana. – Tym razem ja wytarłem pot z łysiny. – Jest za gorąco na implikacje bez następnika. Jeśli przyjmę pańskie zlecenie, to co się stanie? Co wtedy będzie, panie ładny? Dokończ pan!

– Nie będzie pan musiał pracować do końca życia – powiedział leniwie hrabia i wyszeptał mi do ucha bardzo dużą i kuszącą kwotę. – No to co? Zaryzykuje pan i spędzi trochę czasu w moim towarzystwie? Najwyżej pokaże pan później kuzynce pięćset złotych i powie pan: „Przepraszam, że spóźniłem się na obiad, zmitrężyłem trochę czasu z pewnym ekscentrykiem"!

Kiwnąłem głową, a po chwili kołysałem się na tylnym siedzeniu warszawy i patrzyłem ze wstrętem w zarośnięty siwą szczeciną kark taksówkarza.

$\{x, y^{\dagger}, x^{\dagger}, y^{\dagger}, x, y^{\dagger}\}$

Kawiarnia i restauracja na Dworcu Głównym były wypełnione po brzegi. Starsze i młodsze kobiety w ciemnych eleganckich sukienkach i w wieczorowej biżuterii piły lemoniadę przez słomki, jadły lody i kołysały się w takt szlagieru *Apassionata*. Nie śpiewał go jednak Janusz Gniatkowski, lecz wypomadowany młody żigolak w muszce i w marynarce z wielbłądziej wełny. Towarzyszyła mu mała orkiestra – pianista, akordeonista i trębacz.

Z palców mężczyzn towarzyszących tym wszystkim rozmarzonym kobietom dochodziły błyski sygnetów i dym papierosów. Wszyscy wyglądali na zmęczonych, niektórzy na pijanych.

– Dansing przed południem? – zapytałem zdziwiony Zaranek-Platera.

Moje wątpliwości rozwiał kelner – niewysoki, lecz mocno zbudowany mężczyzna – który na ozdobionej złamanym nosem twarzy miał wypisane „wykidajło".

– Dzień dobry, panie hrabio – zawołał. – Już, już odpowiadam na pytanie szanownego pana. – Tu mi się ukłonił. – Wyjaśniam. To nie dansing. Ci wszyscy państwo wracają z wesela i czekają na pociąg. A mamy zatem jakby poprawiny na dworcu, proszę panów szanownych! O, proszę, w kącie sali zwolnił się stolik!

Niech panowie zachodzą! Proszę, proszę, dzisiaj jest tłum, bo koncert za darmo, a wiele pań stęsknionych tańca!

– Dziękuję, panie Heniu. – Zaranek-Plater podał kelnerowi monetę i zwrócił się do mnie głośno: – O, widzi pan? Obsługa tu wyborna, a maniery przedwojenne!

Rozpromieniony Henio poprowadził nas do stolika. Tam strzepnął brudnawą ścierką jakiś pył z blatu i wręczył nam menu kawiarni dworcowej z napisem „Wrocławskie Kolejowe Zakłady Gastronomiczne". Hrabia Zaranek-Plater wskazał palcem jakieś pozycje na liście dań. Kelner odszedł. Kilka stęsknionych tańca dam spojrzało na nas przelotnie, ale po ich minach widać było, że nie spodziewają się, by któryś z nas – dwóch łysych starszych panów – nagle się zamienił w ognistego argentyńskiego tancerza. Z drugiej strony ich wiek, spora tusza oraz cokolwiek sfatygowany wygląd niespecjalnie mnie zachęcały do przebierania nogami.

– Zacznę od prezentacji ważnego bohatera mojej opowieści – powiedział hrabia zadowolony, że hałas muzyki zagłusza jego słowa. – To nestor naszego rodu, *doctor utriusque iuris, professor emeritus** Uniwersytetu Wiedeńskiego Apolinary hrabia Zaranek-Plater. Człowiek nieskazitelnej uczciwości i niezłomnych zasad. Prawdziwy pryncypialny Katon. Mieszka we Wrocławiu bardzo blisko pana, na Ostrowie Tumskim. Jest prawnikiem, lecz informacji o nim darmo by pan gdziekolwiek szukał. O jego kancelarii nikt nic nie wie poza kilkoma wysoko ustosunkowanymi duchownymi. Otóż mój stryj Apolinary zajmuje się bardzo delikatną materią prawną, w której właściwie nie ma konkurencji: prowadzi kościelne sprawy rozwodowe.

Spojrzał na mnie z pewnym rozczarowaniem. Nie objawiałem bowiem wielkiego zainteresowania profesją nestora.

---

* Doktor obojga praw, profesor emerytowany.

– Stryj Apolinary – ciągnął hrabia – jest depozytariuszem spadku po moim bracie Eugeniuszu Zaranek-Platerze. Ten spadek to ogromne pieniądze w złocie i w dolarach, przechowywane w najpewniejszym w tym mieście miejscu: w sejfie samego biskupa Langosza. Majątek ten może przypaść jednemu z dwóch spadkobierców. Albo mnie, jedynemu bratu Eugeniusza i jedynemu, oprócz Apolinarego, jego krewnemu, albo pewnej instytucji, której mój brat zapisał spadek. Ta instytucja to bliżej nieznane londyńskie Towarzystwo Badań nad Geometrią Historii. Tak, rzeczywiście tak się nazywa... Decyzja, kto otrzyma fortunę, należy wyłącznie do stryja Apolinarego jako do nestora rodu. Podejmie on ją autonomicznie, nie podda się żadnym naciskom, a jedynym kryterium decyzyjnym będzie analiza, której dokona w swym przenikliwym umyśle. Na stryja nie mam wpływu ja, nie ma też wpływu nikt inny. Dlatego ten nieprzekupny Katon musi otrzymać żelazny, niezbity i racjonalny argument, który sprawi, że właśnie mnie przyzna on ten skarb. A pan mu tego argumentu dostarczy i zainkasuje swoje dziesięć procent.

Zapaliłem papierosa i już nie ukrywałem swego zainteresowania. Kelner postawił przed nami filiżanki z kawą i dwa ciastka. Sięgnąłem po widelczyk i poprzez kruche płatki francuskiego ciasta lekko się przebiłem do kremowej warstwy.

– Jednego nie rozumiem – z przyjemnością roztarłem krem na podniebieniu – Eugeniusz Plater...

– Zaranek-Plater – poprawił mnie mój rozmówca.

– Dobrze... Eugeniusz hrabia Zaranek-Plater – przyjąłem i rozwinąłem tę poprawkę – zapisał swój majątek londyńskiemu towarzystwu... Czyż to nie jest rozstrzygające? Do czego tu się przyda wyrok pańskiego stryja Apolinarego? Otrzymuje ten, komu zapisano coś w testamencie. Czyż nie tak jest właśnie?

– Nie w wypadku, kiedy autor testamentu żyje!

– To Eugeniusz nie umarł? – zapytałem zdziwiony.

– On dopiero ma umrzeć – rzekł posępnie Zaranek-Plater.

$$\{x, y^{\dagger}, x^{\dagger}, y^{\dagger}, x, y^{\dagger}\}$$

Operetkowy hrabia opowiedział mi historię swojego brata. Oto ona.

Eugeniusz Zaranek-Plater był młodszy od swojego brata Władysława o lat ponad dwadzieścia. Urodził się w roku 1920. Był owocem drugiego małżeństwa Stanisława hrabiego Zaranek-Platera, które ten jako pięćdziesięcioletni wdowiec zawarł – ku oburzeniu całej familii – z młodszą o trzydzieści lat córką piekarza z Maniewicz.

Wybuch wojny i zajęcie przez Rosjan polskich Kresów we wrześniu 1939 roku zastało hrabiostwo Zaranek-Platerów w Zurychu. Odwiedzali tam swojego syna Eugeniusza, który rozpoczął był właśnie studia matematyczne na tamtejszym uniwersytecie. Hrabiostwo postanowili przeczekać trudny czas wojenny w Szwajcarii. Przypuszczali, że będą tu do wiosny roku 1940, kiedy to – jak im się zdawało – Niemcy zostaną pobite. Hrabia Stanisław, absolwent szkół w Szwajcarii i zakochany w tymże kraju, od dawna lokował tu swoje oszczędności, a rozsądnym i godnym najwyższego zaufania plenipotentem całego majątku był jego bezżenny i bezdzietny rodzony brat, rezydujący w Wiedniu hrabia Apolinary.

W Szwajcarii czas mijał wszystkim beztrosko, jeśli nie liczyć zamartwiania się o dalszą rodzinę skazaną – jako wrogowie ludu – na niełaskę Sowietów. Hrabiostwo podróżowali, ich syn gorliwie się uczył. Był bardzo dobrym studentem, lecz niepokój rodziców wzbudzał swym całkowitym nieprzystosowaniem do życia i swą nieobecnością ducha. To były zresztą dwa główne powody, dla których postanowili być blisko syna przynajmniej na początku jego szwajcarskiej edukacji.

Nie wiedzieli jednak, że los nie pozwoli im dłużej roztaczać swej opieki nad dorosłym synem. Pewnego zimowego dnia 1939 roku hrabiostwo dokonali gwałtownie i tragicznie swoich dni pod lawiną, jaka ich przygniotła w czasie narciarskiej wycieczki w Gryzonii. Podobnie tragiczny – *sit venia verbo** – „śnieżny" los spotkał resztę polskich i wołyńskich Zaranek-Platerów. Zostali oni wywiezieni przez Rosjan na Syberię i tam umarli od mrozu i chorób. Ocalał jedynie mój zleceniodawca Władysław, który na początku wojny znalazł się w Krakowie i tam przeżył całą okupację.

A co się stało z majątkiem hrabiego Stanisława? Oczywiście pozostał w szwajcarskim banku pod zarządem i pieczą Apolinarego, który z nazistowskiego Wiednia wyjechał na stałe do stolicy szwajcarskiego Kantonu Czterech Jezior. W Lucernie nestor rodu podzielił spadek na dwie połowy. Jedną przyznał Władysławowi, drugą Eugeniuszowi, z tym wszakże zastrzeżeniem, że ten ostatni otrzyma swoją część, dopiero wtedy gdy psychiatrzy uznają, że jest on w pełni władz umysłowych.

Ten warunek nigdy nie został spełniony, lekarze bowiem nieodmiennie widzieli w Eugeniuszu upośledzonego umysłowo. Nie przekonało ich nawet to, że odnosił sukcesy naukowe w zakresie matematyki. Po dwóch nieudanych próbach odzyskania swojej części spadku Eugeniusz popadł w roku 1942 w jeszcze większą alienację. Pewnego dnia postanowił – wzorem Ludwiga Wittgensteina – szerzyć naukę wśród prostego ludu i udał się do jakiejś szwajcarskiej wioski, by tam nauczać dzieci matematyki.

Pięć lat później, jesienią roku 1947, profesor Apolinary hrabia Zaranek-Plater porzucił luksusowe życie w Szwajcarii. Z całym majątkiem wrócił do Polski i osiadł na stałe we Wrocławiu. Władysławowi wypłacił należną mu część spadku, a resztę złożył

---

* Że tak powiem.

w depozycie wrocławskiej kapituły katedralnej. Z realizacją reszty testamentu postanowił poczekać kilka lat, aż otrzyma wiarygodne informacje o losach Eugeniusza, który gdzieś zaginął.

W roku 1948 Władysław został napadnięty we własnym domu na Krzykach i poddany okrutnym torturom. Nie chcąc dopuścić do śmierci żony, oddał bandytom klucz do sejfu.

Choć ograbiono go z prawie całego majątku, czyli z otrzymanej części spadku, stryj Apolinary nie pozwolił mu biedować. Z własnych środków wyznaczył mu bowiem dożywotnią rentę.

Tymczasem w roku 1949 Eugeniusz Zaranek-Plater wrócił skądś do Polski i zamieszkał we Wrocławiu jak jego stryj i brat. Po kilkudniowej euforii, w jaką wpadli nieliczni – ocalali po rosyjskich mordach i wywózkach – członkowie rodziny, Eugeniusz znów włożył kij w mrowisko. Kategorycznie zażądał swojej części spadku.

Apolinary poprosił o czas do namysłu i wyznaczył odnalezionemu bratankowi stałą rentę. Znalazł dla niego mieszkanie na rogu Podwala i Spokojnej. Tam Eugeniusz zajął jednopokojowe mieszkanie na poddaszu i od tego momentu nie zajmował się niczym innym niż matematyka.

Mijały lata, a profesor Apolinary Zaranek-Plater wciąż nie mógł się zdecydować na wypłacenie części spadku swemu bratankowi Eugeniuszowi. Po przekroczeniu osiemdziesiątki ledwo przeżył zawał serca. Wtedy zrozumiał, że nie może dłużej zwlekać z decyzją. Musiał rozstrzygnąć dylemat: przyznać czy nie przyznać szalonemu bratankowi Gieniowi należną mu część spadku? Myślał nad tym całymi dniami, konsultował się w tej sprawie z psychiatrami z jednej strony, a z filozofami z drugiej. Po wielu długich spędzonych na rozmyślaniach wieczorach podjął decyzję. W czasie kolacji wigilijnej w 1955 roku zaprosił do siebie obu braci. Kiedy już miał im ogłosić swoją decyzję, nieoczekiwanie zabrał głos Eugeniusz. To, co powiedział, omal nie doprowadziło stryja Apolinarego do kolejnego zawału.

$$\{x, y^{\dagger}, x^{\dagger}, y^{\dagger}, x, y^{\dagger}\}$$

– Tak jest, panie Popielski – powiedział hrabia. – Oznajmił mianowicie stryjowi, że we wrześniu roku 1956 popełni samobójstwo, i zażądał przekazania całego swojego spadku londyńskiemu Towarzystwu Badań nad Geometrią Historii...

Zapadło milczenie, które prawie dzwoniło im w uszach. Po tym, jak na peron wjechał pociąg do Ostrowa Poznańskiego i hałaśliwe towarzystwo pobiegło na peron, w dworcowej restauracji zapanowała cisza, przerywana jedynie pogwizdywaniem kelnera-wykidajły, informacjami podawanymi przez megafon oraz rykiem silników taksówek dochodzącym zza okna.

– Ja już dostałem moją część. – Zaranek-Plater prychnął ze złością i podciągnął skarpety na pumpach. – A część mojego obłąkanego brata przejdzie na rzecz jakichś szarlatanów z Londynu... Chyba że... Chyba że pan dostarczy naszemu nestorowi żelaznego dowodu, że Eugeniusz jest wariatem...

Poczułem, że oto ja sam stałem się ofiarą wariata.

– Ja? – Uśmiechnąłem się szeroko. – Pan chyba żartuje! To zadanie dla psychiatry, nie dla prywatnego detektywa...

– I tu się pan na szczęście myli. – Zaranek-Plater przybrał triumfujący wyraz twarzy. – I tu się pan myli! Przechodzimy teraz wprost na pański teren. W ciągu ostatniego półrocza popełniono we Wrocławiu trzydzieści pięć samobójstw. Troje samobójców, kobieta i dwaj mężczyźni, się otruło, a następnie rzuciło w fale Odry. To tak zwane samobójstwa kombinowane, podwójne, z gwarancją skuteczności. Wszyscy troje nie mieli, jak to ustaliła milicja, najmniejszych powodów, by podejmować jakiekolwiek desperackie kroki. Śledczy niechętnie założyli, że były to morderstwa. Po wyłowieniu ostatnich zwłok prawie dwa tygodnie temu mój pomylony brat przeczytał o tym i zaczął wykazywać wielki niepokój. Zmusił mnie, bym go zaprowadził na milicję, na 1 Maja. Tam wszedł do komendanta i pokazał mu pewne swoje obliczenia.

– Obliczenia? – Ta nieoczekiwana wolta w opowieści znów kazała mi zwątpić w poczytalność mojego rozmówcy. – Jakie obliczenia? O czym pan do licha mówi?

– Tak, obliczenia, które były proroctwami! – Hrabia aż się zachłysnął kawą. – Wynikało z nich mianowicie, że Eugeniusz przewidział śmierć tych ludzi... Ponadto, i tu niech pan uważa, ci samobójcy, wedle słów mojego brata, zabili się po to, aby z samych siebie złożyć ofiarę. Rozumie pan? Ofiarę dla jakiegoś bóstwa geometrii, zwanego Belmispar, którego mój chory brat się panicznie boi i dlatego nie opuszcza swego mieszkania! Samobójstwo, jako ofiara, miało być skuteczne i stąd, jak twierdzi brat, było dubeltowe: samobójca najpierw się truł, a potem rzucał do Odry.

Poczułem dreszcz, jakiego już od dawna mi brakowało. Banalna historia stawała się zagadką kryminalną. Z trudem pohamowałem okrzyk zainteresowania.

– Wyobrażam sobie twarz komendanta, kiedy usłyszał te rewelacje...

– Tak, uznał Eugeniusza za pomyleńca, co nie było trudne, zważywszy na jego wygląd i na objawienia, które głosił. Wyrzucili nas obu z komisariatu na zbity pysk, mimo że powoływałem się na wpływy stryja. I wtedy ten biedny, obłąkany człowiek zmusił mnie, byśmy poszli prosto do stryja Apolinarego! Tam przedstawił mu swoją teorię ofiar dla bóstwa geometrii...

– A profesor? Jak zareagował profesor?

– Niech pan sobie wyobrazi: ze zrozumieniem i z aprobatą – odpowiedział powoli Zaranek-Plater. – Dzięki swoim wpływom dostarczał wcześniej Eugeniuszowi wykazów samobójców... Teraz zrozumiał, po co mu były potrzebne. Co gorsza, ta wizyta u stryja pozbawiła mnie nadziei na otrzymanie części mojego brata. Otóż nasz nestor – tu hrabia uderzył się w czoło – uznał, że teoria Eugeniusza jest tak przekonująca, że nie mogła powstać w umyśle wariata... Wprawdzie nie wierzy on w żadnego Belmispara, ale widzi, że obliczenia Eugeniusza jakoś działają i opierają się na jakiejś nieznanej, dziwnej, ale istniejącej obiektywnie matematycznej zasadzie. I tylko to w zupełności mu wystarczyło, żeby znów odwlec swoją decyzję co do spadku... Od pół roku nic innego nie robi, tylko odwleka. Myśli i myśli... Aż w końcu dostanie drugiego zawału i umrze, a Eugeniusz...

– A pański brat już bez przeszkód odbierze swój spadek, z którym zrobi, co zechce – wszedłem mu w słowo.

– Chyba że pan, panie Popielski, jak najszybciej, dopóki stryj ma się jeszcze dobrze... – mówił szybko mój zleceniodawca – chyba że pan, szanowny panie, pokaże nestorowi naszego rodu, że żadne z tych trzech samobójstw nie miało nic wspólnego z tymi wyliczeniami, a rzekoma zgodność jest czystym zbiegiem okoliczności. Ażeby to pokazać, musi pan znaleźć prawdziwe przyczyny tych samobójstw! Nie matematyczne i teoretyczne, ale rzeczywiste! A to jest robota dla detektywa, nie dla psychiatry, nieprawdaż?

– A co będzie, jeśli tych przyczyn nie uda mi się dociec?

Mój rozmówca roześmiał się głośno i uderzył dłońmi po udach.

– No nie, niech pan mnie nie rozśmiesza! Wtedy zrobi pan to, co robi pan codziennie dla mecenasa Becka! Porozmawia pan z najbliższymi tych samobójców i przekona ich pan, by bili się w piersi i przed profesorem obojga praw Apolinarym hrabią Zaranek-Platerem wyciągnęli jakieś mniej lub bardziej brudne sprawki denatów, które by uzasadniały samobójstwa. Jeśli rodzina się nie zgodzi, znajdziemy innych świadków. I ci świadkowie otrzymają za to ode mnie godziwą zapłatę! I wszyscy będą zadowoleni! Co pan na to, panie Popielski?

Wstałem i przeciągnąłem się mocno, aż zatrzeszczały moje stare kości. Nie wydawały mi się one zresztą w tej chwili takie stare. Miałem w sobie siłę czterdziestolatka. Nawet się rozejrzałem po pustej sali w płonnej nadziei ujrzenia jakichś młodych kobiet, które za dwieście złotych umilały w pobliskim hotelu Piast oczekiwanie na pociąg.

– Możliwe, że ci ludzie zostali zamordowani. – Włożyłem na głowę kapelusz. – Chodźmy! Zanim się zdecyduję przyjąć pańskie zlecenie, muszę trochę powęszyć. A nade wszystko – czas już poznać głównego podejrzanego!

– A kto nim jest?

– Oczywiście pański brat Eugeniusz.

$$\{x, y^{\dagger}, x^{\dagger}, y^{\dagger}, x, y^{\dagger}\}$$

Przez całą drogę, a potem jeszcze w bramie kamienicy na ulicy Zelwerowicza, do niedawna zwanej Spokojną, hrabia Zaranek-Plater gorąco protestował przeciwko memu podejrzeniu. Przeciwstawiał mu dość osobliwy argument, o którym już wcześniej był wspomniał. Jego brat Eugeniusz nie mógł popełnić tych morderstw, twierdził hrabia, a mianowicie dlatego, iż od roku w ogóle nie wychodzi z domu – poza jednym tylko wypadkiem, gdy zadziwiał swymi odkryciami komendanta komisariatu przy placu 1 Maja, a potem znajdował życzliwy posłuch u stryja Apolinarego. Otóż matematyk nie wychodzi z domu, ponieważ najzwyczajniej nie może opuszczać swego lokum. Drzwi są zamykane na klucz, który – na usilną prośbę lokatora – mają tylko dwaj najbliżsi jego krewni – brat i stryj. Ponadto jedyne okno mieszkania jest zaopatrzone w solidną kratę.

Zdumiały mnie te ekstrawagancje. Wielu widziałem już ludzi, którzy izolowali się od świata – szalonych naukowców i ekscentrycznych artystów. Wszyscy oni jednak kierowali się racjonalnymi powodami – chcieli, by nic nie burzyło spokoju ich pracy. Przyczyna, dla której Eugeniusz nie chciał opuszczać swego mieszkania, nie brała się tylko z chęci porzucenia destrukcyjnego chaosu świata. Miała ona drugie, nader osobliwe dno. Matematyk po prostu panicznie się bał – hrabia powiedział to z wielkimi oporami – że kiedyś sam stanie się ofiarą dla wyimaginowanego Belmispara, czyli że ów bóg zmusi go, by najpierw się otruł, a potem skoczył do Odry! Brak klucza do drzwi i krata w oknie miały go zabezpieczyć przed dubeltowym samobójstwem!

Wielu wybitnych matematyków popadało w obłęd. Ogarniała ich trwoga, ale raczej przed ludźmi, przed tajnymi agentami, przed skrytobójcami, przed zawistnikami, no nawet przed wysłannikami z kosmosu. Ale grozą przejmowali ich ludzie albo kosmici w ludzkiej powłoce. Duszy żadnego z nich nigdy nie brał w swe panowanie wymyślony bałwan ani nie rozdzierała religijna mania. Eugeniusz był zatem wyjątkiem. Już jako taki budził me podejrzenia. Z drugiej strony sprawa, którą miałem się zająć, wydała mi się w świetle tych wszystkich faktów tak dziwaczna i niezrozumiała, że przez chwilę znów chciałem ją porzucić. Zwyciężyła jednak chęć godziwego zarobku i – do czego się przyznawałem tylko w skrytości ducha – pragnienie przywrócenia racjonalnego porządku w małym, irracjonalnym fragmencie tego świata.

Weszliśmy do ogromnej kamienicy na rogu Podwala i Zelwerowicza i rozpoczęliśmy mozolną wspinaczkę po schodach, którą zakończyliśmy zgodnym sapaniem. Po raz tysięczny przeklinałem w myślach podeszły wiek i zgubny nałóg, który moje płuca zamienił w rzeszoto.

Matematyk mieszkał, jako się rzekło, na poddaszu. Z jego lokum, zabezpieczonym żelaznymi drzwiami zamykanymi na sztabę, sąsiadował tylko strych. Hrabia wyjął ogromny klucz o bardzo skomplikowanych rowkowaniach i rozgałęzieniach.

– W koszmarnych snach – westchnął, wsuwając klucz do zamka – nawiedza mnie często taki oto obraz: kamienica się pali, a mój brat, zamknięty na cztery spusty, piecze się tutaj jak w bratrurze.

Lubiłem bardzo to kresowe określenie piekarnika. Przypominało mi ono szczęśliwe dni mojego krótkiego małżeństwa, kiedy z ukochaną Stefanią wprowadziliśmy się do lwowskiego mieszkania, które właściciel zachwalał jako „wyposażone, uważa pan, w bratrurę". W tym właśnie mieszkaniu Stefania zaszła w ciążę, tu też urodziła naszą córkę, umierając przy tym od krwotoku.

Odpędziłem dobre i złe wspomnienia, wywołane kresowym dialektem, by nie utracić myśli, która przemknęła mi nagle przez głowę. Odciągnąłem hrabiego na półpiętro, by zadać mu ważne pytanie. Nie chciałem, by Eugeniusz usłyszał je przez drzwi. Niestety – w trakcie krótkiej wędrówki kilka stopni niżej – myśl znikła. Wiedziałem jedynie, w jakim mglistym kierunku podążała.

– Kto mu robi zakupy i sprząta? – zapytałem cicho, bo przeczułem, że właśnie z tym wiązała się jakaś moja wątpliwość.

– Nikt – odparł Zaranek-Plater. – Raz w tygodniu wchodzę tu z Mieciem, synem stróża, który wnosi węgiel i prowiant przygotowany zawczasu przez moją żonę. Sprząta u siebie sam Eugeniusz.

– Rozumiem, rozumiem... – powtórzyłem w zamyśleniu.

Po kilkunastu sekundach mój towarzysz zaczął okazywać oznaki zniecierpliwienia. Wtedy powróciła do mnie utracona myśl.

– No tak, odwiedzają go zatem tylko obaj najbliżsi krewni, nie licząc oczywiście owego Miecia tragarza... Czy ktoś jeszcze u niego bywa? Chodzi mi tu o kogoś, z kim pański brat może rozmawiać przez drzwi...

– Rozumiem pańskie intencje – odparł natychmiast Zaranek-Plater. – Jest tylko jedna taka osoba. To ksiądz spowiednik, który raz w tygodniu przez drzwi wysłuchuje jego grzechów...

– Skąd ten ksiądz? Z jakiej parafii? Wie pan?

– Tak, wiem. Ksiądz Tadeusz z pobliskiej parafii Świętego Antoniego.

Dałem znak, że możemy już wejść do jego brata. Stanęliśmy znów pod drzwiami. Hrabia je otworzył i po kilku sekundach byliśmy w środku. Mieszkanie Eugeniusza składało się z jednego pokoju i prowadzącego doń korytarza, gdzie wisiały dwie zasłony. Frunęły one wysoko w uczynionym przez nas przeciągu i odsłoniły dwie bezokienne wnęki. W jednej z nich była maleńka kuchnia zaopatrzona w maszynkę spirytusową, w drugiej zaś – ubikacja. Po chwili staliśmy już w pokoju naprzeciw małego, okrągłego i zakratowanego okna.

Po wstępnej lustracji mieszkania musiałem przyznać rację hrabiemu. Jego brat miał żelazne alibi. Założenie, że klucz mieli tylko Władysław i Apolinary, prowadziło do nieuchronnego wniosku. Matematyk – by opuścić to mieszkanie – musiałby się zamienić w ptaka, kota lub karalucha.

W Eugeniuszu Zaranek-Platerze można było przy odrobinie wyobraźni dostrzec cechy wszystkich tych zwierząt. Do ptaka i karalucha upodabniał go wydatny wystający nos. Jego potężny kostny szkielet przywodził na myśl ptasi dziób, a długie wystające z dziurek włosy przypominały karalusze czółki. Kocie miał uszy – długie i spiczaste, wystrzelające z gęstwiny włosów porastających skronie i potylicę. Z ich bujnością kontrastowała kopuła łysej głowy, która wyłaniała się jak naga skała w dżungli. Doprawdy we trzech tworzymy tu Klub Łysych – pomyślałem, patrząc na zaczeskę pana domu.

– Pozwól, mój drogi – powiedział hrabia, wskazując na mnie oczami. – To pan doktor Edward Popielski, prywatny detektyw, który zajmie się wyjaśnieniem zagadki ofiar dla Belmispara... Pan Popielski jest byłym policjantem ze Lwowa, dość nietypowym, bo bardzo dobrze wykształconym w zakresie języków klasycznych...

Kiwnęliśmy sobie głowami. Ani Eugeniusz, ani ja nie wyciągnęliśmy do siebie ręki. Po chwili skierowałem wzrok ku przyjemniejszym widokom niż gospodarz tego mieszkania.

Choć sprzętów było w tym czysto wysprzątanym pokoju bardzo niewiele, budziły one swym przeznaczeniem moje najwyższe zdumienie. Pod ścianą stała tablica zapisana działaniami i symbolami matematycznymi, a na środku ogromna, starannie pościelona... wanna. Do okna przysunięte było biurko, przy którym nie stało żadne krzesło. Zamiast niego z sufitu zwieszała się linowa huśtawka. Na biurku w równym rzędzie stały podparte z obu stron książkami kartonowe wiązane teczki – pełne, jak mniemałem, wiekopomnych odkryć i genialnych dowodów.

Gdy na to wszystko patrzyłem, nie mogłem zrozumieć, nad czym się jeszcze zastanawia stryj Apolinary. Na jego miejscu nie dałbym temu wariatowi, który śpi w wannie i buja się przy biurku na dziecinnej huśtawce, żadnych pieniędzy, bo mógłby je w całości wydać na ołowiane żołnierzyki.

W pokoju było bardzo gorąco. W żelaznym piecu, typu koza – mimo letniej pory – migotał czerwony żar. Obok drzwi stał jeszcze jeden piec – prawdziwe dzieło sztuki niemieckich zdunów i kafelkarzy.

– Lubię ciepło – mocnym, niskim i dźwięcznym głosem odezwał się nieoczekiwanie matematyk.

– Mój brat najprawdopodobniej bardzo cierpiał od zimna w czasie wojny – odezwał się Władysław. – Stąd zawsze pali w piecu... Nawet w lecie...

– Tak... Pański brat musi rzeczywiście lubić ciepło – powiedziałem i wskazałem na poniemiecki piec. – W zimie pewnie grzeje dubeltowo!

– Tamten piec nie działa – odezwał się matematyk – ale nie pozwalam go remontować... Przyjdzie jakiś zdun, cham, prostak, i rozbije te piękne kafle...

– Tu jest wszystko tak urządzone – wszedł mu w słowo Władysław – jak tego chce Gienek. Chce mój brat spać w wannie? Niech śpi! Chce się huśtać w czasie rozmyślań? Proszę bardzo!

Zdziwiło mnie, że starszy mężczyzna wypowiedział te słowa gniewnym podniesionym głosem. Nie był tak dobrym aktorem jak patronujący tej ulicy Aleksander Zelwerowicz. Jeśli ja usłyszałem w tej wypowiedzi fałsz, to na pewno usłyszał go też Eugeniusz. W swych najgłębszych intencjonalnych pokładach słowa te brzmiały: Kochany braciszku, widzisz, jak dbam o twoje ekstrawagancje? Bronię ich jak lew! No już, nie zwlekaj, mój mały! Zapisz swój spadek kochanemu Władziowi!

– Interesuje mnie – zwróciłem się do matematyka – pańska teoria o ofiarach dla Belmispara... Czy mógłby mi ją pan wyłożyć? Zapewniam pana, że podejdę do niej z większym zrozumieniem niż komendant milicji. Oprócz filologii studiowałem dwa lata matematykę w Wiedniu u Mertensa...

Była to całkowita prawda. Studiowałem matematykę na początku tego wieku i pewnie byłbym ją skończył, gdyby nie objawiła się u mnie *epilepsia photosensitiva**, która atakowała pod wpływem szybkich jasnych i ciemnych naprzemiennych refleksów – nagłych zmian słonecznego światła i cienia. By się uchronić przed atakami padaczki, musiałem wybrać wykłady i konwersatoria, które – w odróżnieniu od matematycznych, porannych – odbywały się wieczorną porą, po zachodzie słońca. Przypadek sprawił, że tę porę – jako czas zajęć akademickich – szczególnie upodobali sobie klasycy. I tak zamiast matematykiem stałem się filologiem i zamiast algebrze przedpolicyjną część swego życia poświęciłem łacinie.

---

* Epilepsja światłoczuła.

– Brat da panu kopię mojego studium – odezwał się Eugeniusz. – Nie jestem w nastroju do wykładania tych przerażających zagadnień. Przyjemnej lektury! I żegnam panów! Chcę teraz popracować!

Władysław spojrzał na mnie znacząco. Podszedłem do okna i chwyciłem za klamkę.

– Mogę?

– Nie! – krzyknął matematyk.

Nie posłuchałem go i otworzyłem okno. Spojrzałem w dół, a potem w bok. Mocno chwyciłem za kratę i szarpnąłem nią. Była bardzo solidnie osadzona.

Eugeniusz patrzył na mnie ze złością. Nic dbałem o to. Jeśli miałem zająć się tą sprawą, to musiałem ze znaczną pewnością wykluczyć matematyka z grona podejrzanych.

Zamknąłem okno i poszedłem do przedpokoju. Tam już bez pytania zlustrowałem ubikację i kuchnię. Wszędzie było bardzo czysto – w toalecie lśniła podłoga, klozet i umywalka były świeżo wyszorowane, a w mikroskopijnej kuchni nie znalazłem ani okruszka na stole i na szafce, wypełnionej wekami, chyba z bigosem. Upewniłem się raz jeszcze, że ani w kuchence, ani w ubikacji nie ma okna. Potem ukłoniłem się lekko zdziwaczałemu mieszkańcowi tego miejsca i nie bez ulgi opuściłem duszne pomieszczenie. Na korytarzu zdjąłem marynarkę i kapelusz. Przejechałem dłonią po mokrej głowie. Koszula lepiła mi się do pleców.

– Jest pan bardzo bezceremonialny – powiedział hrabia Zaranek-Plater, kiedy już uporał się z zamkiem. – Nieładnie tak się zachowywać... Mój brat jest człowiekiem bardzo depresyjnym, wrażliwym... i wyczulonym, gdy się go traktuje arogancko... Potem nie może spać, dręczą go koszmary...

– Też bym nie mógł usnąć w wannie, a pan? – Uśmiechnąłem się szeroko. – Proszę przyjść do mnie jutro do kancelarii mecenasa Becka z zaliczką i z matematycznymi proroctwami brata. Nie obiecuję, ale chyba wezmę to zlecenie!

Podałem hrabiemu rękę. Natychmiast minęło mu oburzenie i uścisnął ją mocno.

– No to chodźmy! – powiedział bardzo zadowolony.

– Nie, ja tu jeszcze zostanę – odparłem. – Muszę porozmawiać z sąsiadami. Interesuje mnie, kto jeszcze ma z nim kontakt.

– Pan go wciąż podejrzewa? – zapytał ponuro hrabia, a potem dodał ostrym tonem: – Nie płacę panu za to, żeby mi pan brata wsadził do więzienia. Nawet gdyby to on zabijał, co jest zresztą kompletnym absurdem!

Podszedłem do Zaranek-Platera, chwyciłem go mocno za ramiona i wbiłem w niego wzrok.

– Ale jeśli to on otruł i utopił tych troje ludzi, to co wtedy? Odpowiem panu co. Pański brat trafia do więzienia, a potem na stryczek. I co dalej, panie ładny? Kto jest jedynym spadkobiercą? Pan, tylko pan! Czyż nie zgodzi się pan teraz ze mną, że prawda jest najważniejsza... To co? Mogę prowadzić śledztwo po mojemu?

Hrabia milczał przez chwilę.

– Ma pan rację – odrzekł po długim namyśle. – *Magnus amicus Plato, sed magis amica veritas**!

Podał mi rękę i pogwizdując, zbiegł po schodach, jakby miał dwadzieścia lat mniej. Najwyraźniej nie przerażała go wizja brata dyndającego na szubienicy.

$$\{x, y^\dagger, x^\dagger, y^\dagger, x, y^\dagger\}$$

Zszedłem piętro niżej. Było tam czworo drzwi. Dzwoniłem i stukałem do wszystkich. Cisza. Gdzieniegdzie jakieś szmery.

---

* Wielkim jest mym przyjacielem Platon, lecz jeszcze większą przyjaciółką prawda.

Nie byłem specjalnie rozczarowany. Były wakacje. Wiele rodzin wyjechało na wczasy, a w mieście od skwaru zamierało życie. Ludzie opuszczali swe czynszówki i szukali ochłody – choćby nad pobliską fosą miejską, w cieniu rozłożystych platanów. Jeśli już byli w domach, to drzemali albo słuchali radia. Ostatnie, czego by pragnęli, to wizyta jakiegoś natręta, który by im zawracał głowę w niedzielę.

Wcale nie liczyłem też na to, że rozmowa z sąsiadami rzuci jakieś światło na moje śledztwo. Po prostu kierowałem się starą policyjną zasadą – nie wierzyć nikomu.

I nie wierzyłem. Zwłaszcza naukowcowi, w którego obłęd i niewinność powątpiewałem. Był bowiem sposób na to, by opuścił swe dobrowolne więzienie. Zbyt wielu kasiarzy i włamywaczy znałem we Lwowie, aby pokładać zaufanie w niezawodnych potężnych zamkach. Wystarczyło tylko poprosić jakiegoś domniemanego wspólnika, może księdza spowiednika, o przyprowadzenie tu ślusarza i o dorobienie klucza. Alibi w ten sposób zdobyte byłoby żelazne: „Nie mogę wychodzić z domu, zatem nie jestem podejrzany".

Podrapałem się w głowę i ruszyłem po schodach w dół. Nagle otworzyły się drzwi od mieszkania położonego bezpośrednio pod poddaszem matematyka. Stała w nich starsza kobieta.

WRÓCIŁEM. Uśmiechałem się szeroko i uchyliłem kapelusza. Nie zrobiło to na niej wielkiego wrażenia. Kiedy się odezwałem, mój głos brzmiał spokojnie, cicho i ciepło. Miał budzić zaufanie.

– Nazywam się Morton. – Przyszło mi do głowy nazwisko jednego z ostatnich klientów kancelarii mecenasa Becka. – Józef Morton, urzędnik z kwaterunku. Czy mogę panią prosić o udzielenie pomocy urzędowej osobie?

– Przez drzwi tak – odparła starucha, taksując mnie wzrokiem. – Aż się nie chce wierzyć, że ktoś z kwaterunku przychodzi tu w niedzielę... Jak coś się dzieje złego, sąsiad zalewa albo sadza leci z pieca, to doprosić się was nie można! A tu w niedzielę... I to taki niby miglanc...

Kręciła głową z niedowierzaniem.

– Ja tu przychodzę, wie pani – szepnąłem, schylając się ku staruszce – incognito... Zupełnie incognito... Dlatego w niedzielę... Ten sąsiad nad panią, wie pani... Musimy coś sprawdzić... Pomoże nam pani?

– No, nie wiem, nie wiem... Może pomogę, a może nie pomogę... Czy ja wiem... Taki miglanc...

Słowo to było mi doskonale znane jako synonim lekkomyślnego fircyka, drobnego cwaniaczka, próżniaka i eleganta z przedmieścia. Nie najlepiej pasowało do mojego wieku i nie było żadnym dla mnie komplementem.

Postanowiłem jednak mimo wszystko nie utracić zainteresowania starszej pani, a nawet zdobyć jej zaufanie. „W rozmowie z nieznanymi ludźmi – tak zawsze nam mawiał lwowski wojewódzki komendant policji, podinspektor Czesław Paulin Grabowski – musicie panowie, jako tajniacy, w ciągu kilku sekund zbudować obraz swego rozmówcy. Założyć, że jest na przykład klerykałem albo postępowcem. Trafione założenie jest jedynym dobrym punktem wyjścia, nietrafione sprowadzi waszą rozmowę na manowce i nie zdobędziecie żadnych informacyj".

Spojrzałem w oblicze staruszki. W tłustej i okrągłej twarzy błyszczały chytre, przebiegłe oczy. Założyłem, że jest handlarką, przekupką lub – w najlepszym wypadku – gospodynią domową.

– Wie pani, jak to jest – powiedziałem ściszonym głosem. – Nie ma na świecie sprawiedliwości... Jedni mieszkają w salonach, a inni gnieżdżą się, o tak jak pani – tu spojrzałem przez jej ramię w głąb mieszkania – w jednej izbie... Musimy temu przeciwdziałać... A pani sąsiad z góry... Nas nie wpuszcza... Chce nas chyba oszukać...

– Ten wariat? – zdziwiła się kobieta. – On jest tak głupi, że nie oszukałby nawet... No, nie wiem kogo...

Zamilkła. Zabrakło jej porównania.

– Przecież pani wie – ciągnąłem. – Nikt nie może do niego wejść, bo ma drzwi zamknięte na klucz i sam nie ma tego klucza. To bardzo niebezpieczne i niezgodne z przepisami. Kwaterunek musi mieć dostęp do mieszkań. W razie pożaru czy innego nieszczęścia to co? Nie możemy do niego wejść! To zagrożenie dla całej kamienicy! Coś teraz pani powiem, ale muszę mieć pewność, że nikomu pani tego nie zdradzi... Mogę wejść do pani?

Oczy kobiety zrobiły się okrągłe z ciekawości, lecz zaraz się zwęziły. Stały się jeszcze bardziej podejrzliwe i nieufne. Szpara pomiędzy otwartymi drzwiami a framugą też zrobiła się trochę mniejsza.

– Nie! – sapnęła. – Przez drzwi niech gada!

– Chcemy wykwaterować tego z góry. – Wskazałem ręką na sufit. – I umieścić tam pewną uczciwą rodzinę robotniczą... Ale niczego nie robimy pochopnie. I dlatego zbieramy o nim informacje... Kto do niego przychodzi... O czym rozmawiają... Słyszałem, że przychodzi do niego jakiś ksiądz i go spowiada! To bardzo chwalebne, ja tak sądzę... Bardzo chwalebne... Ale niektórzy moi, zwłaszcza, uważa pani, partyjni koledzy są innego zdania... Skąd jest ten ksiądz? Z tutejszej parafii?

– A z naszej, to ksiądz Tadeusz – mruknęła baba. – Nikt inny! Wiedziałabym, ja wszystko wiem. Kiedy go spowiada, nie wpuszczam nikogo na strych. To święty sakrament... Niech nie przeszkadzają...

– A osoby świeckie? Kto go odwiedza?

– Brat i stryj tylko.

Zmęczyła mnie ta rozmowa. Przesunąłem dłonią po wilgotnej skórze głowy. Nagle kobieta wrzasnęła.

– A co to, przesłuchanie? Z milicji taki miglanc?! A co to, posługi kapłańskiej już odmawiacie człowiekowi!? Księży chcielibyście mu zabronić?! A niech przychodzą do niego ze świętymi sakramentami! A ty won mi stąd!

Powiedziawszy to, zdjęła łańcuch z drzwi i otworzyła je na oścież, by wziąć większy zamach. Przez sekundę widziałem w otwartych drzwiach wystrój jej mieszkania oraz brzuchatą figurę jakiegoś mężczyzny bez koszuli, który najwyraźniej wychodził z kibla. Potem kamienica się zatrzęsła od huku, a znad framugi sypnął się obłoczek tynku. Baba musiała sprzedawać cegły i własnoręcznie je dostarczać klientom – taką miała krzepę.

– Co to był za łysy frajer? – usłyszałem za drzwiami zachrypnięty męski głos. – Mam go spuścić ze schodów, żeby mamusi więcej głowy nie zawracał?!

– A jakiś niby z kwaterunku – krzyknęło babsko. – Czy ja ich znam jednego z drugim Żydziagę? Jakiś Mordsztajn czy inny! Ale daj spokój, Zdzisiu! Nie ruszaj parcha, bo się jeszcze zasapiesz!

Czym prędzej zbiegłem ze schodów, na wypadek gdyby Zdzisio nie posłuchał jednak mamusi.

Moje pierwsze przesłuchanie w „sprawie Belmispara" – mimo niebezpieczeństwa pobicia – zakończyło się sukcesem. Dowiedziałem się, kto składał wizyty Eugeniuszowi Zaranek-Platerowi. Ci odwiedzający – i krewni, i parafialny kapłan – na pewno nie są wspólnikami w morderstwach. Co najważniejsze, to by wykluczało też matematyka jako podejrzanego. Miał rzeczywiście niepodważalne alibi, bo tylko cudem mógłby się wydostać z mieszkania. A ja w cuda nie wierzyłem i po raz kolejny miałem się przekonać, że one się nie zdarzają.

Świat detektywa jest racjonalny – myślałem, paląc papierosa na przystanku zerówki przy Podwalu. – A wyjaśnienie zagadki to triumf rozumu. Walczę wszak z ludźmi, nie z demonami.

Czas pokazał, że mimo przeżytych siedemdziesięciu lat wciąż byłem bardzo, bardzo naiwny.

$$\{x, y^{\dagger}, x^{\dagger}, y^{\dagger}, x, y^{\dagger}\}$$

Sekretarz kapituły wrocławskiej ksiądz Jan Blicharski był moim starym przyjacielem ze Stanisławowa. Przez osiem lat siedzieliśmy w jednej ławie gimnazjalnej, w jednym czasie – w klasie szóstej – zaczęliśmy palić papierosy i w tym samym czasie zakochaliśmy się w tej samej kobiecie – pięknej, młodej Żydówce sprzedającej ciastka u Mikulika, czyli w najlepszej stanisławowskiej cukierni. I jego, i moim mistrzem był nasz nauczyciel matematyki, wspaniały wykładowca ksiądz profesor Roman Motriuk, który dostrzegał Boga wśród liczb niewymiernych i urojonych. Jasia pociągała w nim teologiczna surowość i szerokie horyzonty, mnie – elegancja i krystaliczne piękno matematycznych wędrówek. Tak, z Jasiem mieliśmy wiele wspólnego. Omal nie zdobylibyśmy męskich szlifów w jednym i tym samym burdelu, ale w tej sprawie mój przyjaciel okazał niezłomną obyczajność i odmówił zejścia wraz z całą naszą klasą na wszeteczną drogę. Jego śmiała odmowa i odważna postawa – do burdelu poszli wtedy wszyscy stanisławowscy maturzyści Anno Domini 1905 – była uzasadniona również wyborem jego drogi życiowej. Już rok wcześniej zdecydował był, że będzie zgłębiał teologię na Uniwersytecie Lwowskim i zostanie księdzem.

Po maturze nasze drogi się rozeszły. On studiował we Lwowie, ja – w Wiedniu. Ja stałem się filologiem i marzyłem o pracy naukowej, on został kapłanem i – dzięki swej wrodzonej bystrości umysłu i dużemu szczęściu – rozpoczął błyskotliwą karierę w administracji kościelnej. Jego droga wiodła wprost ku zaszczytom i prestiżowym stanowiskom, a moja biegła zakosami i sinusoidami. Kiedy on świętował swe prymicje, ja pracowałem jako suplent nauczyciela języków klasycznych w Przemyślu, kiedy on został proboszczem, ja wąchałem w okopach proch i smród wielkiej wojny. Kiedy on awansował na sekretarza arcybiskupa lwowskiego Bolesława Twardowskiego, ja zdychałem prawie na dyfteryt w carskiej niewoli, a kiedy on prowadził wśród księży delikatne misje wywiadowcze zlecone mu przez pryncypała, ja goniłem bolszewików pod Mozyrzem.

Nasze drogi zeszły się dwa razy, co hucznie świętowaliśmy – raz we Lwowie, gdzie zamieszkałem po wielkiej wojnie, i raz we Wrocławiu, gdzie mnie wygnano po drugiej wielkiej wojnie. Jaś był tutaj sekretarzem najpierw administratora apostolskiego księdza Karola Milika, a potem wikariusza kapitulnego księdza Kazimierza Lagosza, którego czas we wrocławskiej kapitule – jak ćwierkały wróble na Ostrowie Tumskim – dobiegał już końca. Wraz z nastaniem nowego administratora diecezji – te same wrocławskie wróble typowały tutaj biskupa Bolesława Kominka – ksiądz Jan Blicharski szykował się do przejścia na zasłużoną emeryturę.

Siedzieliśmy teraz w milczeniu w ogrodach kapitulnych, patrzyliśmy w leniwy nurt Odry, paliliśmy Jasiowe lordy i piliśmy lemoniadę w wysokich kryształowych szklankach, przyniesioną nam przez siostrę zakonną. Blicharski trawił w myślach sprawę Belmispara, o której mu powiedziałem minutę wcześniej.

– Kochany Edziu – ksiądz spojrzał na mnie z troską – co ciebie tak nosi? Jaka energia cię rozsadza? Po co ci jakieś nowe sprawy detektywistyczne? Nie wystarczają ci tajne misje mecenasa Becka? W czasie wojny tropili cię Niemcy, Ukraińcy i Ruscy. Potem UB nie dawało ci spokoju. Mało ci jeszcze?

– Janek, ty mówisz nie na temat. – Uśmiechnąłem się do przyjaciela. – Ja cię tylko proszę o informację o ulubieńcu kościelnych salonów, a ty mi tu, bracie, wyjeżdżasz z wojną, UPA, NKWD i Gestapo... Na temat, na temat, proszę!

– To jest na temat. – Blicharski był poważny. – Jak najbardziej na temat... W czasie wojny, walcząc przeciwko wszystkim, ściągnąłeś sobie na głowę zemstę wszystkich... Wszyscy cię chcieli skrócić o ten łysy, krnąbrny łeb. – Teraz ksiądz się uśmiechnął. – I o mały włos...

– Niektórym by się to udało. O mały włos... Ale ja nie mam włosów... No dobrze, ale co z tymi wszystkimi diabłami ma wspólnego profesor Apolinary Zaranek-Plater?

– Walczyłeś z potężnymi organizacjami, rozdrażniłeś potęgi i one zwróciły się przeciw tobie. – Blicharski strzepnął papierosa. – Tylko jakimś cudem siedzisz tu teraz, cały i zdrowy, koło mnie, a nie leżysz gdzieś pod zmarzliną Syberii... Edziu, wystarczy już drażnienia potęg... A wspomniany przez ciebie profesor to prawdziwa potęga...

– Chyba nie chcesz porównywać starego kauzypedry z bydlakami z NKWD czy z UB?! To byłoby niemożebne!

– Niemożebne jest to – mój przyjaciel nerwowo trzasnął stawami palców – żebyś podejrzewał profesora Zaranek-Platera o jakieś niegodziwe sprawki. Ten człowiek jest stary i bardzo stateczny. O jego bogactwie i o jego wpływach krążą legendy. Nie ma rodziny, nie ma nałogów, na kobiety nawet nie spojrzy... Zresztą w tym wieku...

– A może... – zasugerowałem, czując, że na twarz mi wypełza sprośny uśmieszek.

– Na chłopców też nawet nie spojrzy, jeśli ci o to chodzi – żachnął się Blicharski. – On mógłby mieć wszystko. I ta świadomość, ta władza mu wystarcza. Jeden jego telefon do kapituły i wszyscy stają na baczność, jeden jego telefon do komitetu wojewódzkiego, a tępi partyjniacy prześcigają się w uprzejmościach. Ten człowiek jest dla wrocławskiego Kościoła nieoceniony. Dla partii również. Nie ma lepszego negocjatora od profesora. Szanowanego przez obie strony. A teraz po wypadkach poznańskich nastał czas negocjacyj... Pamiętaj, Edziu, Kościół i partia to potęgi. Nie drażnij ich... Zwłaszcza kiedy zawrą chwilowy sojusz...

Blicharski zamilkł.

– Jasiu, czy ja dobrze słyszę? – Zdumiałem się tak bardzo, że i ja sięgnąłem po drugiego lorda, ledwie wypaliwszy poprzedniego. – Czy ja dobrze słyszę, stary druhu? Przecież obie te potęgi są śmiertelnymi wrogami...

– Powiedziałbym „przeciwnikami" – mruknął ksiądz. – A przeciwnicy mogą się taktycznie sprzymierzyć. Tak jak ty na Chełmszczyźnie sprzymierzyłeś się z Ukraińcami przeciwko ubekom i enkawudzistom. Ale w szeregach tych dwóch potęg są ludzie, którzy mają ze sobą bardzo, bardzo wiele wspólnego... No, pomyśl chwilę, bracie... O jakich ludziach mówię?

– O masonach? – zapytałem.

Blicharski skinął głową.

– Masoneria. Profesor jest masonem... I to bardzo wysoko postawionym – szepnął mój rozmówca i wstał gwałtownie, jakby dźgnięty ostrogą.

Zaczął spacerować szybkim krokiem po wysypanej żwirem alejce, a poły jego sutanny trzepotały złowieszczo. Wyciągnąłem się prawie na ławce, ręce podłożyłem pod głowę i delektowałem się niepowtarzalnym smakiem lorda. Rzeką płynął statek wycieczkowy. Orkiestra grała walczyka, a kilka par podskakiwało w upale na pokładzie.

– Znam go dobrze, Edek – usłyszałem nagle i ujrzałem nad sobą spiętą twarz Jana. – Bardzo dobrze. I często słyszałem, jak mówi, że dopiero na starość jego życie stało się godne, spokojne i sprawiedliwe. Prędzej postawię wszystkie moje pieniądze na to, że na starość stałeś się... – tu ksiądz obejrzał się dokoła i parsknął śmiechem – że na starość stałeś się pederastą, niż na to, że ten stoicki filozof, człowiek szlachetny ale i przebiegły, truje ludzi, potem ich topi, a wszystko po to, by oczernić swojego bratanka i stać się krezusem. Jestem pewien, że gdyby ktoś z jego rodziny został aresztowany za zbrodnię, to następnego dnia wyszedłby na wolność, a akta sprawy wylądowałyby w jakiejś kloace. Chciałeś wiedzieć, co o nim sądzę? No to już wszystko wiesz!

– Już nie zadam ci żadnego pytania, Jasiu. – Teraz to ja roześmiałem się głośno. – Nic mnie tak nie przekonuje o niewinności profesora jak twój argument o mojej ewentualnej sodomii... Ale wiem z doświadczenia, że na tym świecie nie ma tak bogatego, żeby nie chciał stać się krezusem...

Ksiądz Blicharski już się nie roześmiał. Patrzył na mnie przez dłuższą chwilę.

– On nie musi się stawać krezusem, Edwardzie. On już nim jest.

$$\{x, y^{\dagger}, x^{\dagger}, y^{\dagger}, x, y^{\dagger}\}$$

Wróciłem do domu grubo po drugiej, a więc po obiedzie. Spodziewałem się ironicznej reprymendy ze strony kuzynki Leokadii, która nader sobie ceniła akuratność i punktualność. Moje oczekiwania się spełniły z tą wszakże różnicą, iż naganę usłyszałem nie z jej ust, ale wyczytałem ją – subtelną i zawoalowaną – z kartki, którą Leokadia zostawiła dla mnie na stole.

„Dałeś mi dobry przykład, jak spędzać niedzielne przedpołudnia".

Kochałem moją kuzynkę za jej małomówność, inteligencję i ironię. Dobroczynnego wpływu tych dwóch ostatnich cech doświadczałem od lat bodaj sześćdziesięciu. Leokadia swoją inteligencją pozwalała mi lepiej zrozumieć świat, a ironią – skutecznie rozbroić zło z niego płynące. Była mi siostrą i żoną. Natychmiast śpieszę tu dodać, że obie te role odgrywała w metaforycznym tylko sensie, choć cały Lwów plotkował, że Łyssy – jak mnie nazywano – „ze swoju kuzynku ta na wiaderku żyji". Swe siostrzane towarzystwo mi oferowała, gdy osierocony w dzieciństwie wychowywałem się w domu jej ojca, a mego wuja Klemensa Tchórznickiego w Stanisławowie. A jako żona towarzyszyła mi od śmierci mojej ślubnej Stefanii w roku 1920, gdy zostałem sam z płaczącym niemowlęciem na ręku. Była mi niezłomnym oparciem w moich licznych walkach i ucieczkach; niewiarygodną wręcz siłę ducha okazała, gdy poddano ją na UB torturom, by zdobyć informację o mnie. Muszę się jednak przyznać ze skruchą i pewnym wstydem, że najbliższa mi była Leokadia nie jako siostra, niby-żona czy towarzyszka broni. Najbardziej lubiłem ją jako słuchaczkę mych opowieści o detektywistycznych przypadkach i jako partnerkę w dyskusjach. Nikt nigdy, żaden policjant ani współpracownik, nie naprowadził mnie tyle razy na właściwy trop w śledztwach, co ta przenikliwa kobieta.

Poszedłem do kuchni. Obiad, wciąż jeszcze ciepły, znalazłem w bratrurze. Pieczeń wieprzowa była krucha, ziemniaki sypkie i otoczone zawiesistym sosem, a buraczki kleiste i gęste. Pochłonąłem to wszystko szybko, po czym ze szklanką kompotu wiśniowego siedziałem zamyślony przy stole i obserwowałem białe i czerwone mieczyki kiwające się za oknem w lekkim podmuchu wiatru.

Było tak gorąco i sennie, że ledwo zdążyłem wejść do mojego pokoju, zdjąć garnitur i powiesić go na krześle. Prawie śpiąc, rzuciłem się na łóżko. Kołysało mnie buczenie muchy ścierwicy, która krążyła pod sztukateriami sufitu. Przed snem pomyślałem o swym niechlujstwie, jakie wykazałem, zostawiwszy na stole brudne naczynia. Prychnąłem na nie pogardliwie i zamknąłem oczy.

Zasnąłem tak szybko, że nawet nie usłyszałem cichego pukania, a potem szmeru, jaki uczyniła kartonowa teczka z napisem „Rachunek logeometryczny", którą ktoś pod drzwiami wsunął do mojego mieszkania.

$$\{x, y^{\dagger}, x^{\dagger}, y^{\dagger}, x, y^{\dagger}\}$$

Władysław Zaranek-Plater kuł żelazo, póki gorące. Ponieważ zauważył, że „sprawa Belmispara" budzi we mnie sprzeczne odczucia i przynajmniej raz już chciałem z niej zrezygnować, postanowił, jak sądzę, nie czekać do poniedziałku w obawie, że się rozmyślę. Przybiegł do mnie zatem jak najszybciej – traf chciał, że akurat wpadałem w ramiona Morfeusza.

Krysia i Sabinka, córki mojego sąsiada mistrza szewskiego pana Morawskiego, opisały mi później scenkę, którą obserwowały przez dziurkę od klucza: oto jakiś śmiesznie ubrany pan w podkolanówkach i meloniku puka delikatnie do moich drzwi, a potem – nie otrzymawszy odpowiedzi – wsuwa coś pod drzwiami do mieszkania. Dałem rezolutnym dzieciom po złotówce na lody, uzyskując w ten sposób nie tylko ich wdzięczność, ale i zapewnienia o dalszej detektywistycznej współpracy.

Zaparzyłem sobie kawy w kawiarce, którą kupiłem niegdyś we Lwowie w przedstawicielstwie znanej warszawskiej firmy Stanisław Cohn, nalałem sobie kompotu do szklanki, po czym w cienkim szlafroku zabrałem się z papierosem w ręku do studiowania teoryj Eugeniusza Zaranek-Platera.

Matematyk, jak wynikło już z pierwszych zdań jego ni to studium, ni to pamiętnika, był oczytany w filozofii, zwłaszcza w dziełach Kanta. Do stworzenia teorii logeometrycznej impulsem mu była wydana w 1948 roku przez Łódzkie Towarzystwo Naukowe książka filozofa i tłumacza dzieł Samotnika z Królewca Benedykta Bornsteina, zatytułowana *Teoria absolutu. Metafizyka jako nauka ścisła*. To niewielkie objętościowo dziełko było ekstraktem tegoż trzytomowej *Architektoniki świata* wydanej w Warszawie pod koniec lat dwudziestych. Jej angielski skrót *Geometrical Logic* zauważony został nie przez byle kogo, lecz przez „samego wielkiego" – jak pisze Zaranek-Plater – Saundersa Mac Lane'a. Polski filozof, „mało znany i kontrowersyjny" – to znów słowa autora studium – dokonał pewnej wizualizacji w kartezjańskim układzie współrzędnych najważniejszych relacyj i praw logicznych. Nie będę się o wszystkich rozpisywał. Wziąwszy pod uwagę jedynie alternatywę czy też sumę logiczną (znak +), diagram Bornsteina można przedstawić następująco:

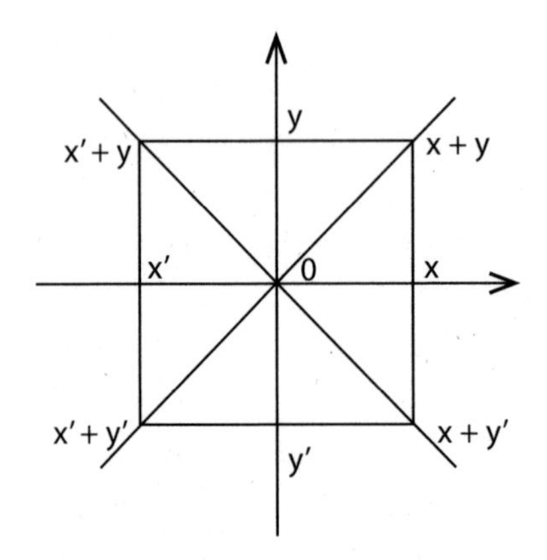

Zaranek-Plater zbadał relacje pomiędzy punktami i odcinkami tego diagramu. Reprezentatywna niech będzie pierwsza ćwiartka powyższego układu współrzędnych,

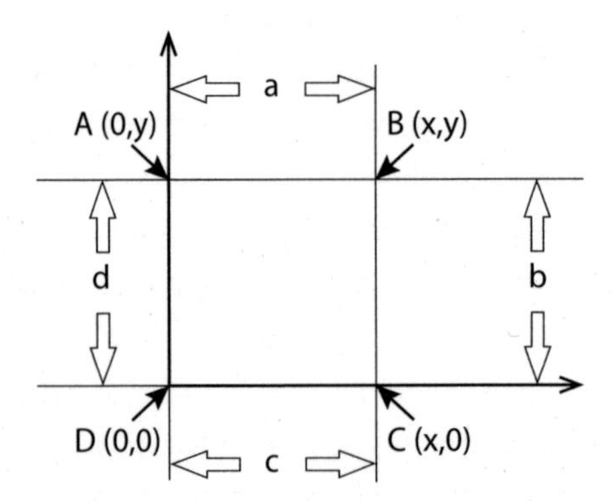

gdzie zostały wyznaczone współrzędne punktów A, B, C, D jako odpowiednio:

$A = (0, y)$,

$B = (x, y)$,

$C = (x, 0)$,
$D = (0, 0)$.

Powyższe punkty są wierzchołkami odcinków *AB*, *BC*, *CD* i *DA*, którym Zaranek-Plater przypisał stworzone przez siebie „współrzędne odcinkowe".

Następnie uwikłał współrzędne punktowe i odcinkowe w szereg skomplikowanych i wymyślonych przez siebie działań, które nazwał „rachunkiem logeometrycznym". Po zakończeniu tej rachuby z dumą wyznał niczym Archimedes:

„Dajcie mi współrzędne dowolnych dwóch sąsiadujących ze sobą punktów albo dajcie mi współrzędne dowolnych dwóch sąsiadujących ze sobą odcinków, albo dajcie mi współrzędne dowolnego odcinka i współrzędne jednego z jego końców – dajcie mi jedno z tych trzech, a wyznaczę współrzędne wszystkich pozostałych punktów i odcinków".

Położyłem się – jak to często robiłem w upalne dni – na dywanie, założyłem ręce pod głowę i zbierałem myśli. Po chwili miałem już wyrobione zdanie na temat matematycznych rewelacyj Zaranek-Platera. Daleko mu było do Archimedesa.

Już dawno utraciłem kontakt z matematyką zaawansowaną. Po studiach czasami dla rozrywki rozwiązywałem jakieś matematyczne zagadki, niekiedy samodzielnie przeprowadzałem proste dowody algebraiczne, nieraz czytałem z przyjemnością prace popularyzatorskie, zwłaszcza znakomitego lwowskiego profesora Hugona Dionizego Steinhausa. Uprawianie matematyki rekreacyjnej nie dawało mi oczywiście żadnych kompetencyj, by oceniać wywody Zaranek-Platera. Wywołały one jednak w moim umyśle jakieś wrażenia i intuicje. Na ich podstawie uznałem, że rachunek logeometryczny nie ma większego znaczenia naukowego. Był toporny i prostacki. Brakowało mu nie tylko elegancji, co mogłem ocenić, ale i możliwości zastosowania, co tylko mgliście przeczuwałem. Wyglądał na studencką wprawkę, na próbę zaimponowania profesorowi, na szukanie oryginalności za wszelką cenę.

Wyrobiwszy sobie zdanie o logeometrii, rozpocząłem lekturę dalszych, już bardzo niejasnych rozważań. W kolejnych passusach Zaranek-Plater zajął się najpierw dywagacjami na temat właściwości punktów i odcinków, traktowanych już osobno bez wzajemnego uwikłania. Nie wdając się w jego argumentację, powiem tylko tyle, że każdy na świecie przedmiot – wedle tej dziwnej filozofii – można by uznać za punkt lub odcinek. W matematyce na ten przykład liczby nieparzyste są punktami, a parzyste odcinkami, natomiast w życiu ludzkim kobiety są reprezentowane przez odcinki, mężczyźni przez punkty. Obserwator stojący na ulicy może skrótowo zapisywać ciągi idących ludzi, na przykład

{*mężczyzna-kobieta-kobieta-mężczyzna-mężczyzna-mężczyzna-kobieta*}

jako

{·– – ··· –}

Tymi rewelacjami ucieszyłbym Leokadię, która wciąż narzeka na poniżanie kobiet na świecie – pomyślałem nieco rozbawiony. – Kobieta jest w symbolice tego miłośnika alfabetu Morse'a czymś więcej niż mężczyzna, wszak odcinek jest czymś więcej niż punkt.

Spojrzałem nieco znużony na dalsze stronice zapisane pismem maszynowym. Nie chciało mi się dalej czytać tych wynurzeń – tym bardziej że matematyk stawał się dalej demonologiem. Zmusiłem się jednak. Następny fragment przytaczam *in extenso**.

Działanie krwiożerczego bóstwa geometrii, które nazwę tutaj Belmispar, jest widoczne tylko w pewnych punktach topograficznych (nazwę je punktami Belmispara). Jest we

---

* W całości.

Wrocławiu wiele takich punktów. Mają one charakterystyczne współrzędne geograficzne. Zestawienie tych współrzędnych w jeden szereg sprawia, że cztery tworzące je liczby (liczba stopni i liczba minut szerokości geograficznej oraz liczba stopni i liczba minut długości geograficznej) idą naprzemiennie

n-p-n-p

lub

p-n-p-n,

gdzie *n* = nieparzysta, *p* = parzysta.

Aby to dokładnie wyjaśnić, przejdźmy na chwilę do geografii. Każdy punkt na mapie ma swoje współrzędne, np. A°B', gdzie A jest liczbą stopni, B zaś – liczbą minut. Na przykład Dworzec Główny ma następujące współrzędne:

szerokość geograficzna północna = N 51°05',
długość geograficzna wschodnia = E 17°02',

co możemy zapisać N 51°05', E 17°02'. Współrzędne te tworzą szereg (pominąwszy symbole N i E)

51-05-17-02,

czyli

n-n-n-p.

Jak widać, Dworzec Główny nie leży w punkcie Belmispara. Naprzemienność zostaje tu bowiem złamana już między krokiem pierwszym i drugim, bo obie stojące tam obok siebie liczby są nieparzyste

51-05-17-02,

czyli

n-n-*n-p*.

Punktem Belmispara jest natomiast wrocławska katedra. Ta świątynia ma następujące współrzędne:

szerokość geograficzna północna = N 51°06',
długość geograficzna wschodnia = E 17°02',

co możemy zapisać N 51°06' i E 17°02'. Współrzędne te tworzą szereg (pominąwszy symbole N i E)

51-06-17-02,

czyli

n-p-n-p.

Tu nie ma żadnego załamania, szereg jest szeregiem naprzemiennym, zaczynającym się tu akurat od liczby nieparzystej.

Oprócz punktów Belmispara istnieją też dni Belmispara. Są to dni, w których data (dzień i miesiąc) i liczby będące zapisem godzin i minut wschodu i zachodu słońca tworzą szereg przemienny, gdzie zmieniają się liczby parzyste z nieparzystymi.

Weźmy tu na przykład 21 stycznia 1956 r. (= 21.01). Słońce wzeszło wtedy o godz. 7.42, a zaszło o 16.28. Wszystkie liczby tworzą następujący szereg: najpierw data 21-01, a potem godziny, 07-42 i 16-28, co razem zestawiamy w

21-01-07-42-16-28.

Dzień 21.01 nie jest dniem Belmispara, bo następują w nim dwa załamania przemienności – pomiędzy krokiem pierwszym i drugim, gdzie mamy załamanie „nieparzysta-nieparzysta", oraz między czwartym i piątym, gdzie mamy załamanie „parzysta-parzysta"

21-01-07-**42-16**-28,

czyli

n-n-n-**p-p**-p.

Spójrzmy teraz na dzień 18 marca br. (= 18.03). Wschód i zachód Słońca nastąpiły odpowiednio w godzinach: 6.01 i 18.01. Mamy zatem szereg

18-03-06-01-18-01,

który jest przemienny

p-n-p-n-p-n.

A zatem dzień 18 marca br. jest dniem Belmispara.

Ludzie poruszający się po mieście również tworzą szeregi przemienne lub nieprzemienne. Na przykład 14 kwietnia br. pod oknem mojego mieszkania pomiędzy godziną 9.00 a 9.30 przeszło 40 osób w następującej konfiguracji (znak „–" oznacza kobietę, „." zaś – mężczyznę:

– ••–•– •••–••–••–•–•– –•– –•– –•–•–•–•– •••

Pod koniec tego ciągu jest sześcioelementowy łańcuch naprzemienny –•–•–• (nazywam go łańcuchem Belmispara)

– ••–•– •••–••–••–•–•– –•– –•– [–•–•–•]•–•– •••

co oznacza, że w pewnym momencie pod oknem mojego mieszkania przeszła kobieta, która zapoczątkowała łańcuch Belmispara

– •–•–•

Łańcuch Belmispara nie musi się zaczynać od kobiety, również może się zaczynać od mężczyzny

•–•–•–•

Podobnie jest z punktami Belmispara i z dniami Belmispara – pierwsza ich liczba może być parzysta lub nieparzysta.

Zdefiniowawszy punkt Belmispara, dzień Belmispara i łańcuch Belmispara, przechodzę *ad rem**. Moja teza jest następująca: jeśli w dzień Belmispara przez punkt Belmispara przejdzie łańcuch Belmispara, to z całą pewnością jedna osoba z sześciu go tworzących popełni samobójstwo.

$$\{x, y^{\dagger}, x^{\dagger}, y^{\dagger}, x, y^{\dagger}\}$$

– Jeszcze raz, Edwardzie – powiedziała Leokadia. – Wyjaśnij mi to wszystko raz jeszcze! Nie powtarzaj tylko, proszę,

---

* Do rzeczy.

szczegółów swego detektywistycznego zlecenia ani dywagacyj Bornsteina. Pierwsze rozumiem, drugie mnie nie interesują. Zbyt wielki upał na rachunek logeometryczny...

Przedwieczorne godziny są w letnie dni zwykle leniwe, senne i pełne nadziei. Ludzie, zmęczeni skwarem dnia, przecierają zamykające się oczy, popędzają w myślach wskazówki zegarków i wypatrują z nadzieją oznak wieczornego chłodu. Ich myśli przesuwają się powoli i albo się łączą z trudem w logiczne związki, albo sklejają się w dziwne przypadkowe skojarzenia.

Ani Leokadia, ani ja nie byliśmy pod tym względem wyjątkowi. W letnie niedziele o szóstej po południu siedzieliśmy zwykle w pokoju Leokadii przy cieście i kawie. Panowało wtedy pomiędzy nami głębokie, przyjazne milczenie. Nazywaliśmy je *silentium commune**. Moja kuzynka stawiała pasjanse albo grała na pianinie, ja paliłem i przyglądałem się ludziom przechodzącym pod oknem.

Tego popołudnia jednak, kiedy poznałem matematyczną metafizykę Zaranek-Platera i przedstawiłem ją Leokadii, senność nie miała najmniejszych szans opanowania naszych umysłów. Byłem podekscytowany, moja kuzynka zaintrygowana.

To uczucie towarzyszyło jej od momentu, kiedy powróciwszy ze spaceru, zastała mnie leżącego na podłodze na wielkiej niemieckiej i polskiej mapie Wrocławia, wśród kartek zapisanych matematycznymi symbolami i pogrążonego w głębokich rozmyślaniach. Po moich wstępnych i dość chaotycznych wyjaśnieniach zaciekawienie Leokadii jeszcze bardziej wzrosło. Siedziała teraz przy stole wpatrzona w moje poglądowe szkice i nie zwracała uwagi na stygnącą kawę.

– Zaranek-Plater to maniak alternacji – zacząłem wykład na nowo. – Czyli przemienności. Minimalną jednostką

---

* Wspólne milczenie.

przemienności są, jak to można wywnioskować z jego teorii, cztery elementy. W epilogu podaje wiele przykładów przemienności. Wszędzie ją widział. Gdy jechał pociągiem, patrzył na mijane drzewa. Jeśli cztery drzewa mignęły mu przed oczami w kolejności *„liściaste-iglaste-liściaste-iglaste”* albo *„iglaste-liściaste-iglaste-liściaste”*, uznawał to za znak od Belmispara, jeśli pod jego oknem przejechały cztery samochody w kolejności *„citroen-pobieda-fiat-warszawa”*, to też uznawał to za znak od tegoż demona, ponieważ samochody, których nazwa jest rodzaju męskiego (citroen, fiat), zostały poprzedzielane samochodami o nazwie w rodzaju żeńskim (pobieda, warszawa). Lodziu, ten człowiek jest psychicznie chory! On wszędzie widzi przemienność! I twierdzi, że jeśli trzy przemienności na siebie zajdą, to wtedy władca liczb, ów Belmispar, zażąda ofiary! Opęta człowieka, a ten sam mu się złoży w ofierze! Popełni samobójstwo...

– No dobrze. – Leokadia w zamyśleniu zakręciła łyżeczką w zimnej kawie. – Ale ja nie rozumiem, co to znaczy, że trzy przemienności „na siebie zajdą”... To znaczy, że razem wystąpią, czy tak?

– Tak! Właśnie tak! – odparłem.

– No to chyba – powiedziała Leokadia z wahaniem – jest bardzo małe prawdopodobieństwo takiego zbiegu okoliczności...

– Otóż to! – Spojrzałem na kuzynkę z podziwem. – Otóż to! Bardzo małe! A teraz, żebyś dobrze zrozumiała, dam ci przykład koincydencji takich trzech przemienności... Wyobraź sobie, że stoisz na przystanku dziewiątki i dwunastki niedaleko Muzeum Śląskiego, który – o ile dobrze wyliczyłem na mapie – ma współrzędne geograficzne naprzemienne – tu odczytałem z moich notatek – N 51° 06’ i E 17° 02’, czyli cztery liczby, z których dwie są parzyste, dwie nieparzyste, tak ułożone, że parzyste i nieparzyste są poprzedzielane albo – jak wolisz – idą naprzemiennie (51-06-17-02). Otóż wyobraź sobie, że stoisz na tym przystanku w dzień – na przykład – 16.05, kiedy – tu strzelam – słońce wzeszło o 6.03, a zaszło o 18.59, czyli w dzień, którego współrzędne czasowe tworzą szereg 16-05-06-03-18-59, czyli znów biegną naprzemiennie. Czy zaszły na siebie dwie naprzemienności albo, jak uściślasz, wystąpiły jednocześnie? Tak, wystąpiły! Otóż, musi być i trzecia – łańcuch ludzki! Wróćmy do naszej sceny. Stoisz na tym przystanku (punkt Belmispara) w dzień Belmispara i obserwujesz, jak ludzie wychodzą z tramwaju. I oto z tramwaju wychodzi szóstka ułożona naprzemiennie względem płci, na przykład *„kobieta-mężczyzna-dziewczynka-chłopiec-kobieta-chłopiec”*. I wtedy do punktu Belmispara w dzień Belmispara dochodzi trzeci – ludzki łańcuch Belmispara... Diabeł zostaje przywołany liczbami – tak jak w średniowieczu był przywoływany łacińskimi i hebrajskimi inwokacjami... Trzy przemienności, zachodzące jednocześnie, są impulsem dla Belmispara. On się uaktywnia, żąda ofiary, opętuje jedną z tych sześciu osób, które wyszły z pociągu. I wtedy jedna z nich, ta opętana, popełnia samobójstwo... Składa siebie w ofierze...

– Zaranek pisze, która to z tych osób? Pierwsza, druga, trzecia, ostatnia? – zapytała Leokadia.

– Tak, wskazuje na to rachunek logeometryczny, o którym nie chcesz i nie potrzebujesz wiedzieć. – Rozłożyłem przed kuzynką kartkę i szybko napisałem na niej szereg. – Jest z matematycznego punktu widzenia zresztą bez zarzutu. I niech to ci wystarczy. Wynika z jego obliczeń, że jest tylko jeden samobójca, którym może być druga, trzecia, czwarta lub szósta osoba z łańcucha.

Zapadło milczenie. Paliłem papierosa, a Lodzia wpatrywała się w napisany przeze mnie szereg $\{x, y^{\dagger}, x^{\dagger}, y^{\dagger}, x, y^{\dagger}\}$, w którym krzyżykiem zaznaczyłem samobójców.

– Ile lat zbadał, to znaczy, ile lat obejmują jego badania i ile takich dni Belmispara znalazł? Poczekaj, poczekaj, Edwardzie, to nie wszystko! – Podniosła szczupłą zadbaną dłoń, by powstrzymać mnie od odpowiedzi, której już chciałem udzielić. – I kolejne moje pytania. Czy Zaranek pisze, ile jest punktów Belmispara we Wrocławiu? A skąd on w ogóle wie o tych samobójstwach?

– Znam odpowiedzi na twoje pytania. – Zdusiłem papierosa i odstawiłem popielniczkę na parapet. – Jego badania obejmują jedynie bieżący rok, czyli nasz 1956. Ponieważ mamy dzisiaj piętnasty lipca, ten spis obejmuje jedynie pierwsze półrocze bieżącego roku. Wykaz samobójstw, o czym wiem od hrabiego Władysława, dostarczył mu jego stryj, który z kolei dostawał o nich cynk najprawdopodobniej od milicji dzięki swoim szerokim wpływom. Nie pytaj, kim jest jego stryj, niech ci na razie wystarczy, że jest to prawdziwy *omnipotens**. Mamy trzy nazwiska samobójców desperatów. I tu się kończą jawne informacje. Dalej nasz wyznawca demona staje się bardzo tajemniczy. Pisze, że działanie demona odkrył podczas wojny. Przebywał wówczas w jakimś punkcie Belmispara i miał tam częsty codzienny kontakt z ludźmi. Dzień w dzień zapisywał nazwiska ludzi, z którymi się spotykał. Kilkoro z tych ludzi popełniło samobójstwo. Oczywiście nie podaje żadnych szczegółów... Ani gdzie był, ani co robił, ani co to byli za ludzie...

– A zatem mógł to wszystko napisać *ex post* **. – Oczy Leokadii aż się zaokrągliły. – Po prostu wymyślić, aby uzasadnić swoją teorię... I co dalej?

– I tu masz rację... – ciągnąłem. – Zaranek sam zauważa, że ten spis nazwisk nie może być żadnym dowodem, bo krytycy mogliby zarzucić, że powstał później... Po przybyciu do Wrocławia w 1945 roku zaczął, jak pisze, szukać punktów Belmispara... – Przerwałem na chwilę, by zaczerpnąć tchu, łyknąłem kompotu i spojrzałem na moje notatki. – Jest takich punktów, jak pisze, bardzo wiele i tworzą one swoiste strefy. – Wskazałem na mapę Wrocławia, którą przypiąłem pineskami do drzwi.

---

* Wszechmocny.

** Później

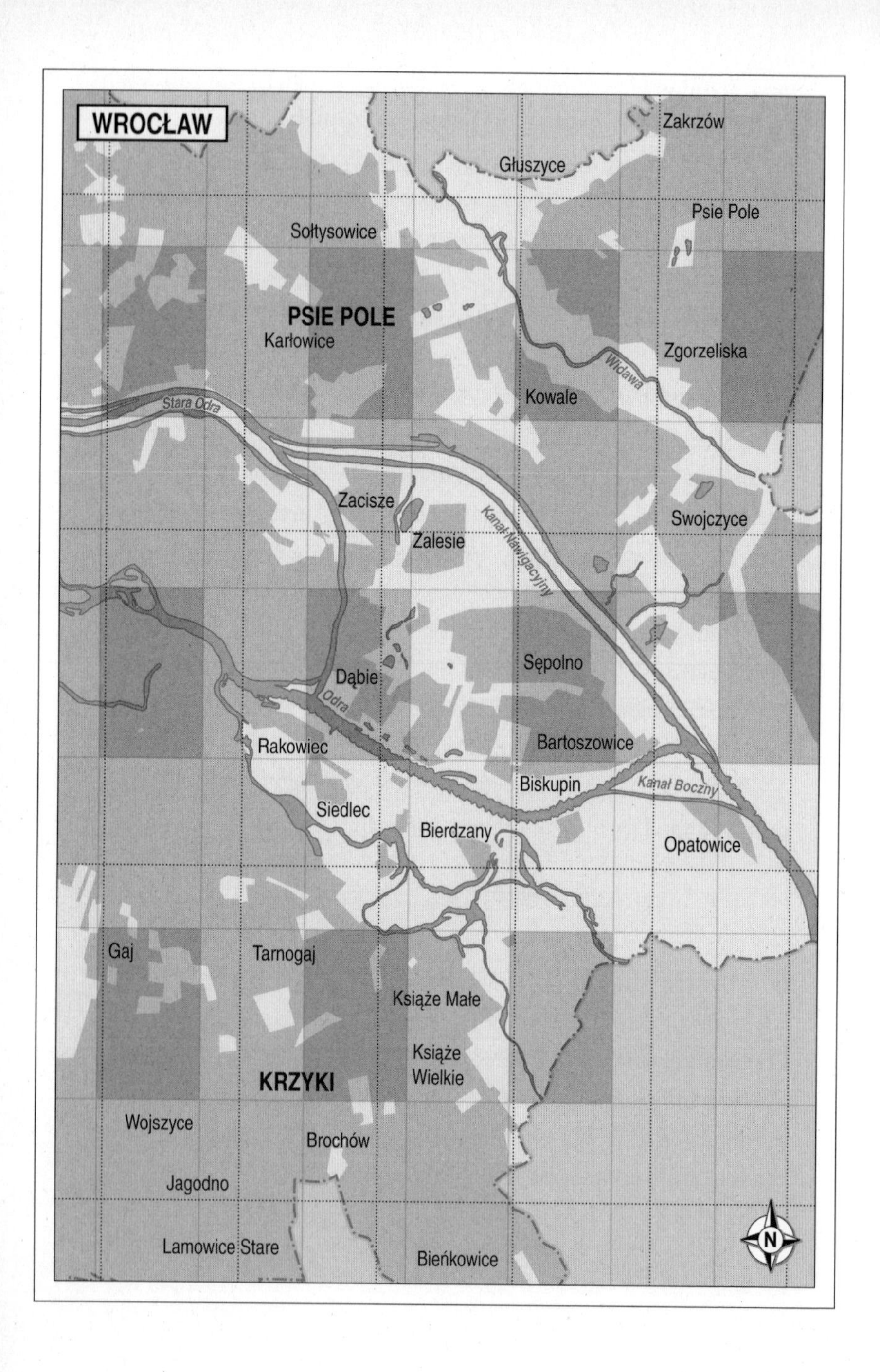
WROCŁAW
Zakrzów
Głuszyce
Psie Pole
Sołtysowice
PSIE POLE
Karłowice
Zgorzeliska
Widawa
Kowale
Stara Odra
Zacisze
Kanał Nawigacyjny
Swojczyce
Zalesie
Sępolno
Dąbie
Odra
Bartoszowice
Rakowiec
Biskupin
Kanał Boczny
Siedlec
Bierdzany
Opatowice
Gaj
Tarnogaj
Książe Małe
Książe
Wielkie
KRZYKI
Wojszyce
Brochów
Jagodno
Lamowice Stare
Bieńkowice
N

– Występują one na wschód od Rynku. Jeden z nich jest, jak pisze nasz matematyk, „szczególnym punktem Belmispara". Jego wyjątkowość polega na tym, że nazwiska „ludzi przewijających się przez ten punkt" – takiego użył sformułowania – są zapisywane! Ktoś je zapisuje! A zatem spisy są obiektywne, mogą być zweryfikowane i każdy ewentualny krytyk jego teorii może do tych spisów zajrzeć. Oczywiście nie muszę dodawać, że Zaranek nie zdradza, gdzie jest szczególny punkt Belmispara... A teraz posłuchaj! To najważniejsze! W bieżącym roku do dnia dzisiejszego było sześć dni Belmispara. Każdego z nich przez wspomniany szczególny punkt Belmispara przechodzili ludzie, których nazwiska ktoś notował. Trzy razy sześcioro z przechodzących tam ludzi ułożyło się w łańcuch Belmispara. Z każdego z tych trzech łańcuchów jedna osoba popełniła samobójstwo. Masz! Tu wszystko naszkicowałem łącznie z nazwiskami denatów! – Podsunąłem jej kartkę z prowizorycznymi rysunkami.

Leokadia usiadła i zaczęła je analizować.

– On jest szalony – szepnęła po kilku minutach ciszy, przerywanej jedynie moimi wydechami dymu.

– Jeśli jest obłąkany – sięgnąłem po nowego papierosa – to jest w tym obłędzie jakaś żelazna logika. Twierdzi on bowiem, że ujawni szczególny punkt Belmispara pod jednym warunkiem: jeśli dostanie swoją część spadku, a właściwie nie on, lecz ta londyńska instytucja, która prowadzi badania podobne do jego własnych... Zaranek twierdzi, że po ujawnieniu szczególnego punktu Belmispara nie będzie najmniejszych wątpliwości co do jego teorii, bo zdradzi jego położenie oraz wykaże, kto tam zapisywał ludzkie szeregi Belmispara...

– To nie dlatego sądzę, że jest obłąkany! Wszak ten człowiek, jak mówisz, od roku nie ma możliwości opuszczania domu. A zatem w żaden dzień Belmispara nie był w żadnym punkcie Belmispara! To skąd wie, że tam przeszedł ludzki łańcuch Belmispara?!

1956

Dzień Belmispara 18.03 06:01 18:01

† śp. Marian Pasternak

Szczególny punkt Belmispara

Szereg Belmispara

Dzień Belmispara 17.04 05:54 19:50

† śp. Antonina Juszczykowska

Szczególny punkt Belmispara

Szereg Belmispara

Dzień Belmispara 19.04 05:50 19:54

NIE POJAWIŁ SIĘ SZEREG BELMISPARA

Szczególny punkt Belmispara

Dzień Belmispara 22.05 04:53 20:45

NIE POJAWIŁ SIĘ SZEREG BELMISPARA

Szczególny punkt Belmispara

Dzień Belmispara 24.05 04:51 20:47

† śp. Zenon Frost

Szczególny punkt Belmispara

Szereg Belmispara

Dzień Belmispara 30.05 04:45 20:55

NIE POJAWIŁ SIĘ SZEREG BELMISPARA

Szczególny punkt Belmispara

Widział z okna mieszkania? Nie! – Leokadia podeszła do mapy, a jej wymanikiurowany paznokieć wskazał ulicę Spokojną. – Przecież strefa Belmispara zaczyna się dopiero na Sądowej, czyli jakieś pięćset metrów stąd! Żaden wzrok i żadna lornetka nie pozwoli mu rozpoznać płci idących ludzi, zwłaszcza w pochmurny dzień. Jeżdżą tam tramwaje i wszystko jest zasłonięte przez drzewa! A zatem pytam, jak to wszystko widział? Trzecim okiem?

– Nie dowiemy się tego – powiedziałem – dopóki Eugeniusz Zaranek-Plater nie dostanie spadku... Wtedy wszystko wyjaśni swemu stryjowi... Na ostatniej stronie tekstu pisze: „Udam się w dzień Belmispara, czyli 30 września br., kiedy Słońce wstanie o 6.49 i zajdzie o 18.53 (= 30-09-06-49-18-53), do szczególnego punktu Belmispara, uzupełnię łańcuch, stanę się jego ostatnim ogniwem i zaświadczę własną śmiercią o mej idei. Sam siebie złożę w ofierze"...

Zegar wybił ósmą wieczór. Za oknem dmuchnął lekki wiatr, który zaszeleścił zielonymi listkami na gałązkach forsycji. Na brzegu kompotierki duża osa pocierała skrzydłami o siebie i kręciła lekko swym odwłokiem. Pod naszym oknem przeszła wesoła kompania. Niewysoki krępy mężczyzna bez koszuli grał na akordeonie. Dwaj jego koledzy śpiewali w głos popularną piosenkę *Siadła pszczółka na jabłoni i zapyla kwiat*. Dwie towarzyszące im dziewczyny w lekkich sukienkach i z krótkimi modnie obciętymi włosami chwyciły się za ręce i pomknęły tanecznym krokiem w stronę komendy milicji i Szkoły Laborantów. Ktoś gwizdnął na nie z okna. „Ale lale!" – rozległ się nieco bełkotliwy okrzyk.

Poczułem wyrzuty sumienia. Była pełnia lata i ludziom należał się wypoczynek. Mojej kuzynce również. Leokadia jeszcze przed kilkoma godzinami pewnie cieszyła się na Wzgórzu Polskim albo przyjemnym ciepłem, albo upragnionym cieniem – nieco odmiennie wprawdzie niż ci młodzi ludzie, bo nie tańczyła i nie śpiewała, ale w towarzystwie którejś z koleżanek spacerowała nadodrzańskim bulwarem, pokazując wszystkim dokoła, co to znaczy dystyngowany krok i nienaganne maniery przedwojennej damy. Być może siedziała na ławce w swym słomkowym kapeluszu ze sztuczną margerytką – i podziwiając gmach Muzeum Narodowego – rozgrywała partię bridża? Jednym słowem moja kuzynka dzisiaj odpoczywała, a potem tylko dlatego przerwała miły spacer, żeby tradycji stało się zadość – by celebrować nasze coniedzielne, wspólne, ciche i leniwe popołudnie. A tu, zamiast oddawać się pasjansom i muzyce, musiała wysłuchiwać ode mnie jakichś nieprawdopodobnych historyj, które są najpewniej rojeniami szaleńca.

Leokadia wstała i przespacerowała się po pokoju. Mimo swych lat i wielu bolesnych przeżyć wciąż promieniała inteligencją, która dodawała jej uroku. Teraz, kiedy na mnie spojrzała, w jej ciemnych oczach okolonych siatką zmarszczek był niepokój.

– Kochany Edwardzie – uśmiechnęła się do mnie ironicznie – o czym my rozmawiamy? O demonach ukrytych w matematyce! Punkt Belmispara, dzień Belmispara... – przedrzeźniała mnie nader udatnie. – Zacząłeś na starość hołdować zabobonom?! – Milczałem. Nie wiedziałem, do czego zmierza. – Hrabia Zaranek-Plater zrobił poważny błąd, powierzywszy ci to śledztwo. – Leokadia wciąż się uśmiechała. – Chciał zatrudnić śledczego, a znalazł miłośnika szarad liczbowych, który łamie sobie głowę nad jakimiś osobliwościami i zbieżnościami szeregów, które wykwitły w umyśle człowieka o trzecim magicznym oku! Tymczasem bądź detektywem, nie scholastykiem! Ruszaj! Pokaż, że te trzy samobójstwa nie były żadnymi ofiarami dla Belmispara i przestań, na miłość boską, liczyć diabły na główce szpilki!

Spojrzałem na kuzynkę i roześmiałem się głośno.

– Od jutra! – krzyknąłem. – Prowadzę śledztwo od jutra! A teraz posiedźmy w milczeniu... Zostało nam jeszcze trochę *silentium commune*...

Leokadia podeszła do mnie i pocałowała mnie w łysinę.

– No wreszcie! Wreszcie widzę mojego dobrze znanego Edwarda. A już się bałam, że zostałeś wyznawcą...

$$\{x, y^{\dagger}, x^{\dagger}, y^{\dagger}, x, y^{\dagger}\}$$

To, że nie byłem wyznawcą Belmispara, nie znaczyło, że innych jego akolitów nie ma w naszym mieście. W tym czasie, gdy zapoznawałem Leokadię z matematyczną demonologią Zaranek-Platera, w jednym z wrocławskich mieszkań prowadził swe eksperymenty najpewniej jakiś czciciel władcy liczb.

Przedmiotem jego badań była małpka nosząca imię Kloto – na cześć jednej z mitycznych prządek, która obok swych sióstr – Lachesis i Atropos – przędła nić ludzkiego żywota.

Ta czarno-biała kapucynka piętnaście lat wcześniej żyła w wenezuelskiej dżungli. Znane dobrze ciepło matczynego brzucha, którego się kurczowo trzymała, napełniało ją poczuciem bezpieczeństwa w czasie licznych napowietrznych podróży, jakie jej matka sobie urządzała, skacząc po rozłożystych koronach drzew balsa. W czasie jednego z takich wojaży małpka poczuła, iż mięśnie brzucha jej matki kurczą się gwałtownie. To uczucie nie było przyjemne, podobnie jak następne – kiedy mała istota po raz pierwszy poznała siłę grawitacji. Wykręciła głowę i nie ujrzała zwykłego widoku – przesuwających się pod nią liści drzew. Zamiast nich widziała teraz brunatną bezwłosą skórę i twarde pięty stąpające mocno po gnijącym poszyciu dżungli. Silny niepokój sprawił, że małpka puściła brzuch matki. Obsunęła się nieco, ale nie upadła. Uniemożliwiła jej to gęsta siatka upleciona z liany.

Tego dnia małpka poznała gorycz rozstania. Indianin z plemienia Warao sprzedał jej matkę europejskiemu handlarzowi, a ją samą oddał swoim dzieciom do zabawy. Dzieci czasem ją tuliły i głaskały, czasem kłuły i szczypały. Kiedy w samoobronie ugryzła w palec ukochanego synka Indianina, jej los został przypieczętowany. Najpierw wymierzono jej kilka bolesnych kopniaków, po których fruwała po chacie, po czym znalazła się w ładowni holenderskiego frachtowca, który *via* Gujana popłynął do Amsterdamu.

Wtedy zaczął się prawdziwy znój jej małpiego życia. Została najpierw sprzedana hurtownikowi zwierząt, który z kolei odsprzedał ją objazdowemu cyrkowi. Tam po raz pierwszy małpka poznała ból – nie ten lekki, który niegdyś wywoływały ukąszenia jadowitych mrówek czy uszczypnięcia, a nawet kopniaki indiańskich dzieci. Nie, ten nowy ból był przejmujący i ekspansywny. Swym działaniem obejmował nie tylko to miejsce drobnego ciała, do którego przylgnęło narzędzie wywołujące cierpienie: on się wciąż rozszerzał w nieregularnych falach.

Cyrkowy treser był nałogowym palaczem i bardzo mu się podobało, iż przy swej robocie robi to, co najbardziej lubi. Najpierw, kiedy małpka nie chciała jeździć na wrotkach ani chodzić na szczudłach, ciągnął ją za łańcuch, który miała uwiązany do szyi. Zwierzę upadało w piach areny i krzyczało ze strachu. Potem niestety powtarzało swoje błędy i z niechęcią odrzucało kolejne zabawki i przedmioty, których miało używać ku uciesze cyrkowej gawiedzi. Wobec swych treserskich porażek cyrkowiec wpadł na pomysł użycia papierosa. Jedną ręką chwycił małpkę za gardło, drugą zaś nałożył jej kaptur na głowę. Wtedy, mając pewność, że zwierzątko go nie pokąsa, wyjął papierosa z ust i przyłożył go do malutkiej pięty.

Przenikliwy pisk zwierzęcia objął kilka rejestrów, ciało małpki spętane ogromnym kapturem zadrżało spazmatycznie, układ przywspółczulny zareagował poluzowaniem zwieraczy.

Treser cofnął ze wstrętem rękę, chwycił stworzenie za łapę, wytarzał małe, wciąż drżące ciało w piachu areny, po czym poczekał i po godzinie zdrapał skrobaczką oprószone pyłem łajno.

swego informatora i roześmiał się głośno. – Cielesna przysługa! No nie! Wie pan, panie Edwardzie, że w ludzkich językach jest tyle określeń na cielesne przysługi, że można by nimi zapełnić spory słownik?

– Umiał pływać? – zapytałem, kiedy pryncypał już przestał się śmiać, a ja zamknąłem w swych notatkach ten erotyczny wątek, upewniwszy się, że mecenas zapisał nazwiska i portiera, i trębacza.

– Tak, umiał – odparł. – Ale *ab ovo*!* W czwartek 24 maja około piątej po południu Frost poinformował żonę, że jedzie do sklepu muzycznego kupić kalafonię do skrzypiec. Wszelki ślad po nim zaginął. Jego ciało znaleziono całkiem niedawno...

– Trzeciego lipca – przeczytałem – trzynaście dni temu... Półtora miesiąca od zaginięcia...

– Ostatnio mamy tropikalne upały. – Beck na potwierdzenie swych słów otarł pot z czoła. – To one oraz odrzańskie ryby zmieniły ciało nie do poznania. I pewnie nigdy byśmy nie wiedzieli, kogo w Grodzanowie, gmina Brzeg Dolny, znalazł rolnik, który nad brzegiem Odry wypasał swe gęsi, gdyby nie kalafonia. Ona się nie rozpuszcza w wodzie. Potem wszystko się powtórzyło jak u dwóch poprzednich denatów. Sekcja zwłok: arszenik i utopienie. – Urwał, by nabrać tchu. – Do spodni włożył sobie dwie płyty chodnikowe, aby uniknąć spontanicznego wypłynięcia. Ktoś od Słowika prowadzi te trzy sprawy. Dawno by je zamiótł pod dywan jako samobójstwa kombinowane, gdyby nie zadziwiająca zbieżność tych kombinacyj. Najpierw trucizna, potem utopienie. Tak jakby się umówili co do tych śmiertelnych środków... Mimo iż stwierdzono ponad wszelką wątpliwość, że nie mogli się znać, identyczny *modus operandi***: trucizna, po czym utopienie,

---

* Od początku.

** Sposób działania.

– Jej ciało – ciągnął mecenas – znaleźli 26 maja marynarze spławiający na Odrze barkę. Sekcja zwłok wykazała to samo co w wypadku Pasternaka. Arszenik, utopienie, samobójstwo kombinowane. Przesłuchania również, jak w sprawie żołnierza, pokazały absolutny brak motywów do popełnienia samobójstwa. Juszczykowska nie umiała pływać...

W notatkach Becka był zapis: „Znaleziono 26 V 56: Stary Dwór pod Brzegiem Dolnym".

– A trzeci samobójca to już chyba miał powód. – Mecenas zabębnił palcami o biurko i westchnął. – Gdyby był świadkiem oskarżenia w jakiejś mojej sprawie i pan by się nim zajął w znany sobie bezbłędny i skuteczny sposób – tu teatralnie zawiesił głos – tobyśmy mieli go w garści i nic by nie pisnął przeciwko nam na rozprawie. Zenon Frost, lat czterdzieści dwa, skrzypek z opery, żonaty, jedno dziecko, zamieszkały na... Spojrzałem w notatki.

– Na Wysokiej, boczna Grabiszyńskiej.

– Tak, zamieszkały na Wysokiej, otóż nasz skrzypek z filharmonii...

– Z opery – przerwałem.

– Wszystko jedno. – Beck nabrał tchu. – Otóż nasz skrzypek był wyznawcą kultu z Sodomy...

Urwał i czekał na moje okrzyki zdziwienia i na lawinę pytań wywołaną tym eufemizmem oznaczającym pederastię. Nic takiego z mej strony nie nastąpiło. Zbyt długo żyłem na tym świecie i zbyt dużo widziałem, by okazywać głośne zdziwienie na wieść, że żonaty mężczyzna jest jednocześnie sodomitą.

– Tak jest, proszę pana! – Mecenas uniósł palec ku górze jak retor. – Potwierdzają to zeznania portiera z opery i młodego trębacza, kolegi z orkiestry. Mój Słowik wybuchnął śmiechem, kiedy mi czytał fragment tych zeznań. Podobno Frost błagał kiedyś tego trębacza o „wyświadczenie mu cielesnej przysługi"... Jednak ci muzycy są bardzo delikatni. – Beck poszedł w ślady

– Kapral Marian Pasternak, lat dwadzieścia jeden, w 7 Batalionie Rozpoznawczym na Obornickiej, przebieg służby wojskowej bez zarzutu: za dobre wyniki mianowany 16 lutego 1956 roku plutonowym. W niedzielę 18 marca tegoż roku wpół do dziewiątej rano wyszedł na jednodniową przepustkę. Do koszar już nie powrócił. Koledzy zeznali, że w planach miał odwiedzić swoją narzeczoną, ma pan tam jej nazwisko i adres... Tydzień później wędkarz łowiący ryby w Praczach Odrzańskich przy ujściu Bystrzycy do Odry znalazł przy brzegu jego ciało. W czasie sekcji stwierdzono wodnistą, ryżową treść w rozdętych jelitach. Jak u chorych na cholerę albo otrutych arszenikiem. Natychmiast zrobiono badania na obecność arsenu. Tak, proszę pana. Wynik był pozytywny. Arszenik. Oprócz tego dobrowolne utonięcie. Żołnierz umiał pływać, toteż skrępował sobie ręce i przełożył je sobie pod nogami na plecy. Przesłuchania wykazały, że nie miał żadnych powodów do samobójstwa.

Beck strzyknął sobie do szklanki trochę wody z syfonu i przepłukał usta. Mówienie najwyraźniej podniosło temperaturę jego ciała, bo zdjął cienką Ajzenbergową marynarkę w kolorze *écru*, poluzował krawat i starannie włożył jego końcówkę pomiędzy guziki koszuli. Drugą historię zaczął opowiadać, gdy skończyłem notować pierwszą.

– Antonina Juszczykowska, lat trzydzieści, mężatka, zamieszkała na... nie pamiętam, chyba gdzieś koło Rynku, ma pan zapisane! Mąż robotnik, chyba w ZNTK, wyszła w czwartek 17 kwietnia bieżącego roku po obiedzie, zatem około trzeciej, jej córka dobrze nie pamiętała godziny, do krawcowej, która zeznała, że klientka była z nią owszem umówiona do przymiarki, ale nie przyszła.

Spojrzałem do notatek Becka. Rzeczywiście mąż ofiary Kazimierz Juszczykowski pracował w ZNTK, mieszkali na Odrzańskiej, a krawcowa Franciszka Wnuk na Pomorskiej. I Pasternak, i Juszczykowska niedaleko mieli do rzeki – pomyślałem.

Kiedy mecenas Beck się rozkokosił i snuł swoje rodzinne opowieści, należało porzucić wszelkie nadzieje na skierowanie jego uwagi na inne tory. Tego ciepłego popołudnia było jednak inaczej. Adwokat, zauważywszy, z jaką chciwością jego młody współpracownik chłonie każdą wzmiankę o „kąpiącej się w słońcu Rozalce", przypomniał sobie bowiem, co miał mi powiedzieć.

– Michasiu – zwrócił się do dwudziestoczteroletniego aplikanta, z którym łączył go, podobnie jak mnie, jednostronny bruderszaft. – A idź ty, dziecko, do domu! Już minęła szesnasta! My tu z panem doktorem mamy teraz małą konferencję w sprawach służbowych, ale takich, które ciebie zgoła nie dotyczą!

Kiedy pryncypał tytułował mnie moim stopniem naukowym, nieodmiennie to oznaczało, że sprawa jest bardzo ważna.

Lamparski wstał i spakował papiery do teczki. Tymczasem my paliliśmy papierosy i obserwowaliśmy przez okno ludzi śpieszących na dworzec, skąd dojeżdżali po pracy do domów.

– Mam dla pana te informacje o samobójcach – powiedział Beck, kiedy już Lamparski wyszedł, nie ukrywajmy, z pewnym ociąganiem.

– Oczywiście mój Słowik – tak Beck nazywał współpracującego z nim oficera milicji – nie pozwolił mi wypożyczyć żadnych akt do biura. Wiem tylko tyle, ile mi powiedział, i ja też siłą rzeczy przedstawię panu sprawę ustnie... Zdążyłem zanotować tylko kilka adresów i trochę innych danych, a i to nie wiem, czy bezbłędnie... O, tutaj ma pan moje zapiski!

Beck przesunął po blacie kartkę zapełnioną pięknym kaligraficznym pismem. Przeciągnął się mocno, aż strzeliły mu kości w stawach. Potem przyklepał resztki farbowanych włosów na skroniach, błyszcząc przy tym złotymi spinkami. Chwyciłem za wieczne pióro, otworzyłem notes, poluzowałem krawat i poprawiłem swe zarękawki. Byłem gotów.

drugie, przyczernił resztki włosów na skroniach, po trzecie zaś, sprawił wielką radość najsłynniejszemu wrocławskiemu krawcowi, mistrzowi Srulowi Ajzenbergowi, kiedy zaobstalował sobie u niego kilka jasnych modnych jednorzędowych garniturów, porzuciwszy ciemne prążkowane dwurzędowce, które nigdy się nie podobały pani Rozalii, bo, jak twierdziła, postarzają one Olusia.

W takim właśnie letnim garniturze Aleksander Beck siedział teraz przede mną i opowiadał mi o swojej niedzielnej wycieczce na Wyspę Opatowicką, gdzie jego ukochana Rozalka zażywała kąpieli słonecznych, a siedemnastoletni pasierb i o rok młodsza pasierbica urządzali sobie zawody pływackie w Odrze – na wschodnim cyplu wyspy, daleko od pieniącego się jazu.

Jego opowieściom, a zwłaszcza tym fragmentom, które dotyczyły żony szefa, przysłuchiwał się uważnie młody aplikant kancelarii pan Michał Lamparski. Ja sam nie byłem tak skoncentrowany jak Michaś – bo tak nazywałem familiarnie młodszego kolegę. Wszelkie opowieści o wypoczynku i turystyce nudziły mnie zawsze śmiertelnie, choć skłamałbym, gdybym powiedział, że nie budziło się moje zainteresowanie, gdy szef opowiadał o swej żonie.

Nie ukrywam, że pani mecenasowa okazywała mi wiele sympatii. Twierdziła, że wyglądam, jakbym był najwyżej „pod sześćdziesiątkę", co – powiem nieskromnie – potwierdzały też inne osoby, komplementowała moje krawaty, poszetki i lśniące buty oraz *in publico** twierdziła z uśmiechem, który dwadzieścia lat temu, w pełni męskich sił, uznałbym być może za zachęcający, że „mężczyźni łysi mają w sobie coś". Ta ostatnia deklaracja mogła się zresztą odnosić – i oczywiście najpewniej się odnosiła! – do jej własnego męża, który miał podobną fryzurę do mojej, choć nie golił głowy – tak jak ja – zupełnie na zero.

---

* Publicznie.

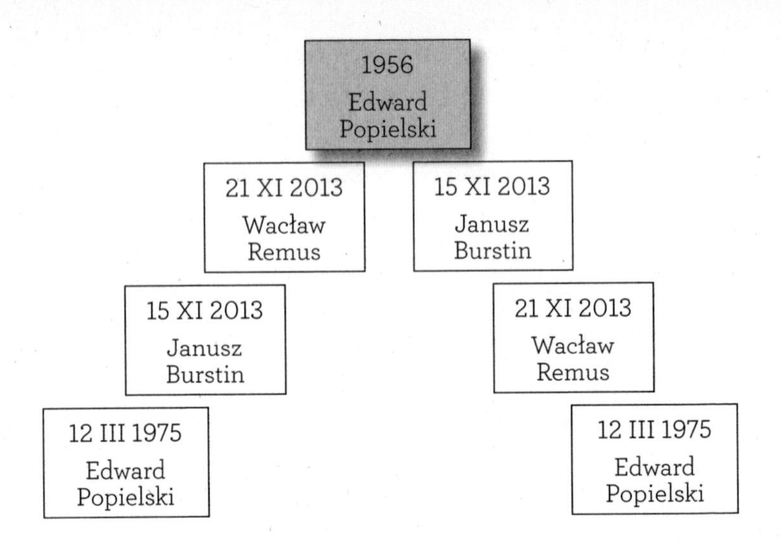

MECENAS ALEKSANDER BECK jeszcze do niedawna był bezdzietnym wdowcem. Kiedy był w kiepskim humorze, sam siebie nazywał Ausfallmodell, czyli „model przestarzały", albo Plusquamperfectum, czyli „czas zaprzeszły". I w jednym, i w drugim wypadku miało to oznaczać, że sam siebie uważa za osobnika nie z tej epoki, za figurę niesłychanie archaiczną i niezdatną do użytku. Kiedy dwa lata temu poznał swoją drugą żonę, trzydziestopięcioletnią wówczas kobietę, wdowę po przedwojennym oficerze Korpusu Ochrony Pogranicza, zapomniał natychmiast obu tych określeń. Pani Rozalia była niezwykle piękną i dzielną kobietą. Mąż ją odumarł – zamordowany przez Rosjan w Katyniu – gdy miała lat dwadzieścia dwa i dwoje małych dzieci przy boku. Potem losy rzucały ją po różnych rejonach naszych dawnych Kresów, gdzie się ukrywała przed wywózką na Syberię, jaką jej chcieli zafundować nasi „wielcy przyjaciele ze Wschodu". Dobre wiatry zagnały ją po wojnie, jak wielu Kresowiaków, do Wrocławia, gdzie po kilku latach poznała i – jako się rzekło – natychmiast odmłodziła Aleksandra Becka.

Mecenas, jeszcze jako jej narzeczony, uległ przynajmniej trzem metamorfozom. Po pierwsze, zaczął używać kremów i perfum, po

Zwierzątko było teraz coraz bardziej pojętne. Po tygodniu treser nie musiał się męczyć i mógł wykorzystywać papierosy wyłącznie zgodnie z ich przeznaczeniem. Po kilku bowiem przypaleniach małpka była posłuszna. Zgodnie z ustaleniami Iwana Pawłowa ból kojarzyła z ciemnością wywołaną kapturem, nie z żarem papierosa. Kiedy zatem opadał na nią mrok, gryzła ze strachu miękki filc kaptura. Potem wystarczał już sam jego widok, a małpka robiła wszystko, czego od niej żądano. W nocy, kiedy zapadał całkowity mrok, małpka szalała i gryzła wszystko dokoła.

Szybko stała się atrakcją wędrownego cyrku. Pozwalała się głaskać i karmić, nauczyła się nawet podawać łapę. Pewnego dnia cyrk zawędrował do dalekiej Polski, gdzie umilał czas niemieckim żołnierzom. W mieście Krakowie przypadła bardzo do gustu córeczce pewnego generała. W czasie występu cyrkowego dziecko zostało poproszone przez klauna o podanie zwierzątku ręki. Zrobiło to i w tym momencie zapadła ciemność. Dla małpki było oczywiste, że kaptur po raz kolejny odciął ją od światła. Zareagowała tak jak zawsze, gdy robiło się ciemno. Odsłoniła ostre zęby i zrobiła z nich użytek.

Ta jedna z wielu wojennych przerw w dostawie prądu stała się dla córki generała przekleństwem. Dopiero w późnych latach siedemdziesiątych chirurg plastyczny zoperował jej pogryziony przez małpkę nos.

Tego samego wieczoru kapucynka została sprzedana za grosze kataryniarzowi, który niczego od niej nie wymagał oprócz tego, by siedziała na jego katarynce. Dbał o nią tak troskliwie, że nie oszczędzał na nafcie i w nocy stawiał obok jej klatki zapaloną lampę. Niestety *dolce vita** nie trwała długo. Kataryniarz zmarł, a małpka, obdarzona przez nowego właściciela imieniem Kloto, dopiero teraz poznała, co to znaczy prawdziwy ból.

---

* *Dolce vita* (wł.) – słodkie życie.

Był on najstraszniejszy, jaki kiedykolwiek to stworzenie czuło. Wykrzywiał i unieruchamiał przez kilka sekund całe ciało. Jego źródłem nie był punkt ani obszar – ból siedział teraz w samym środku kapucynki, szarpał ciągłym spazmem, wyciskał z niej ekskrementy i rzucał nią o ściany klatki.

Najgorzej, że nie można mu było nijak zaradzić. Człowiek wkładał od góry do klatki żelazny stojak z dwiema drabinkami, które prowadziły na mały podest. Jedna z nich była czarna, druga biała. Na podeście był orzech włoski. Stworzenie cieszyło się i wspinało się po orzech – po białej lub po czarnej drabince. Wtedy człowiek wyciągał ku niej dwa wystające druty. Prąd wykręcał jej ciało i wyduszał z małego gardła wysoki pisk. Człowiek uśmiechał się przyjaźnie, mówił coś cicho i wskaźnikiem uderzał to w jedną, to w drugą drabinkę. Na przemian – raz w białą, raz w czarną. Kloto nie wiedziała, o co chodzi jej oprawcy. Bojąc się drutów, skakała po drabinkach jak szalona, na oślep. Wtedy człowiek raził ją prądem. Najwyraźniej żądał czegoś innego. Nie rozumiała, że chciał jej bezładne skoki pozbawić chaotyczności – że pragnął tylko tego, by wspinała się po orzech najpierw po czarnej, a zaraz potem po białej drabince.

Kloto nie rozumiała intencyj człowieka. Była bezradna. Mogła tylko patrzeć w oczy zbliżającego się do niej oprawcy. A potem już tylko cierpieć.

$$\{x, y^\dagger, x^\dagger, y^\dagger, x, y^\dagger\}$$

II

przyciągnął uwagę śledczych i nie pozwolił im zamknąć tej sprawy. Na razie oficer prowadzący nie wykazuje przesadnej determinacji. Wyjechał na urlop nad morze i sprawa na kilka tygodni trafia *ad acta**. To tyle, panie Edwardzie.

Zapisywałem to wszystko tak gorączkowo, że omal nie przebiłem stalówką kiepskiego cienkiego brulionowego papieru. Beck w tym czasie poprawił swoją garderobę, w kark i w policzki wmasował znakomitą francuską wodę kolońską Pour Homme i włożył kapelusz. Podszedł do mnie i oparł dłonie ma moim biurku.

– Panie doktorze, muszę teraz z panem szczerze porozmawiać!

– To ja muszę porozmawiać, a właściwie tylko jedno zdanie wypowiedzieć. – Wstałem. – Bardzo panu mecenasowi jestem wdzięczny za te informacje!

– To nic wielkiego. – Beck był bardzo poważny i skupiony. – Pracuje pan doktor u mnie od trzech lat i nigdy mnie pan nie zawiódł. Niech pan nie robi tego teraz!

Ta wypowiedź była oczywistym ostrzeżeniem. Poza tym użycie mojego tytułu naukowego w rozmowie bez świadków zapowiadało jakiś bardzo poważny wątek, ponieważ Beck doskonale wiedział, że nigdy nie lubiłem galicyjskiej tytułomanii, a do dwóch liter przed nazwiskiem przyznawałem się tylko wtedy, gdy chciałem – urągając stateczności wynikającej z mojego podeszłego wieku – zrobić wrażenie na płci pięknej.

– Wiem, jaką sprawę powierzył panu mój przyjaciel z gimnazjum Władysław hrabia Zaranek-Plater. – Od strony mojego pryncypała przypłynęła zapachowa fala wanilii i lawendy. – Nie wygląda ona na trudną, ale wiem z doświadczenia, że sprawy detektywistyczne z czasem się komplikują. Pan chyba wie, o czym teraz chcę powiedzieć, prawda?

---

* Do akt.

– Znamy się od trzech lat, panie mecenasie. – Wiedziałem, że on, w odróżnieniu ode mnie, lubi swój tytuł. – I wiem, że sprawa Zaranek-Platera nie może kolidować z żadnymi aktualnymi sprawami, które właśnie prowadzę... To oczywiste.

– To jasne, panie Edwardzie, o tym to ja panu nawet nie muszę mówić. – Adwokat się rozpromienił i zaraz zasępił. – Mam panu coś innego do powiedzenia. Nigdy o tym jeszcze nie mówiłem. Mój milicyjny informator jest wysokim oficerem. Przekazuje mi wszelkie wiadomości, bo ma wobec mnie wielki dług wdzięczności. Te wiadomości są zawsze, ale to zawsze!, obwarowane jakimś warunkiem co do ich wykorzystania. Zawsze jest coś, czego z całą pewnością nie mogę zrobić z tymi informacjami, bo gdybym to zrobił, mój Słowik zapomniałby, co dla niego zrobiłem, rozumie pan?

– Zbyt duży upał, panie mecenasie – zareagowałem podobnie jak wczoraj na wywody hrabiego – na takie piętrowe okresy warunkowe...

Beck opadł na fotel i zdjął kapelusz. Na jego głowie pojawiło się kilka kropli potu. Otarł je chusteczką, która również pachniała Pour Homme.

– Ma pan rację, Wrocław to latem miasto tak tropikalne i duszne, że ja od tej duchoty gubię myśli. Powinienem panu już na początku postawić ten warunek. Otóż tymi trzema samobójstwami interesuje się ktoś bardzo wysoko postawiony. Ten ktoś ostrzegł Słowika, że sprawa jest bardzo delikatna i być może trzeba ją będzie na zawsze odłożyć na półkę. I teraz zacytuję panu słowa mojego informatora: „Może za kilka dni trzeba będzie ukręcić łeb całej sprawie samobójców. Wtedy i pan, mecenasie, musi o niej zapomnieć. Kiedy zadzwonię do pana i powiem »koniec sprawy pływaków«, to wtedy pan o niej zapomina". Teraz pan rozumie, panie Edwardzie? To samo się tyczy pana. Choćby był pan o krok od jej rozwiązania, kiedy panu powiem, że ta sprawa już jest beznadziejna, pan też ją uznaje za beznadziejną i zamyka w swoim sejfie do końca świata! Rozumiemy się?

– Ależ oczywiście! – Wstałem i podniosłem do góry dwa palce. – Słowo starego harcerza!

Beck przyglądał mi się spod oka. Musiał wybrać jedną z dwóch interpretacji mojego zachowania – albo błaznuję, albo rzeczywiście byłem harcerzem i taką przysięgę uważam za świętą.

– Ufam, że pan teraz nie dokazuje. – Podał mi rękę na pożegnanie. – Człowiek tak dobrze wychowany jak pan nie drwiłby sobie z harcerstwa. Moja Rozalia zawsze mówi o panu: „To jeden z nielicznych dżentelmenów o przedwojennych manierach. Zdystansowany i wstrzemięźliwy. Typ angielski. Nie ma już takich dzisiaj na świecie!". Żegnam pana!

Włożyłem marynarkę obciążoną dwiema kopertami, które Zaranek-Plater dostarczył mi dziś rano. Przyjemnie było czuć na sercu godziwą zaliczkę, a po przeciwnej stronie pieniądze na wydatki poniesione w śledztwie. Uścisnąłem dłoń Becka i przez długą chwilę myślałem o jego młodej małżonce. Gdyby mnie znała naprawdę dobrze, i to dwadzieścia lat temu, to raczej nigdy nie nazwałaby mnie wstrzemięźliwym.

$$\{x, y^{\dagger}, x^{\dagger}, y^{\dagger}, x, y^{\dagger}\}$$

Wrocław był miastem, w którym mieszkałem już dziesiąty rok i – podobnie jak mecenas Beck – wciąż się nie mogłem przyzwyczaić do wysokiej wilgotności powietrza, panującej tu letnią porą. Odra wraz ze swymi licznymi dopływami parowała wtedy intensywnie. Gdybym miał te letnie opary, nieznane mi ze Lwowa, do czegoś porównać, to powiedziałbym, że miasto latem było zmęczone – jak zziajany pies.

O ile jednak to porównanie dobrze mi się kojarzyło, bo lubiłem psy, o tyle inne, które teraz w czasie mojej wędrówki po rozpalonych ulicach przychodziły mi do głowy, już takie przyjemne nie były. Ludzie cisnący się wokół okrągłego kiosku przy placu Kościuszki przypominali mi karaluchy włażące do puszki z trucizną. Inni kojarzyli mi się z pożądliwymi kundlami. Tak właśnie wyglądali w mojej imaginacji robotnicy, którzy – skończywszy tego dnia prace wykończeniowe w otaczających plac Kościuszki nowych domach – siedzieli teraz bez koszul na stosach cegieł i otwierali na widok przechodzących kobiet bezzębne, przemyte piwskiem usta – ni to w uśmiechu, ni w drwinie, ni w próbie zaczepki. Ludzie wracający z pracy, wiszący na stopniach tramwaju skręcającego z Podwala w Stalingradzką*, nie byli podobni do winogron, do których często porównywała ich prasa piętnująca ten zwyczaj podróżowania, ale przypominali mi raczej rakowate narośle – nabrzmiałe i trujące. Nawet dziecko, stojące obok matki przy budce z lodami pod największym wrocławskim domem handlowym na Podwalu, budziło we mnie niechęć. Pisk tego malca – mimo upału ubranego w rajtuzy i berecik – domagającego się kolejnej porcji lodów, przypominał mi bzyk komara, przez co chciałem doń podejść i zrobić to, co robiłem z komarami – wymierzyć mu klapsa. Wilgotny skwar rozpalał ludzi do białości. Ja nie byłem wyjątkiem.

Postanowiłem stłumić w sobie złe myśli i skojarzenia. Nie było to proste. Zmusiłem się wprawdzie, by nie zwracać uwagi na ludzi, ale teraz drażniły mnie wytwory pracy ich rąk. Kiedy przechodziłem na ukos przez Rynek, irytację moją wzbudzały i nierówno ułożone płytki chodnikowe, i wielkie tablice na odbudowywanych domach, krzyczące „Nasz cel: Wytępić niemczyznę. Nadać miastu polski charakter!".

Pewnie teraz we Lwowie wiszą identyczne napisy – pomyślałem, wchodząc w ulicę Odrzańską – tylko wyrazy są podmienione:

---

* Dziś ul. Świdnicka.

zamiast „niemczyznę” jest „polszczyznę”, „radziecki charakter” zamiast „polski charakter”. Mimo wysuszonych ust splunąłem na myśl o takiej deprawacji mojego dawnego ukochanego miasta, czym wzbudziłem gniewne okrzyki jakiejś damy, na której ratlerka – przyznaję to ze wstydem – omal nie naplułem.

By uniknąć jej wściekłości, umknąłem pomiędzy dawne domki altarzystów, zwane powszechnie „Jaś i Małgosia”, a potem do kościoła Świętej Elżbiety. Siedziałem tam prawie pół godziny, aby pozwolić organizmowi odparować wilgoć w chłodnym wnętrzu świątyni, a umysłowi – opanować wzburzenie. Warunkiem koniecznym mojej pracy było zdobycie zaufania rozmówców, a to było zgoła niemożliwe w mokrym od potu ubraniu i z rozwścieczoną purpurową twarzą.

Niepotrzebnie tak zadbałem o powierzchowność i o wewnętrzny spokój. Okazało się bowiem, że Kazimierza Juszczykowskiego równie dobrze mógłbym odwiedzić z bojowym okrzykiem na ustach i z halabardą w ręku. Na wszystko reagował bowiem tak samo – czyli nijak. Jedyną rzeczą, na której widok by się ożywił, była flaszka alkoholu.

Mąż samobójczyni był udręczony przez kaca. Leżał na brudnym posłaniu ubrany w robotniczy drelich i śmierdział owocowo – jak mi się zdawało – tanim winem lub denaturatem. Mieszkanie, do którego wszedłem po kilkakrotnym bezskutecznym pukaniu, było właściwie jednym pomieszczeniem. Stały w nim wanna, kuchnia węglowa, stół z trzema krzesłami, szafa, kredens i dwa żelazne łóżka oddzielone kotarą. Na parapecie usychały pelargonie. Przyjrzałem się tym wszystkim sprzętom. Nie zaryzykowałem siadania ani na krześle, ani na niezajętym łóżku. Nie lubiłem pralni chemicznych. Często niszczyły ubrania.

– Pan Kazimierz Juszczykowski? – Darowałem sobie usprawiedliwianie, dlaczego wszedłem tu bez pukania. Brak odpowiedzi.

– Czy pan Kazimierz Juszczykowski!? – ryknąłem.

– A bo co? – odparł inteligentnie leżący facet i podniósł jedną powiekę.

Obok łóżka stała torba monterska z narzędziami. Jej widok stanowił dla mnie zagadkę. Robotnik pracujący w dużych Zakładach Naprawczych Taboru Kolejowego, o czym świadczył w notatkach Becka skrót ZNTK, nie powinien nosić ze sobą torby z narzędziami. Jego instrumenty powinny spoczywać w warsztacie. Albo już nie pracuje i ukradł narzędzia, by je wymienić na gorzałę – pomyślałem – albo wydaje mu się, że wciąż jest w pracy.

– Bo nic! – warknąłem i wyjąłem trzy banknoty dziesięciozłotowe. – A ćmagi to byś się nie napił?

Nie jesteś we Lwowie – powiedziałem sam do siebie – pewnie nie zrozumiał.

Wbrew moim przypuszczeniom Juszczykowski zrozumiał dobrze. Wstał gwałtownie z łóżka i potykając się o torbę z narzędziami ruszył w stronę okna, z którego rozpościerał się widok na uniwersytet. Z zewnątrz dochodziły krzyki chłopców, grających w piłkę.

– Mirek! – ryknął do jednego z nich. – Chcesz na lody? No to cho na górę!

Wrócił do łóżka i runął w nieobleczoną pościel. Stałem w milczeniu, opierając się o stół, i czekałem na Mirka. Po chwili w pokoju zjawił się obcięty na jeża łobuziak w krótkich spodenkach, z których wystawały poobijane chude kolana. Chłopak nie okazał najmniejszego zdziwienia ani stanem mieszkania, ani moją osobą. Stanął przede mną i wyciągnął rękę.

– Ile butelek? – zapytał.

– Dzieciom nie sprzedają! – okazałem mu nieufność.

– Mnie sprzedadzą – odparł Mirek. – A bo to raz kupowałem, do domu, do maszynki?

– Dzieciom nie sprzedają wódki – uparłem się trochę niepewnie.

– Jaka wódka? – zachrypiał chłopak takim głosem, jakby sam gorzałą nie raz i nie dwa przepłukał gardło. – Pan Kaziu to dyktę pije. Wódę to by na raz wypił, a dykta tak nie wchodzi, to i ma na kilka dni... Musi mieć zawsze na rano... Inaczej do roboty nie pójdzie...

– Butelkę wódki, rozumiesz? – powiedziałem i zapaliłem papierosa. – Czystej monopolowej. Żadnego denaturatu. Jak przyniesiesz, to ci odliczę na lody... A, poczekaj! Pan Kaziu zawsze tak pił? Chlał tak często?

– Wypić to i wypił wcześniej – odparł Mirek. – Ale teraz to ja nie wiem... Chyba więcej...

– Teraz, to znaczy od śmierci żony, tak?

Chłopak kiwnął głową i wybiegł z mieszkania. Gospodarz wcale się mną nie interesował. Odwrócił się do ściany na swym barłogu i cicho pojękiwał. Do rozgrzanego pokoju wleciała mucha i błysnęła w słońcu zielonkawym odblaskiem. Usiadła obok mnie na ceracie pokrywającej stół. Najwyraźniej miała się tam czym pożywić.

Odkleiłem ze wstrętem palce od ceraty i spojrzałem na kuchenny kredens. Stała tam pokolorowana widokówka przedstawiająca, jak przeczytałem na odwrocie, aleję Lenina w Nowej Hucie. „Kochany Tatusiu – napisane było dużym dziecinnym pismem – jest mi tu dobrze, tyle że trochę tęsknię za mamusią, za tobą i za Pusią. Szkoda, że dziadek nie pozwolił z nią przyjechać. Z dziadkiem chodzę na ryby, z babcią do pani Feli. Nie mam tu koleżanek. Nie chcę tu chodzić do szkoły. Całuję kochanego Tatusia, Ela".

Odłożyłem tę kartkę ze ściśniętym sercem. W kilku zdaniach zamknięty był dramat dziecka nieświadomego śmierci matki i upchniętego dziadkom przez ojca alkoholika. Mała Ela nudzi się z dziadkiem na rybach i słucha rozwlekłych opowieści pani

Feli, najpewniej koleżanki babci z kościelnej ławy. A w nocy płacze w poduszkę – cicho, by nikogo nie rozgniewać.

Aby porzucić gorzkie myśli, skupiłem się na zagadce, kim jest Pusia, za którą tęskniło dziecko. Postawiwszy kilka hipotez, porzuciłem to niejasne zagadnienie i skupiłem się na górnej części kredensu. Otworzyłem szafkę. Na półkach leżały serwetki starannie obrębione charakterystycznym ściegiem. Kiedyś stały na nich szklanki i talerze, które teraz tworzyły stos w wannie. Jedynym przedmiotem na półce była kartonowa wiązana teczka. Pierwszym dokumentem, który w niej znalazłem, było świadectwo ukończenia zaocznego technikum ekonomicznego. Dokument ten był opatrzony pieczęciami i datą „12 kwietnia 1956 roku" – pięć dni przed popełnieniem samobójstwa przez Antoninę Juszczykowską. Oprócz świadectwa były tam pisane ręcznie dwa podania o pracę. Jedno z nich skierowane było do Działu Kadr delegatury Państwowego Przedsiębiorstwa Hurtu Księgarskiego, drugie do Kwaszarni Kapusty i Ogórków Wrocławskich Zakładów Przetwórstwa Owocowo-Warzywnego. W obu pismach kandydatka informowała o swym rychłym ukończeniu Technikum Finansowego Ministerstwa Finansów na ulicy Worcella oraz o „predysproporcjach" do pracy w księgowości. Raczej żaden z tych dokumentów nie był pisany przez potencjalnego samobójcę. Coś musiało się stać tuż przed popełnieniem desperackiego czynu. Musiał się pojawić jakiś nagły samobójczy impuls. To było jasne – w odróżnieniu od kwestii, kim jest Pusia.

Schowałem teczkę do szafy i spojrzałem na Juszczykowskiego. Chrapał, a po jego głowie spacerowała zielonkawa mucha. Odgoniłem ją.

– Jeszcze nie jest ścierwem – powiedziałem do owada.

Właściwie nie potrzebowałem już do niczego tego człowieka. Nie miałem ochoty przebywać w tym dusznym, śmierdzącym mieszkaniu i odpędzać ścierwic. Od stania rozbolały mnie nogi.

Nagle zadudniły kroki na schodach. Do mieszkania wszedł Mirek z flaszką żytniej. Bez słowa podał mi butelkę i resztę, a ja odliczyłem mu na dwie porcje lodów. Nie dziękował zbyt wylewnie, gdy wychodził.

Przez chwilę zastanawiałem się nad dwoma rozwiązaniami – całościowym i niepełnym. Pierwsze oznaczało pozostawienie całej wódki Juszczykowskiemu, drugie – odlanie mu jakiejś jej części do szklanki. Odrzuciłem i jedno, i drugie. Z kredensu wziąłem widokówkę pisaną przez jego córkę i oparłem ją o szklankę stojącą na stole. Miałem nadzieję, że pierwsze, co monter zobaczy po przebudzeniu, to żal dziecka widoczny w tekście.

Otwierając drzwi, szarpnąłem za kotarę, która na nich wisiała. Odsłoniła ona kąt, w którym stała mała klatka dla ptaków.

Ukucnąłem. Na klatce wisiała chusteczka z wyhaftowanym słowem „Pusia". Wewnątrz leżał martwy zasuszony chomik.

Wiedziałem już wszystko, co chciałem.

Zszedłem po schodach i po chwili z butelką żytniówki w ręku wlokłem się w stronę rzeki rozpaloną ulicą.

$$\{x, y^\dagger, x^\dagger, y^\dagger, x, y^\dagger\}$$

Narzeczona samobójcy Mariana Pasternaka mieszkała na ulicy, której nazwa budziła we mnie taką odrazę, że nigdy jej nie używałem. Nie chciałem, by nazwisko jej patrona kalało kiedykolwiek moje usta. Krążyły wprawdzie pogłoski, że po ostatnich wydarzeniach w Poznaniu upamiętnianie zmarłego trzy lata wcześniej rosyjskiego satrapy przestanie być obowiązkowe i nasza główna wrocławska ulica wróci do tużpowojennej polskiej nazwy Świętego Macieja, ale ja – stary sceptyk – nie wierzyłem zbyt mocno w tę rychłą odmianę.

Niezbyt często bywałem na tej ulicy, co tylko w nieznacznej mierze było spowodowane moją nienawiścią do jej patrona, którego do niedawna jego polscy namiestnicy kazali kochać i wysławiać. Nie lubiłem jej jeszcze z dawnych czasów, kiedy ulegała ona w cyklu dobowym regularnym metamorfozom. W ciągu dnia była wielkomiejską arterią handlową, zabudowaną kamienicami o prawie paryskiej wielkości, a w nocy – jednym wielkim rynsztokiem, ciemnym i niebezpiecznym zagłębiem pijaństwa, zbrodni i syfilisu. W ciągu dziesięciu lat utraciła ona nawet swój wielkomiejski pozór. Z nieremontowanych kamienic odpadał tynk, balkony na ich frontowych ścianach obrastały klatkami z królikami, a odpadki – wysypywane z okien pod osłoną ciemności – dozorcy zgarniali na jezdnię, gdzie gniły ku uciesze szczurów. Noce na podwórkach przy tej ulicy były takie same jak dziesięć lat wcześniej – pełne przekleństw, nagiej przemocy i ukradkowych spazmów rozkoszy za przepełnionym śmietnikiem.

Alicja Motyl mieszkała w środkowej części tej ulicy, naprzeciwko okrągłego kościoła, bodaj pod wezwaniem Świętego Józefa. Mieszkała „kątem u ludzi", jak się wtedy mawiało, w małym pokoju, którego jedyną zaletą było to, że jego okna wychodziły na nieliczne w tej okolicy drzewa rosnące wokół świątyni.

Główna lokatorka mieszkania była kobietą otyłą i obdarzoną oczami tak małymi, że tylko załamania skóry i cienkie brwi pozwalały je umiejscowić na wielkiej płaszczyźnie twarzy. Gdybym miał odpowiedzieć na pytanie, jaka krew płynie w jej żyłach, bez wahania odparłbym, że kałmucka. To samo powiedziałbym o jej dzieciach, które z zaciekawieniem wyglądały teraz zza potężnych matczynych bioder.

Mimo że użyłem całego wdzięku i obdarzyłem babę szerokim repertuarem uśmiechów, nie wzbudziłem w niej większego entuzjazmu. Na pytanie o Alicję Motyl coś burknęła i pokazała mi drzwi w głębi przedpokoju.

– Jaka Motyl? Jaka Motyl? Motylówna się mówi! – słyszałem za plecami głośne uwagi językowe. – Panienka! Panienka, którą ktoś napompował! Ha, ha, ha!

Wspomniana panienka siedziała w swym pokoju i szydełkowała. Była bardzo młoda, wyglądała na nie więcej niż dwadzieścia lat. Jej stan błogosławiony był widoczny – nie mógłbym jednak powiedzieć, który to jego miesiąc. Kłopoty sprawiało mi określenie wieku narodzonych dzieci, a wnioskowanie o wieku dziecka z wielkości brzucha matki przekraczało moje możliwości predykcyjne.

Dziewczyna spojrzała na mnie z zaciekawieniem. Jej oczy były zaczerwienione. Mieszkanie u „Kałmuczki", jak nazwałem w myślach gospodynię, to już był dostateczny powód do płaczu. A panieńska ciąża, śmierć ojca dziecka i świadomość, że będzie ono pogrobowcem – to już dla tej dziewczyny naprawdę tragedia.

– Niech pan otworzy drzwi od pokoju – powiedziała, kiedy się przedstawiłem jako pełnomocnik adwokata i wyjaśniłem, że przychodzę w sprawie jej zmarłego narzeczonego.

– Sprawa jest dość dyskretna, szanowna pani – powiedziałem cicho i wbrew jej poleceniu zamknąłem drzwi.

– Włodziu, a wiesz ty, Włodziu, że do Aluni jakiś stary absztyfikant przyszedł – zza drzwi doszedł gromki głos gospodyni. – Przyniósł flaszkę i cukierki! Że taka to wstydu nie ma!

– Słyszy pan? – Dziewczyna wygięła pogardliwie usta. – Stara tak się będzie darła, a jak drzwi otworzyć, to się zamknie... Muszę mieć cały czas otwarte, jak ktoś jest u mnie... Jakaś klientka czy ktoś... A jak będzie otwarte, to stara spokojna, a pan może nawet zdjąć marynarkę, bo przecie pan mokry cały...

Cisnęły mi się na usta dwa pytania. Dlaczego drzwi muszą być cały czas otwarte i dlaczego ten stan jest warunkiem zdjęcia przeze mnie marynarki? Pozostawiwszy sobie te zagadki na później, zrobiłem to, o co mnie prosiła, i dokładnie otarłem chustką głowę z potu. Potem otworzyłem drzwi na oścież.

– O, widzi pan – Alicja się uśmiechnęła i odpowiedziała jeszcze przed zadaniem pytania. – Tak by się darła i wyzywała, gdyby były zamknięte... I podsłuchiwała... A tak, przy otwartych, to idzie do swoich bachorów!

– Szpieguje panią? – zapytałem cicho.

Dziewczyna nie odpowiedziała i patrzyła na mnie przez chwilę w milczeniu. Z jej miny wywnioskowałem, że chwila słabości, jaką miała, obdarzywszy mnie przed chwilą zaufaniem, właśnie mija. Milczała i patrzyła na mnie wyczekująco. Postanowiłem zebrać myśli. Najpierw przyjrzałem się Motylównie, a potem rozejrzałem się po pokoju.

Dziewczyna była niepośledniej urody. Typowa słowiańska blondynka o nieco rudawym odcieniu. Miała lekko wystające kości policzkowe, trójkątną twarzyczkę i duże błękitne oczy. Była niewysoka i pulchna. Jej cera – jasna i alabastrowa – biła po oczach zdrowiem i czystością. Jestem pewien, że gdybym się pochylił nad dziewczyną, to poczułbym zapach krochmalu.

Pokój był wysprzątany, a leżące dokoła obrusy i poszwy na kołdry, pokryte różnokolorowym haftem, jeszcze bardziej mnie utwierdzały w przekonaniu, że jestem gościem u kobiety czystej, gospodarnej i obdarzonej zdolnościami manualnymi. Słowem – u idealnej kandydatki na żonę. Niestety kandydat na męża zbyt intensywnie zażywał kąpieli w Odrze.

– Szanowna pani...

– Jestem panną – przerwała mi opryskliwie. – Nie żadną panią! Nie mam żadnej szkoły, a pracuję tu jako szwaczka i hafciarka! Jestem jak służąca, nie pani! Wystarczy, panie cacany!?

Użyła przymiotnika, jakim prostytutki obdarzają swych klientów. Spojrzałem na nią. Patrzyła mi drwiąco w oczy.

– Nie jestem spowiednikiem – powiedziałem cicho, słysząc, że do drzwi ktoś się skrada, najpewniej mały kałmuk. – I nic mnie nie obchodzi, że jest pani panną w stanie błogosławionym... Niech się tym ekscytuje ta stara jędza... Ja jestem prawnikiem, który chce pani pomóc... Do rzeczy! Pani narzeczony niedługo miał wyjść z wojska i się z panią ożenić, prawda?

Alicja się rozpłakała. W jej łkaniu słyszałem całą rozpacz młodej kobiety, która ma urodzić małego posthumusa* i – jako niezamężna matka – będzie zmuszona się mierzyć w przyszłości z nienawistnymi spojrzeniami, obmową, a nawet pluciem pod nogi. Słyszałem w tym płaczu desperację biednej dziewczyny, która żyje z wyszywania obrusów i w każdej chwili może być wyrzucona z mieszkania przez wściekłą sukę niepozwalającą jej nawet drzwi od pokoju zamykać.

Najchętniej bym ją objął, przytulił i pogłaskał po włosach, ale po pierwsze, to nie uchodziło, a po drugie, mogło być opacznie zrozumiane przez gospodynię, która i tak mnie nazwała starym absztyfikantem. Przysunąłem nieco moje krzesło do dziewczyny i czekałem, aż się uspokoi.

Usłyszałem za sobą lekki szmer. Wstałem szybko i wyjrzałem z pokoju. Zamiast małego kałmuka zobaczyłem chudego mężczyznę w podkoszulku, w kalesonach i w skarpetkach, który odskoczył od drzwi pokoju i z godnością, bez pośpiechu ruszył do wyjścia z mieszkania. Zwinięta pod pachą gazeta świadczyła, że zmierzał pewnie do pomieszczenia sanitarnego na półpiętrze.

– To był mąż gospodyni? Włodzio? – Wskazałem oczami na drzwi.

Dziewczyna przez chwilę milczała, a potem skinęła głową. Przełamałem pierwsze lody.

– Panno Motyl – kułem żelazo, póki gorące. – Niech pani pomyśli o swoim dziecku. Chce pani z kwilącym maleństwem, pani synkiem lub córeczką, mieszkać w tej norze? Myśli pani, że to babsko zniesie płacz obcego dziecka? Ja widzę tę szantrapę po raz pierwszy w życiu i wiem, że nie zniesie. I będzie panią dalej

---

* Pogrobowiec.

dręczyć. A ja chcę pani zapewnić dobre utrzymanie... Wystarczy, że pani powie przed pewnym profesorem, prawnikiem... Wystarczy, że pani powie...

Zawahałem się. Jej uroda i małomówność wprawiały mnie w konfuzję. Nie wiedziałem, jakich słów użyć, by wyłuszczyć jej moją propozycję.

Dziewczyna znów skinęła głową i nie spuszczała ze mnie wzroku. Nie wiedziałem, co ten gest oznacza. Nie byłem pewien, czy nie jest za wcześnie na odkrywanie wszystkich kart. Może powinienem ją jeszcze trochę pocieszyć? Przyjść za kilka dni? Rozejrzałem się bezradnie, szukając gdzieś inspiracji. Znalazłem ją w oprawionym w ramki portrecie. Ze zdjęcia śmiał się młody zawadiaka w mundurze i w przekrzywionej nieco czapce z czterema belkami. Wskazałem palcem na zdjęcie.

– To, co pani powie, nie przywróci mu wprawdzie życia – mówiłem cicho, lecz dobitnie, nasłuchując szmerów z korytarza – ale zapewni bezpieczeństwo i pani, i dziecku. Piętnaście tysięcy złotych! Widziała pani kiedykolwiek tyle pieniędzy?

Alicja pokręciła głową w niemym przeczeniu.

– Dostanie je pani – szepnąłem i poszedłem na całość. – Tak, dostanie je pani, jeśli pani powie, że Marian Pasternak nie chciał się z panią żenić i tak bardzo to przeżywał, że rzucił się w rzekę... To zwykłe kłamstwo, a dla pani i dziecka to oznacza wielką nadzieję... Za te pieniądze założy pani warsztat tkacki, hafciarski i będzie pani zamożna i szczęśliwa... Tylko jedno kłamstwo teraz, a później całe życie przed panią...

Motylówna się wahała, zapewne rozdarta pomiędzy uczuciami macierzyńskimi a nieodpartą chęcią zdzielenia mnie w pysk. Widząc jej walkę wewnętrzną, czułem się jak wąż kusiciel, jak perwersant, który się cieszy na widok człowieka przechodzącego na stronę kłamstwa i zła. Niegodne było to, że wierzyłem w racjonalność mojej propozycji, i w przekonaniu, że co racjonalne, to dobre, odrzucałem wszelkie skrupuły, nie widząc niczego złego ani w oczernianiu zmarłego, ani w cynicznym wykorzystywaniu jej macierzyńskich instynktów. Najgorsze zaś było to, że czułem przewrotną przyjemność w deprawowaniu uczciwej kobiety. Taka praca – usprawiedliwiłem się sam przed sobą, używając starego argumentu. – Kominiarz brudzi się sadzą, detektyw grzechem.

– Dobrze – odpowiedziała cicho Motylówna. – Powiem to, co trzeba!

Uśmiechnąłem się szeroko.

– Dobra decyzja, na pewno pani nie pożałuje!

Wyjąłem portfel i położyłem przed nią dwie setki. Potem wręczyłem jej wizytówkę kancelarii, na której odwrocie wykaligrafowałem mój adres.

– Proszę przyjść w tym tygodniu do mnie do domu, to ustalimy dokładnie, co pani ma mówić...

– Wolę nie w domu... – powiedziała dziewczyna, chowając pieniądze. – Lepiej w parku albo w świetlicy... W domu to jeszcze kto sobie co pomyśli...

Wstałem. Włożyłem marynarkę i kapelusz. Z kieszeni wystawała flaszka wódki i papierowa torebka z czterema kupionymi po drodze paczkami papierosów Grunwald, którą gospodyni Alicji wzięła za słodycze.

– Ja nie jestem panem Włodziem, przy mnie panna jest bezpieczna...

Dziewczyna patrzyła na mnie dłuższą chwilę. Nic nie odrzekła, ale w jej wzroku widziałem, że niespecjalnie wierzy w męską wstrzemięźliwość. Miała dobry instynkt.

Uchyliłem kapelusza, kiwnąłem jej głową i wyszedłem do przedpokoju. Stali tam pan Włodzio z małżonką. Ona rozpierała się swym wielkim zadem i ledwie się raczyła odsunąć, kiedy przechodziłem, on – już bez gazety pod pachą – przyglądał mi się drwiąco, drapiąc się po pachwinie.

– A to stary kocur, kurwa jego mać! – Patrzył mi wyzywająco w oczy. – Do szpyrki mu się zachciało, co?

Przeszedłem obok niego bez słowa. Musiałem trzymać nerwy na wodzy. Może Alicja Motylówna zmieni decyzję i jeszcze nie raz będę musiał tu przychodzić? A to znaczyło, że nie raz będę oglądał mongolską mordę gospodyni i brudne kalesony jej męża. Nie mogłem zatem sobie pozwolić na gwałtowną reakcję, bo mogła ona spowodować zamknięcie mi w przyszłości drzwi przed samym nosem.

Schodziłem po schodach ścigany drwinami i obelgami. Taka praca – pomyślałem.

Nigdy nie wierzyłem w to wyjaśnienie.

$$\{x, y^{\dagger}, x^{\dagger}, y^{\dagger}, x, y^{\dagger}\}$$

Ostatnia z ofiar dla Belmispara, muzyk Zenon Frost, mieszkała tak daleko od Alicji Motylówny, że musiałem tam pojechać aż dwoma tramwajami – najpierw siódemką przez miasto cywilizowane i podnoszone z ruin, a potem czwórką przez księżycowy pejzaż ulicy Grabiszyńskiej. Po obu jej stronach aż do ulicy Sudeckiej stały w morzu gruzu rozpołowione potężne kamienice – dziurawe, obdarte z tynku, ze zwieszającymi się urwanymi belkami stropowymi i stopionymi częściowo stalowymi wzmocnieniami.

Przed wiaduktem kolejowym po obu stronach ulicy Grabiszyńskiej stały dwie niezniszczone kamienice. W jednej z nich mieścił się bar Anatol. Dobrze znałem tę spelunę, gdzie przed południem przychodzili delirycy i zdobywali alkohol, wkładając znienacka palce do cudzych kufli i kieliszków, a po południu miejscowa brać robotnicza świętowała hałaśliwie kolejny fajrant.

O tej porze w okolicach Anatola rezydowali ludzie niezbyt gościnni dla obcych, zwłaszcza dobrze ubranych. Toteż szybko wszedłem w ulicę Wysoką, pozostawiając za sobą ewentualne niebezpieczeństwo, jakie się mogło pojawić, gdybym odmówił papierosa albo paru złociszy komuś z wrocławskich chojraków.

Tym razem nie zamierzałem odwiedzać wdowy po Zenonie Froście. Mój plan, obmyślany jeszcze w tramwaju w niezbyt komfortowych warunkach – w ścisku i wśród ludzkich wyziewów – był zupełnie inny. Samobójstwo muzyka, w odróżnieniu od dwóch poprzednich ofiar dla Belmispara, było umotywowane, jak to poetycko ujął mecenas Beck, jego wyznawaniem kultu z Sodomy. Życie w zakłamaniu, jakie musi prowadzić żonaty mężczyzna, który ma jednocześnie słabość do chłopców, może się stać nie do zniesienia. Jest to zrozumiały powód zgryzot, desperacji, no i w końcu samobójstwa.

Sprawa Frosta wydawała się zatem łatwiejsza z punktu widzenia człowieka, który musi wykazać racjonalność samobójstwa. Był to jednak tylko pozór. Na przeszkodzie stał istotny szkopuł. Korzystanie przez pederastę z erotycznych usług wiąże się z głęboką tajemnicą. Świat tych ludzi jest hermetyczny i zamknięty, język tajemny i zaszyfrowany a ich miejsca spotkań są postronnym nieznane. Ponadto Zenon Frost miał aż czterdzieści dwa lata, co w tym środowisku jest wiekiem prawie że starczym i zmusza do kupowania wdzięków młodych uliczników. I tu był problem. Musiałem bowiem do takiego ulicznika dotrzeć, a nie wiedziałem nawet, od czego zacząć. Niespecjalnie mi się uśmiechało krążenie wokół publicznych szaletów i wypytywanie chłopców o Zenona Frosta, który też pewnie nie rozgłaszał wszem wobec swego nazwiska i zawodu. Wypytywanie to wiązało się nie tylko z ryzykiem porażki, ale też z pewnym niebezpieczeństwem. Indagowany chłopak, jeśli nie był męską dziwką, mógł zareagować gwałtownie.

Trudne było przede mną zadanie. Musiałem uderzyć na ślepo i zacząć od miejsca zamieszkania Frosta, a ściśle mówiąc od jego podwórka. Może tam znajdę jego faworyta albo kandydata na faworyta? Uciekinierów z domu śpiących latem po strychach, szopach i piwnicach nie brakuje. A tacy padają łupem starych sodomitów. Trębaczem z opery, nagabywanym przez starszego kolegę, zajmę się jutro. Jeśli ani jeden, ani drugi trop nie poprowadzi mnie do zwycięstwa, podejmę działania ostateczne – znajdę jakoś dojście do środowiska sprzedajnych chłopców i czyjeś zeznania najzwyczajniej w świecie kupię za pieniądze hrabiego.

Pokrzepiony świadomością dobrego zaplanowania akcji wszedłem do bramy kamienicy numer trzy, a potem tylnym wyjściem koło piwnicy przeszedłem na podwórze.

Zapadał letni zmierzch – pora, która sprzyja spotkaniom i rozmowom. Na kilku ławkach, prawie niewidocznych wśród rozrośniętego zielska, siedzieli starzy mężczyźni bez marynarek i w letnich kapeluszach. Jeden z nich coś perorował, wygrażając laską w bliżej nieokreślonym kierunku. Stare kobiety siedziały trochę dalej i – wykorzystując osłonę ze sznurów z wiszącą bielizną – rytmicznie unosiły brzegi swych sukienek, dopuszczając powietrze do spoconych ud i pachwin. Wokół nich biegała cała gromada chłopców, którzy darli się wniebogłosy, mierząc do siebie jak z karabinów z ostruganych gałęzi drzew.

Na podwórku było kilka drewnianych szop i jeden prowizoryczny garaż, a właściwie przykryta papą wiata, która stała na czterech drewnianych klocach. W garażu tym zamiast auta stała skrzynka, a wokół niej siedziało czterech nastolatków z kartami w dłoniach. Chyba trafiłem na moich informatorów – pomyślałem.

Po raz nie wiem już który dzisiaj zdjąłem kapelusz i marynarkę. Miałem mokrą koszulę, ale nie dbałem o to. Wszedłem pod wiatę i uśmiechnąłem się do chłopaków. Trzymali po pięć kart w dłoniach, a na skrzynce leżał stosik monet.

– Dobry wieczór! – powiedziałem uprzejmie. – Co, mały pokerek?

Chłopcy nie raczyli mi odpowiedzieć. Nawet im się nie dziwiłem. Oto rozgrywają emocjonującą partię, a do ich podwórkowej szulerni wchodzi jakiś stary - jak mnie ostatnio nazywano - miglanc czy absztyfikant i zadaje głupie pytania. Nikt mnie dzisiaj nie obdarzał życzliwymi spojrzeniami - ani deliryk w alkoholowej agonii, ani dama o kałmuckiej aparycji, ani mali szulerzy, z których pewnie niejeden w przyszłości wyląduje w rynsztoku. Świat mnie dzisiaj nie kochał.

Nie chciało mi się do nich przemawiać. Nie chciało mi się używać retorycznych i psychologicznych sztuczek. Wyciągnąłem z kieszeni marynarki torebkę z papierosami. Przed każdym graczem położyłem jedną paczkę grunwaldów. Wyjąłem z kieszeni ołówek i na jednym z drewnianych słupów podtrzymujących wiatę napisałem numer telefonu i adres kancelarii Becka. Za plecami prawie wyczuwałem ich zdziwione i gniewne spojrzenia.

- Jestem prywatnym detektywem. - Ukucnąłem i popatrzyłem każdemu z nich głęboko w oczy. - Takim jak z *Sokoła maltańskiego*. Oglądaliście?

Chłopcy wstali i patrzyli na mnie groźnie. Mieli może po piętnaście-siedemnaście lat. Byli wysocy, nieforemni i żylaści. Na ich twarzach wykwitały młodzieńcze pryszcze. Biła od nich woń potu. Nie chciałbym wchodzić do ich sypialni o poranku.

- Szukam chłopaka w waszym wieku, może starszego, który niedaleko tu mieszka albo bywa w tej okolicy i... Tu słuchajcie uważnie... I zadaje się... - zawiesiłem głos dramatycznie - i zadaje się z pedałami. Rozumiecie, o czym mówię? Jeśli któryś z was da mi adres takiego chłopaka, dostanie pięć stów... - Teraz już nie kiwali głowami. Musieli przetrawić osobliwą informację. Byli nieufni i niejeden z nich pewnie podejrzewał, że ja sam dla własnej uciechy szukam takiego żigolaka. - Jestem prywatnym detektywem - powtórzyłem, wstałem i stuknąłem palcem w moją notatkę na drewnianym słupie. - A to numer i adres mojej kancelarii. W pracy jestem od ósmej rano. Który z was zadzwoni pierwszy, dostanie pięć stów. Następny nic. Pytać o pana Edwarda! – Wstałem i zapaliłem papierosa. – Miłej gry wam życzę, panowie! Samych karet i fuli! Dobranoc!

– Dobranoc – odpowiedzieli mi niechętnie, po raz pierwszy okazując cień kindersztuby.

Dobrze mi idzie – pomyślałem, opuszczając podwórko. – Chyba otworzę kurs savoir vivre'u.

Następny dzień pokazał, że jednak ta lekcja była nieudana.

$\{x, y^{\dagger}, x^{\dagger}, y^{\dagger}, x, y^{\dagger}\}$

Kiedy wróciłem do domu, miasto spowijała już szarówka. Była godzina dziewiąta. Leokadia słuchała w radio jakiejś audycji naukowej i nie oderwała się od niej, nawet kiedy wszedłem do mieszkania. Kiwnęła mi tylko głową i posłała słaby uśmiech, który zawierał w sobie westchnienie: „Czemu wróciłeś tak późno?". Nawet w letnim fartuszku bez rękawów wyglądała jak dama.

Nie chciało mi się podgrzewać obiadu. Zjadłem szybko dwa zimne gołąbki i popiłem je kompotem z truskawek z poprzedniego dnia. Potem się przebrałem w krótkie spodenki i podkoszulek. W łazience wyprałem przepoconą koszulę i rozwiesiłem ją nad wanną. Zlustrowałem później ubranie i ku mojej radości nie znalazłem na nim żadnych plam, które mogłem nabyć w brudnych tramwajach czy na zakurzonych podwórkach. Domowe czynności zakończyłem na przygotowaniu sobie ubrania na jutro – wyprasowałem świeżą koszulę, dobrałem do niej krawat i wszystko rozwiesiłem na otwartych drzwiach szafy.

Mimo tych czynności, wykonywanych gwałtownie i w jakimś zacietrzewieniu, nie udało mi się odgonić wyrzutów sumienia, które mnie dręczyły od momentu, gdy opuściłem podwórko na Wysokiej i udałem się w stronę placu PKWN, by tam wsiąść w zerówkę.

Miałem lat siedemdziesiąt, przez całe istnienie wolnej Polski pracowałem jako policjant i naprawdę widziałem w życiu niejedno. Podczas wojny przestałem być rycerzem, który walczy z otwartą przyłbicą, i stałem się lisem – podstępnym i niekiedy okrutnym. Szantaż, korupcja i deprawacja były mi chlebem powszednim. Dzisiaj ten chleb trącił jednak nieznośnym kwasem.

Ległem na dywanie, założyłem ręce pod głowę i zacząłem rozmyślać. Co się właściwie stało? Czemu mnie gryzą Erynie? Po chwili miałem odpowiedź na moje pytania. Wyrażała się ona w jednym wyrazie. Dzieci.

Tak, chodziło o dzieci. Jedno z nich, samotne i zrozpaczone, mieszka u dziadków i czeka na jakąś odmianę losu. A jakaż je spotka odmiana, kiedy przekupię notorycznego alkoholika, by zeznał, że jego żona była od lat pogrążona w czarnej, cichej rozpaczy z powodu jego picia? Otóż zainkasuje on okrągłą sumę, a potem dzień w dzień będzie wystawiał głowę przez okno i wołał do siebie Mirka, a ten będzie mu przynosił kolejne butelki z jagodową śmiercią. I w końcu wątroba pęknie Juszczykowskiemu, a jego dziecko – nic o tym nie wiedząc – będzie mu słało listy „Tęsknię za tatusiem i za Pusią".

Drugie dziecko wykorzystałem cynicznie w swej argumentacji. „Tak będzie dobrze dla twego nienarodzonego synka lub córeczki" – mówiłem i z jakąś wszeteczną satysfakcją patrzyłem, jak uczciwa, zgnębiona przez życie dziewczyna waha się przed pośmiertnym oczernieniem swego ukochanego, a potem – manipulowana umiejętnie przeze mnie, starego diabła – zgadza się na wszystko.

W trzecim wypadku, na podwórku na Wysokiej, rozerwałem coś, co jest niezwykle ważne w ludzkim życiu – koleżeńską solidarność. Teraz ci chłopcy będą ze sobą współzawodniczyć o to, który z nich pierwszy dopadnie rano telefonu. Będą się przed sobą kryli, będą kłamać jeden przed drugim. Wrzuciłem w tę grupę jabłko niezgody, zasiałem tam zło.

Nie powiedziawszy Lodzi „Dobranoc", rozebrałem się, zaległem w pościeli i zgasiłem nocną lampkę. Nie mogłem zasnąć już to z powodu upału, już to od bzyczenia komarów, które mimo octu rozlanego na talerzu przy łóżku atakowały mnie zajadle.

Zasnąłem około drugiej w nocy. Śnił mi się chomik biegający po klatce.

$\{x, y^{\dagger}, x^{\dagger}, y^{\dagger}, x, y^{\dagger}\}$

Poranek był jasny od słońca i radosny od śpiewu ptaków. W biurze byłem o wpół do ósmej. Spokojnie piłem herbatę i rozmawiałem z panem Lamparskim o aresztowaniu w Poznaniu prawie siedmiuset osób, o czym mój młodszy kolega wysłuchał w Radio Wolna Europa. Kiedy zegar ścienny wybił ósmą, spojrzałem na wielki bakelitowy telefon. Milczał.

Zabrałem się do pracy – musiałem tego dnia sprawdzić plotki dotyczące finansów pewnego lekarza. W tym celu przeglądałem spis wpłat i wypłat, jakich ów sługa Eskulapa dokonywał. Nie muszę dodawać, że dane te zdobyłem nielegalnie dzięki drobnemu szantażowi, jakiemu poddałem kilka dni wcześniej dyrektora banku PKO.

Byłem tak zajęty pracą, że nawet nie usłyszałem, kiedy zegar wybił wpół do dziesiątej – czas drugiego śniadania. Mój młody kolega pan Michał Lamparski udał się do baru Smakosz na Kołłątaja, by zjeść tam swoje ulubione flaczki, a ja rozwinąłem papier i wyjąłem świeżą bułkę z masłem, przełożoną mortadelą, ogórkiem małosolnym i plasterkami jajka na twardo, pociągniętymi gęstym majonezem. Położyłem ją na serwecie w kratkę, którą musiałem nosić codziennie do pracy od czasu, gdy Leokadia odkryła, że jako obrusu używam gazety. Ze szklanej przykrywki słoika zdjąłem dwie sprężynki i z pożądliwością spojrzałem na sałatkę po żydowsku, którą dla mnie zrobiła moja kuzynka.

Już otwierałem usta, by ugryźć pierwszy kęs, już moje zęby prawie chrupały dobrze wypieczoną skórkę bułki, już widelec rozgniatał na talerzu jajeczno-ziemniaczaną kulę, kiedy usłyszałem hałas na korytarzu. To pewnie mecenas zmierzał do kancelarii – jak zwykle przed dziesiątą. Jednak mój pryncypał nie miał zwyczaju przeklinać przy tym i złorzeczyć, a najwyraźniej wulgaryzmy właśnie słyszałem.

Z wielkim żalem odłożyłem bułkę i widelec, po czym poszedłem do drzwi, by zobaczyć, co też się za nimi dzieje. Nie zdążyłem ich otworzyć, gdy do biura wpadło pięć rozeźlonych osób.

Najbardziej rozwścieczony był stróż kamienicy, w której Beck wynajmował kancelarię, pan Wenanty Wachulec. To on przeklinał, wrzeszczał i wywijał swoją miotłą. Chłopcy z ulicy Wysokiej dzielnie mu się odszczekiwali.

– Ci chuligani twierdzą, że do pana, panie Popielski... – wysapał Wachulec.

– Jacy chuligani, jacy chuligani?! – zaperzył się jeden z chłopców. – A to się przypiął cieć jeden w dziąsło szarpany!

– Cicho! – ryknąłem, po czym uśmiechnąłem się do stróża. – Tak, kochany panie Wenanty, to są moi pomocnicy!

Mimo iż powiedziałem to jak najłagodniej umiałem, stróż mógł usłyszeć w moich słowach ironię. Spojrzał na mnie z wrogością, po czym odwrócił się powoli i poczłapał schodami w dół. Goniły go drwiące śmiechy chłopców. Gwałtownym ruchem ręki przywołałem ich do porządku, ale nie sądzę, abym przez to wiele zyskał w oczach pana Wenantego.

– Wchodzić, siadać i mówić! – zaordynowałem i wskazałem fotele dla interesantów.

Nie usiedli. Jeden z nich, rudy i piegowaty, wystąpił naprzód. Wkładał sobie do ust ziarna słonecznika. Rozgryzał je powoli, a łupiny chował do kieszeni.

– Mamy dla pana wiadomość – powiedział. – Ale najpierw forsa!

Wręczyłem mu trzysta złotych, zamknąłem drzwi i stanąłem przy nich, aby zatarasować drogę, gdyby wyłudziwszy ode mnie pieniądze, chcieli nagle uciec.

– Teraz trzysta – cedziłem słowa. – A potem dwieście, kiedy wspólnie pójdziemy pod adres, jaki mi podacie. Muszę się przekonać, że mnie nie okłamaliście, podając adres chorej babci, która zrobi wielkie oczy na mój widok.

– Nigdzie nie pójdziemy – odparł rudy. – Bo nie mamy żadnego adresu. Powiedziałem „mamy wiadomość"!

Przyjrzałem się mojemu rozmówcy. Już nie był ubrany tak niedbale jak poprzedniego dnia na podwórku. Miał na sobie wojskową amerykańską koszulę z podwiniętymi rękawami i buty na grubej słoninie. Uśmiechnął się drwiąco i wypluł łupinę ze słonecznika wprost na podłogę.

– Mów, to dostaniesz! – mruknąłem.

– Forsa! – krzyknął. – Ale już!

Z ust wypadła mu kolejna łupina. Tego było już za wiele. Obiema rękami chwyciłem go za koszulę i przyciągnąłem tak mocno do siebie, że na podłodze obok łupin spoczęły dwa wyrwane guziki.

Żaden z kolegów rudego nie zrobił najmniejszego ruchu. Byli jak stado zwierząt oniemiałe, gdy ktoś poniży ich przywódcę.

Pchnąłem go mocno na ścianę.

– Słuchaj, gówniarzu. – Nie podniosłem głosu. – Jak nie masz mi nic do powiedzenia, to oddaj mi trzy stówy i spierdalaj stąd!

– Mówią na niego Fanfan, bo wygląda jak ten z filmu... – Rudy uśmiechnął się krzywo i dodał pojednawczym łagodnym tonem: – Wie pan, co to za film?

– *Fanfan Tulipan* – odpowiedziałem, przypominając sobie ogromne kolejki przed kinami. – Film francuski. Gérard Philipe w roli głównej.

– Ma takie włosy jak ten Fanfan – ciągnął chłopak. – Podobny. Zadaje się chyba z pedałami. Mówią, że chodzi do blaszaka koło pedetu... Mieszka chyba na Jemiołowej. Kręci się tu i tam. U nas na parafii też. Okradał pijaków z Anatola, którzy spali na ławkach... Przez to podpadł Bokserowi...

– Kto to jest Bokser?

– Bokser to bokser – wtrącił się pryszczaty chłopak. – Kiedyś walczył w Gwardii. Teraz to król na parafii. Lepiej z nim nie zadzierać...

– Nazwisko boksera!

– Semczuk Irek – odpowiedział pryszczaty.

– Gdzie go znajdę?

– Jak to gdzie? W Anatolu. Jest codziennie!

– Jak wygląda?

– Jak bokser – warknął rudy. – Morda obita, nos złamany... Teraz forsa!

Wyjąłem dwie setki i rozprostowałem je w dłoni. Po chwili wyjąłem jeszcze dwie. Chciałem zabić wyrzuty sumienia.

– To dodatkowo, za waszą solidarność... że żaden z was nie przyszedł w pojedynkę, tylko wszyscy razem... Chciałem was skłócić... A wy jak muszkieterowie: jeden za wszystkich, wszyscy za jednego...

Moja przemowa nie zrobiła na nich wrażenia. Rudy wziął pieniądze bez słowa. Następnie podszedł do stolika, przy którym stało moje nawet niezaczęte śniadanie. Schylił się nad otwartym słoikiem sałatki i wypuścił doń długą grubą nitkę śliny. Potem wytrzepał tam ręce z łupin słonecznika. Specjał Leokadii został splugawiony.

– Nie szarp mnie nigdy, stary chuju!

Nie ruszyłem się. Powstrzymały mnie świśnięcia i błyski sprężynowych noży.

Chłopcy powoli – jeden za drugim – opuścili biuro mecenasa.

$\{x, y^{\dagger}, x^{\dagger}, y^{\dagger}, x, y^{\dagger}\}$

Równo o godzinie trzeciej opuściłem biuro. Z moim starym i wiernym brauningiem, obciążającym kieszeń, pojechałem czwórką do Anatola. Nie było tu bezpiecznie i mój stary druh mógł się przydać do odstraszenia grabiszyńskich chojraków. Znałem tę knajpę jeszcze z roku 1949, kiedy się nazywała Pod Wiaduktem. Ukrywałem się wtedy przed UB i mieszkałem pod fałszywym nazwiskiem na ulicy Żelaznej. Poznałem wówczas dobrze całą dzielnicę, zwaną Grabiszynem lub Gajowicami, i w tym lokalu zdarzyło mi się kilka razy spożywać obiad, co nie było zresztą jakimś niezapomnianym kulinarnym przeżyciem.

Teraz, popołudniową porą, Anatol dopiero zaczął się zapełniać. Był to moment, kiedy lokal opuścili już goście abonamentowi – robotnicy z Fabryki Maszyn i Pieców Piekarskich na Tęczowej – a jeszcze nie nadeszli mieszkańcy okolicznych ulic, którzy najpierw niedopici po robocie, a później zaczepni i agresywni, królowali tu do późnych godzin nocnych.

Kiedy wszedłem do Anatola o tej pustej godzinie, zogniskowałem na sobie wszystkie, nieliczne zresztą spojrzenia. Mój jasny garnitur i kapelusz oraz brązowa teczka z krokodylej skóry budziły spore zainteresowanie.

Podszedłem do bufetu. Na oko pięćdziesięcioletnia bufetowa miała obfite kształty i zaskakująco dużą głowę. Kiedy się jej przyjrzałem, zrozumiałem, że wrażenie wodogłowia było spowodowane nie jakąś aberracją anatomiczną czy – Boże broń! – patologiczną, ale trzypiętrową fryzurą tej pani. Pierwsze piętro stanowiło czoło przykryte wylakierowaną grzywką, drugie zaznaczone było wpiętą we włosy białą, koronkową tasiemką, która u kobiet pracujących w gastronomii miała imitować przykazany ustawą czepek. Trzecim piętrem był ogromny kok.

– Pozwoli pani szanowna karafkę wódki? – zadysponowałem. – I coś na ząbek... Co tam pani uważa... Śledzik po japońsku, może ozorki...

– Wódkę podajemy tylko w małych kieliszkach. – W oczach bufetowej wyraźnie widziałem zdumienie, najpewniej moim ubiorem i uprzejmym tonem. – W żadnych setkach i karafkach! To porządny lokal, nie wiejska remiza! – Policzyła szybko w myślach. – Toby było dwadzieścia kieliszków, o takich!

Powędrowałem za jej spojrzeniem i ujrzałem małe pękate kieliszki, wydmuchane, zgodnie z ostatnią modą, z różnokolorowego szkła.

– No to niech będzie w kieliszkach, niech będzie z fasonem. – Oparłem dłonie na kontuarze i widziałem, jak barmanka uważnie się przygląda mojemu sygnetowi ze znakiem labiryntu. – Ale poda mi pani i zapłacę dopiero wtedy, gdy ktoś się do mnie dosiądzie, rozumiemy się, królowo?

Jej mądre oczy, które w tej spelunie widziały już niejedno, mówiły, że moje zamówienie jest nadzwyczaj ekstrawaganckie. Ja wiedziałem jednak dobrze, dlaczego je składam w takiej dziwnej formie – z odroczonym terminem podania i płatności. Później w tej knajpie będzie się bowiem kłębił taki tłum, że dopchanie się do szynkwasu narazi mnie na kontakt z niezbyt czystą klientelą.

Najwyraźniej zdumienie, w jakie wprawiłem ją moim nietypowym zamówieniem, zwyciężyło nad chęcią ostrej reprymendy – bo tak właśnie zawsze reagowała, gdy klient na zbyt dużo sobie pozwalał i traktował ją jak służącą.

– Ja nie podaję... Podaje kelner, Wiesiek...

Jej twarz wyrażała cielęce zdziwienie, które mogło zaraz – gdy ochłonie – zamienić się w furię. Aby ją uprzedzić, wyjąłem zawczasu przygotowany banknot pięćdziesięciozłotowy, złożony w kostkę, i postawiłem na nim pusty kufel, który stał w kolejce do umycia. Pod drugi włożyłem banknot o mniejszym nominale i dołożyłem monetę. Pochyliłem się ku mojej rozmówczyni.

– Jak tu przyjdzie Ireneusz Semczuk, pseudo Bokser – szepnąłem – to go pani skieruje do mojego stolika... Powie mu pani, że zapraszam, i wyśle tam pani Wieśka z wódką i zakąskami... To za pani fatygę, a tamto za fatygę Wieśka! – Postukałem sygnetem najpierw w kufel z pięćdziesiątką, a później w ten drugi z połową tej kwoty. – Jak mi dobrze pójdzie rozmowa z Bokserem, to dorzucę pani na odchodne jeszcze pięć dych! Niech go pani wypatrzy, a potem ładnie zachęci, by się do mnie dosiadł, co, królowo?

– Dobrze. Wiem.

Kobieta oba kufle przysunęła ku sobie i kiwnęła na Wieśka, który podszedł z godnością, schował swój napiwek do kieszeni brudnej białej marynarki i zasalutował mi z krzywym uśmiechem. Gest Wieśka uznałem za podziękowanie, a druga część lakonicznej odpowiedzi barmanki była dla mnie przez chwilę zagadką. Krótkie „Wiem" mogło być skrótem zdania „Wiem, co mam robić" albo „Wiem, który to Bokser".

Porzuciłem ten problem językowy i rozejrzałem się za wolnym stolikiem. Znalazłem idealny – stał w głębi lokalu, w samym kącie, skąd mogłem wygodnie obserwować wchodzących, a jednocześnie blisko bufetu, skąd mogłem wyłapywać znaki i spojrzenia barmanki. U kelnera Wieśka zamówiłem mielonego z buraczkami i herbatę.

– Zupy wyszły – powiedział, gdy upominałem się o pomidorową. – Ta hołota z cynkowni albo z fabryki awanturuje się, że zupy za mało, no to im leję po wrąb! I tak nie starcza na wieczór! Ale kto by tu zupę wieczorem jadł! Tu gorzałę się pije, panie!

Przyniósł mi najpierw herbatę, a po kwadransie obiad. Potem zrzucił marynarkę, powiesił ją za barem i dokądś poszedł. Miał pewnie przerwę przed wieczornym szczytem konsumpcyjnym.

Mijały minuty i kwadranse. Najpierw jadłem, potem paliłem, a cały czas ocierałem pot z głowy i obserwowałem salę wypełnioną przez przykryte ceratą stoliki ozdobione wazonikami ze sztucznymi kwiatkami.

Mijały kwadranse i godziny. Już wszystkie stoliki były zajęte, dym szczelnie zasnuwał wnętrze knajpy, ludzi przybywało. Tłoczyli się wokół bufetu. Wiesiek miał tyle roboty, że zniknął w tłumie, a Anatol przypominał lokal samoobsługowy. Bufetowa dwoiła się i troiła przy nalewaniu piwa i wódki klientom okupującym jej ladę. Patrzyłem na nich wszystkich uważnie i gratulowałem sobie w duchu decyzji podkupienia barmanki. W knajpie znajdowało się bowiem kilku mężczyzn o złamanych nosach i – aby trafić na poszukiwanego przeze mnie – musiałbym ich wszystkich nagabywać, a to niekoniecznie przyjęliby z entuzjazmem. A tak, dzięki niewielkiej korupcji, bufetowa miała skierować do mnie właściwego człowieka.

Niestety właściwy człowiek nie miał tego popołudnia chyba zamiaru odwiedzić tej knajpy. Za to nadchodzili inni, którzy co chwila pytali mnie, czy mogliby się dosiąść. Odmawiałem im grzecznie, a oni wzruszali ramionami z pogardą na widok mojej szklanki herbaty. Odstawałem tu mocno od towarzystwa, ale nie mogłem się przemóc, aby zamówić piwa czy wódki. Pierwszy napój – ciężki, gorzki i rozdymający żołądek – nigdy mi nie smakował, natomiast na drugi było po prostu zbyt gorąco.

Mojego zdania na temat tych napitków nie podzielali najwyraźniej dwaj robotnicy ubrani w podkoszulki i w czapki leninówki, którzy – pogrążeni w fascynującej rozmowie o okuciach i papach – przybyli do mojego stolika z upitymi już mocno kuflami piwa. Usiedli bez słowa zapytania i pstryknęli na Wieśka.

– Gdzie ty byłeś, Wiesiu, byku krasy? Ja dawno ci nie widział – zabałakał po lwowsku jeden z nich. – Daj ty nam, braci, jeszczy pu piwku!

Kiedy kelner się oddalił, jeden z nich wyjął z kieszeni ćwiartkę czystej monopolowej i rozlał ją bez najmniejszego skrępowania do kufli. Spojrzał na mnie i zrobił perskie oko.

– No co jest, panie Łysman? Po kapelce?

– Co się dosiadasz jak do swojego? – powiedziałem ostro. – Czekam na kogoś!

– Na nas czekałeś, hrabio – bez uśmiechu powiedział drugi z nich, niski i muskularny. – I grzeczniej, grzeczniej... Masz dwa wyjścia: albo się pan z nami napijesz, albo w dziób dostaniesz... No dawaj, Józiu, nową ćwiartkę, to nalejemy trochi prądu do herbatki pana hrabiego...

Przyjrzałem się nieproszonym gościom. Żaden z nich nie miał złamanego nosa. Wstałem i spojrzałem znacząco na bufetową. Uchwyciła moje spojrzenie natychmiast. Przez dym i przez ludzką ciżbę ujrzałem, jak kręci przecząco swoją wielką głową.

Wbrew opinii muskularnego robotnika miałem i trzecie wyjście – opuścić lokal. Zrobiłem to, machnąwszy ręką na pantomimiczne nagabywanie mojego krajana z Kresów, który kiwał na mnie palcem, unosił do góry ćwiartkę wódki i uderzał się po szyi wierzchem dłoni.

Była godzina szósta. Pierwsze nieudane dla śledztwa popołudnie. Przede mną jeszcze takich wiele. Praca detektywa jest nieustannym cyzelowaniem jednej cechy. Cierpliwości.

Na ulicy zaczerpnąłem świeżego powietrza, o ile można tak nazwać mieszaninę wyziewów z otwartych piwnicznych okienek i dymu parowozu przejeżdżającego właśnie wiaduktem nad ulicą Grabiszyńską. Zapaliłem grunwalda. Nagle doszedł do mnie smród ludzkiego potu. Bił on z ciasnego kordonu, którym nagle zostałem otoczony.

– Te, człowiek! Masz zajarać? – usłyszałem.

Wokół mnie stali czterej mężczyźni o grubo ciosanych twarzach. Niektórzy w kaszkietach, inni z gołymi głowami. Na rękach mieli już to tatuaże, już to grube węzły blizn. Tak zwane więzienne dziary. Patrzyli na mnie obojętnie. Jeden spośród nich warknął:

– Te, człowiek, pytałem o coś!

Określiłbym go krótko: bokser wagi ciężkiej.

$$\{x, y^{\dagger}, x^{\dagger}, y^{\dagger}, x, y^{\dagger}\}$$

– Szukałeś mnie, człowiek! O co ciebie chodzi?!

Staliśmy wśród ruin, niedaleko od Anatola, obok wiaduktu przebiegającego nad Sudecką. Tam mnie zaprowadził Bokser ze swoimi ludźmi. Nie opierałem się ani nie dyskutowałem. W głowie dzwoniła mi stara zasada Czesława Paulina Grabowskiego: „Żeby później wykorzystać bandytę, trzeba najpierw przyjąć jego warunki".

Spojrzałem na przywódcę szajki. Miał jeżowate gęste włosy, które sterczały mu czubem nad wypukłym czołem. Jego nos był złamany i prawie wepchnięty w głąb czaszki. Przykrótkie spodnie miał jeszcze podwinięte, toteż nad butami na słoninie mogłem dostrzec skarpetki w różnokolorowe paski. Na popelinowej koszuli z podwiniętymi rękawami pysznił się krótki krawat przedstawiający małpę na palmie. Kiedy mówił, ściskał pięści, przez co blizny i tatuaże poruszały się na jego długich rękach. Proporcje kończyn górnych do reszty ciała były elementem wspólnym Boksera i małpy na jego krawacie. Miałem wrażenie, że sięgają kolan. Musiał być niebezpiecznym zawodnikiem z takim zasięgiem ramion.

– Szanowny panie Semczuk! – przemówiłem grzecznie do bikiniarza. – Jestem od pana starszy o jakieś trzydzieści lat. Szanuję pana i proszę, aby pan szanował moją starość. Nie przypominam sobie, bym przechodził z panem na ty.

Chuligani oniemieli. Otworzyli usta i przenosili bezmyślny wzrok jeden na drugiego. Nagle któryś z nich zawył:

– Uuuuu! Strach się bać, taki starik honorny!

Ten, który krzyknął, podszedł do mnie i stanął bardzo blisko. Nasze nosy prawie się stykały. Poczułem ostrą woń przetrawionej wódy. Nie ustąpiłem. Spokojnie patrzyłem mu w oczy. Sekundę później przebiegła mi przez głowę myśl, że powinienem być raczej mniej honorny.

Napastnik, mierzący mnie wzrokiem, skoczył mi na stopę. Może nie był bokserem, ale do wagi ciężkiej na pewno bym go zaliczył. Jego podkuty – jak mi się zdawało – obcas zmiażdżył mi kruche kości stopy.

Uklęknąłem na jedno kolano, a właściwie wbiłem je boleśnie pomiędzy jakieś dwie cegły. Opuściłem głowę, by ukryć łzy, które mi nagle napłynęły do oczu. Ból ze zmiażdżonej stopy rozchodził się po całym ciele. Co gorsza, paraliżował mi dłoń, którą chciałem sięgnąć do kieszeni po pistolet.

Semczuk chwycił mnie za podbródek i usiłował wykręcić moją twarz ku sobie. Wyrwałem mu się i – ciągnąc bezwładną nogę – odsunąłem się na kilka kroków. Czekałem na kolejne ciosy. Nie padły. Za to wszyscy bardzo uważnie na mnie patrzyli. Lada chwila któremuś przyjdzie do głowy, by mnie zrewidować, i wtedy pozbawi mnie mojego druha brauninga, a wraz z nim wszelkiej nadziei.

– Mów, człowiek, jaki masz do mnie romans. – Herszt tej bandy miał najwyraźniej potrzebę poznawczą, którą chciał zaspokoić, zanim jego kompani wcisną mnie swymi obcasami w gruz.

– Jestem prawnikiem – syczałem z bólem przez zęby, oparłszy się ramieniem o resztki jakiejś bramy, przez co odciążyłem pogruchotaną stopę. – Szukam niejakiego Fanfana! Chciałem panu zapłacić, żeby mi pan go znalazł... Wiem, że też pan go szuka... No to poszukałby pan i dla siebie, i dla forsy... Podwójna korzyść... Ale po takim potraktowaniu mnie przez pańskiego goryla... to ja się wycofuję...

Bokser podszedł do mnie tak blisko jak przed chwilą jego goryl. Od niego nie czułem hary, ale zapach dobrej wody kolońskiej.

– To jest mój teren. – Wskazał ręką dokoła. – I tu jest moje prawo, moje dziesięć przykazań. Jedno mówi: „Do Boksera się nie pyskuje"...

– A inne: „Nie okrada się pijaków na moim terenie"? – przerwałem mu i na wszelki wypadek odsunąłem daleko od niego drugą stopę. – To przykazanie Fanfan złamał, wiem. Cała parafia o tym mówi...

Widocznie przykazania „Bokserowi się nie przerywa" nie było w jego dekalogu, oszczędził bowiem moją nogę. Podparł się pod boki i podniósł głos.

– Dobrze mówisz, człowiek! Złamał zasadę! A co mają z życia te chłopaczyny, co to do Anatola czasem przyjdą? Napiją się ciut za mocno, to i zaśnie jeden z drugim na ławeczce... A ten skurwysyn, pedał jeden w dupę jebany, okradał ich! Ostatnie grosze im zabierał! Ostrzegałem go, raz nawet dałem mu... wciry, a on nic... Dalej kradł, to ogłosiłem na parafii łapankę i teraz menda się boi... Chowa się gdzieś po piwnicach albo po ruinach z takimi jak on sam...

Zdał sobie sprawę, że okazał obcemu prawdziwe swe uczucia. Takie autentyczne uniesienia nie były pewnie w jego stylu. Przybrał zatem zacięty wyraz twarzy i wysunął dolną szczękę. Małpa z jego krawata patrzyła na mnie równie ponuro.

– Słuchaj, człowiek – zawarczał. – Ja nie jestem do wynajęcia, rozumiesz? Sam możesz chodzić, jak chcesz, po ruinach i piwnicach... I słuchać, czy gdzieś wyje... Kiepura jeden pierdolony!

Drgnąłem. To była jakaś informacja. „Wyje", „Kiepura" – to się układało w zdanie „Fanfan wyśpiewuje arie". A to się równało „Fanfan chodzi do opery". A to mogło znaczyć „Fanfan znał Frosta". Byłem na właściwym tropie. Nie mogłem pohamować uśmiechu. Bokser to zauważył, ale nie zareagował.

Oparłem cały ciężar ciała na rannej nodze. Zabolało, ale nie był to ból złamanej kości. Nie spojrzałem na stopę. Nie chciałem wiedzieć, co podkuty but goryla zrobił z lakierowaną i plecioną brązową skórą mojego letniego oksforda.

– Nie chciałem pana urazić, panie Semczuk. – Postanowiłem się pożegnać. – A napad na mnie pańskiego goryla puszczam w niepamięć... Proszę mi tylko powiedzieć, gdzie mieszka Fanfan, jak się nazywa i jakich ma kolegów, a obiecuję, że go panu dostarczę, oczywiście po przesłuchaniu...

Bokser zapalił papierosa.

– Chcesz powiedzieć: „Przysługa za przysługę", co, człowiek? Chcesz powiedzieć Bokserowi: „Zrób coś dla mnie, a ja zrobię coś dla ciebie"? „Zrób coś!" Tak się mówi do Boksera? Pamiętaj kolejne przykazanie: „Tylko Bokser tu rozkazuje". No, powtórz!

– Tylko Bokser tu rozkazuje – zrobiłem, co mi kazał.

– A tamto jakie było? To pierwsze. Pamiętasz?

– Do Boksera się nie pyskuje.

Semczuk wypluł niedopałek i dokładnie go rozgniótł obcasem. Spojrzał na swojego goryla, który przed chwilą tak nieuprzejmie mnie potraktował, i powiedział coś do niego cicho i szybko. Nie zrozumiałem ani słowa, jedynie imię rozmówcy Boksera – „Dzidek". Goryl się oddalił i zniknął pod wiaduktem.

– Jesteś pojętny, człowiek. – Semczuk uśmiechnął się krzywo. – A mówią, że starego już nie nauczysz... Nie trzymam z tobą sztamy. Pedał i tak wlezie mi w łapy... A na przyszłość to mów Wieśkowi, co w Anatolu kelneruje, o co ciebie chodzi...

Kiwnął głową swoim ludziom. Zniknęli jak duchy wśród ruin. Wypaliłem papierosa, a potem zacząłem kuśtykać w stronę ulicy Sudeckiej. Zaciskałem zęby. Stopa pulsowała bólem.

Już z daleko zobaczyłem stojącą pod wiaduktem furmankę. Zbliżyłem się do niej. Na koźle siedział Dzidek. Zakręcił batem nad moją głową. Usłyszałem świst rzemienia.

– Siadaj, dziadek – krzyknął z daleka furman. – To przysługa! Mam cię do domu odwieźć... A Bokserowi się nie odmawia, kiedy grzeczny...

– Kolejne przykazanie? – mruknąłem.

Z trudem wsiadłem do furmanki. Była to decyzja brzemienna w skutki.

$$\{x, y^{\dagger}, x^{\dagger}, y^{\dagger}, x, y^{\dagger}\}$$

Sprawa Belmispara mimo kilku strat – brudnych spodni od garnituru, zniszczonego buta i splugawionej sałatki Leokadii – wyglądała dobrze. W ciągu dwóch dni dokonałem niezwykłych postępów. Odrzuciwszy skrupuły dotyczące cynicznego wykorzystywania narodzonych i nienarodzonych dzieci, musiałem przyznać, że przekonanie świadków, by zeznawali zgodnie z wolą hrabiego Zaranek-Platera, stawało się coraz bardziej prawdopodobne. Kupienie alkoholika za wódkę i biednej krawcowej za wizję lepszej przyszłości było prawie pewne. Pozostawało mi tylko znalezienie Fanfana, a Bokser niechcący wskazał mi kierunek, w którym miałem się udać. Pełna jego nazwa brzmiała Państwowa Opera we Wrocławiu.

Pokuśtykałem tam od razu po pracy. Stopa, którą mi poprzedniego dnia Leokadia obłożyła gazą z octem, dawała znać o swym marnym stanie. Choć śródstopie bolało i było opuchnięte, a palce pomiażdżone, chodzenie o lasce nie nastręczało mi większych kłopotów.

Rankiem nie posiadałem jednak jeszcze tego akcesorium. Do kancelarii przybyłem zatem, trochę skacząc, a trochę ciągnąc bolącą nogę. Po schodach pomógł mi wejść pan Wenanty. Michaś Lamparski okazał mi również wielką pomoc, bo w czasie przerwy śniadaniowej – przed spożyciem flaczków w Smakoszu – kupił mi w sklepie galanteryjnym naprzeciw naszej kancelarii laskę – okutą i zaopatrzoną w gałkę.

Wspierany duchowo i fizycznie przez dobrych ludzi spokojnie zaplanowałem sobie kolejne detektywistyczne zadanie, zapisawszy pierwej skrzętnie wszystkie wydatki bieżące – pięćdziesiąt złotych na żytnią, pięćset dla młodocianych bandytów plus siedemdziesiąt pięć dla personelu w Anatolu i sześćdziesiąt złotych wydane na obiad tamże. Wydatek na wódkę dla Juszczykowskiego był pozornie zbędny i w pierwszej chwili nie chciałem go doliczać do listy. Potem jednak uznałem, że żytniówka może jeszcze odegrać w moim śledztwie perswazyjną rolę. Na przykład tego dnia – w czasie wizyty w operze. Portier tam pracujący nie musiał być wcale abstynentem, a żytnia była pijana w najlepszym towarzystwie. Jednak choć była o wiele lepsza od czystej monopolowej, daleko jej było do przedwojennej starki Baczewskiego!

Założyłem zatem duże prawdopodobieństwo, iż funkcjonariusze służby porządkowej w operze nie należą do abstynentów. Po wejściu do przepięknego gmachu opery na Stalingradzkiej okazało się, że założenie moje nie było chybione. Barwa nosa starego portiera, spowodowana przez popękane żyłki, wskazywała na to, że dzieli on swe zainteresowania z ferajną z Anatola.

Mój rówieśnik opuścił na czubek nosa druciane okulary i spojrzał na mnie z niechęcią zza szyb portierni. Był środek lata, opera była nieczynna i każdy człowiek tu wchodzący był w oczach portiera intruzem, który sam nie wie, czego chce.

Ja wiedziałem. Czując ciężar butelki w teczce, uśmiechnąłem się i dotknąłem palcem ucha. Portier zrozumiał to, niechętnie pociągnął ku górze szybkę nad ladą, usiadł i wykręcił się do mnie lewym bokiem. Pewnie jego głuchota nie była symetryczna.

Wyjąłem z teczki butelkę, położyłem ją płasko na ladzie, po czym zacząłem ją turlać tam i z powrotem, nie odrywając od niej dłoni. Mój spektakl wzbudził spore zainteresowanie.

– Schowaj ją pan, jak rany koguta! – Portier westchnął. – Jeszcze kierownik zobaczy i mnie niewinnego o coś posądzi...

Zrobiłem, co kazał, i oparłem łokcie na ladzie, zlustrowawszy pierwej jej czystość. Miałem na sobie mój drugi – i ostatni – letni garnitur, nie chciałem zatem, by szybko podzielił los spodni od pierwszego.

– Był pan na filmie *Fanfan Tulipan*? – zapytałem.

– Byłem, byłem... Kto by tam nie był, panie... – odparł. – Dobry film...

– Bardzo dobry – zgodziłem się. – Tłumy pod kinami, koniki zbijały fortunę... A pamięta pan odtwórcę głównej roli?

– No jasne jak słońce! Gérard Philipe! Pamiętam go dobrze, panie.

– Szukam chłopaka podobnego do Gérarda Philipe'a – powiedziałem, dotykając wypchanej teczki. – Ma takie uczesanie jak ten aktor. Kręci się tutaj po operze... Znał go na pewno pan Zenon Frost, świętej pamięci niestety... Przyjaźnił się z nim... Może chłopak próbował coś śpiewać, grać...

Portier milczał i patrzył na mnie podejrzliwie. Pomogłem mu podjąć decyzję, dotknąwszy jeszcze raz znacząco teczki, do której przed chwilą schowałem wódkę.

– Taaak... Ten Jacuś to wielki talent, jak rany koguta! – powiedział portier, a w mojej głowie rozdzwoniły się radosne kuranty jak zawsze, gdy trafiłem blefem w sedno. – Chłopak z biednej rodziny, panie... Wie pan, w suterenie, ojciec pijak, piątka rodzeństwa... Przychodził tu, coś go ciągnęło, panie, do opery, do śpiewu... Pozwalałem mu... – tu się rozejrzał podejrzliwie – pozwalałem mu, ten tego, przychodzić... Na próbach siedział na balkonie, na spektaklach za kurtyną. Potem poznał pana Frosta, a ten się nim zaopiekował... Dawał mu lekcje gry na skrzypcach, a pan Urich uczył go śpiewu. To pan Urich mówił, panie, że ten Jacuś to wielki talent... Taaak, taki talent, ten tego... – Spojrzał na mnie zniecierpliwiony. – No, co pan chcesz jeszcze wiedzieć, jak rany koguta? – zapytał z lekką irytacją.

– Jak ma na nazwisko ten Jacuś i gdzie go mogę znaleźć, to chcę wiedzieć – odparłem i objąłem czule teczkę. – Wódeczka żytnia to nie byle co... Delicje, proszę pana... Ale kosztuje nieco więcej, niż pan mi zaoferował...

Portier przez chwilę sapał. Wydawało mi się, że jego myśli zaraz rozsadzą czaszkę, a nieco przymała czapka wyleci w powietrze.

– To nie byle co, wódeczka żytnia, panie, tak, nie byle co – eksplodował słowotokiem. – Ale jeśli ja panu powiem, to stracę pracę... Wie pan, stracę... I co wtedy? Warta będzie ta wódeczka tego? No co, warta będzie, panie? I co ja wtedy zrobię, jak ja tylko pilnować umiem, stary wartownik jestem, żołnierz, panie...

– Doskonale pana rozumiem, generale. – Ściszyłem głos. – Ja też stary żołnierz jestem i chyba w pańskim wieku, co? Jesteśmy rówieśnikami... I mam dla pana propozycję. Albo mi pan powie wszystko o tym Jacusiu, co pan wie, i dostanie pan na jeszcze drugą flaszkę, albo nie dostanie pan nic... No, powiedz pan, powiedz, a literek sam przyturla się do pana... Dobrze mieć literek... Do kumpla pan pójdzie na działkę, gołąbki nakarmicie, winogron pan przytnie i przy wódeczce z kumplem dawne czasy powspomina... Bitwy, zasadzki, zwycięstwa, partyzantka... No? Wybór należy do pana, generale.

Rozejrzał się dokoła.

– Tu ściany mają uszy... Przyjdź pan za pół godziny z litrem, jak rany koguta. Mam fajrant. Czekaj pan za operą na placu Wolności, przy postoju taksówek... Dwie flaszki mają być, panie... Jak lorneta, panie...

Podałem mu rękę, a kiedy on mi podał swoją, uderzyłem nasze złączone dłonie wolną ręką. Dobiliśmy targu jak handlarze na jarmarku.

Wyszedłem z opery i pokuśtykałem do domu handlowego na Podwalu. Ustawiłem się w kolejce przy stoisku alkoholowo-cukierniczym. Szła ona bardzo wolno. Winą za to żółwie tempo obarczałem połączenie w jednym miejscu dwóch rodzajów asortymentu, z których każdy był skierowany do diametralnie różnej klienteli. O ile mężczyźni tu stojący mieli konkretny cel i nawet odliczoną dokładnie kwotę na zakup, o tyle niewiasty na ogół nie mogły podjąć decyzji, jakie słodycze kupić, i często zasięgały opinii u towarzyszącego im potomstwa. Pociechy były równie niezdecydowane jak mamusie. Czas płynął, duchota w sklepie się wzmagała, co bardziej niecierpliwi kolejkowicze pohukiwali na dzieci, ich matki reagowały gwałtownie na te ponaglenia, ja patrzyłem nerwowo na zegarek, jedynie sprzedawczynie przyjmowały wszystko z olimpijskim spokojem. To one rozdawały tu karty i w razie tumultu mogły ogłosić koniec sprzedaży, wywiesiwszy *pro forma** tabliczkę „Inwentaryzacja".

Na szczęście tak się nie stało i pół godziny później miałem w teczce żądaną lornetę. Kiedy już przykuśtykałem za operę, zauważyłem, że portier jest mocno poirytowany. Zerwał się z ławki na mój widok.

– Co jest, panie? Czekam i czekam, a w domu baba z obiadem, panie... Dzisiaj gołąbki, to na zimno niedobre... A jak się spóźnię, to się baba wkurwi, ten tego, i mi nie odgrzeje... Szybciej, panie, jak rany koguta...

Rozłożyłem na ławce ceratę, którą zawsze nosiłem w teczce, by się nie pobrudzić przy takich okazjach, i usiadłem. Ciężko oddychałem i wachlowałem się kapeluszem. Portier biegał dokoła mnie i machał rękami, okazując krańcowe zniecierpliwienie.

– Mów pan! – krzyknąłem. – Siadaj pan, kurwa, na dupie i mów!

Przysiadł na ławce koło mnie i zrobił to, czego żądałem.

– To niezłe ziółko ten Jacuś Jonkisz, oj niezłe – szeptał. – Wie pan, młode to, ale już zepsute, ten tego... Był ulubieńcem pana Frosta, a teraz, wie pan, panie... A teraz to mieszka z panią

* Dla zachowania pozorów.

Ściborską... Niby jako jej uczeń, jako biedne dziecko, które przygarnęła... A wszyscy wiedzą, że Ściborska to lubi, ten tego, tę robotę, co się nie kurzy... A mąż stary i pewnie już, wie pan, panie, tylko herbatkę może sobie zamieszać... Raz zastałem Ściborską i tego Jonkisza w garderobie... I wie pan, co robili? Aż wstyd mówić, panie... To jakieś akrobacje, panie...

– Kim jest ta Ściborska i gdzie mieszka? – przerwałem mu, obiecując sobie, że zaraz go wypytam o to, co robili w garderobie.

– To pan nie wie? – oburzył się portier. – Naprawdę pan nie wie? Wstyd, wstyd, panie, ten tego... Lola Ściborska, primabalerina scen światowych! A gdzie mieszka? Aleja Piastów, na Oporowie, numeru nie pamiętam, jak rany koguta!

Wbrew opinii portiera nie odczuwałem nawet cienia wstydu. Balet – w odróżnieniu od opery i muzyki klasycznej – pozostawiał mnie całkowicie obojętnym. Na skali moich zainteresowań mieścił się poniżej wszelkich podziałek – gdzieś pomiędzy sztuką dadaistów a kosmologią Papuasów. Wyjąłem dwie butelki wódki i wręczyłem je portierowi. Ten schował je szybko do swojej teczki i nie przerywał opowieści – teraz rozwodził się nad petersburską sławą primabaleriny, którą familiarnie zwał Lola.

Wstałem i kiwnąłem mu głową na pożegnanie. Zdawał się oburzony, że nie chcę wysłuchać jego opowieści o sukcesach baletnicy.

– Gołąbki całkiem panu wystygną – powiedziałem.

Gdy już schowałem się wśród drzew, przypomniałem sobie, że nie zapytałem portiera o erotyczne wyczyny swawolnej primabaleriny. Przystanąłem, aby wrócić, ale po chwili zastanowienia machnąłem na to ręką. Nie było to zresztą na tyle ważne, by z cienia wychodzić na pełne słońce i znów narażać moje subtelne filologiczne ucho, które wciąż doskonalę na tekstach Cycerona, na kolejne poronione płody językowe takie jak „ten tego" czy „rany koguta".

$\{x, y^\dagger, x^\dagger, y^\dagger, x, y^\dagger\}$

Nie wiem, czy primabalerina Ściborska rzeczywiście cieszyła się światową sławą, ale z pewnością była dobrze znana w swojej dzielnicy. Dowiedziałem się o tym, kiedy już dotarłem – ledwo powłócząc nogami ze zmęczenia – do jedynego na Oporowie kiosku Ruchu. Stał on na głównym skrzyżowaniu i był świetnym punktem obserwacyjnym. Pracująca tam kobieta nie wyglądała na wrogo nastawioną do obcych. Wytypowałem ją na źródło informacji.

Typ był trafny. Niemłoda już pani sprzedała mi paczkę grunwaldów, po czym wdała się ze mną w lekką, niezobowiązującą pogawędkę. Bardzo chętnie wygłaszała swe opinie najpierw na temat upałów i powszechnej drożyzny, a potem – idąc za moją delikatną sugestią – na temat mieszkańców tego podmiejskiego osiedla. Dyskretnie skierowawszy jej uwagę na baletnicę, wysłuchałem całej serii ochów i achów pod adresem państwa Ściborskich. Szczególnie były wychwalane dżentelmeńskie maniery pana profesora oraz łaskawość, jaką jego małżonka – w opisie kioskarki niemalże muza, która zeszła z Helikonu – zaszczyca swych sąsiadów, zwykłych śmiertelników. Kiedy zapytałem, czy primabalerina sama robi w kiosku drobne sprawunki, czy też wysyła po nie służbę, moja rozmówczyni potwierdziła obie możliwości.

– Co by tam kogo wysyłała! – odpowiedziała i wychyliła się prawie przez okienko, wskazując ręką w kierunku alei Piastów. – Przecież tu wszędzie niedaleko, a ona mieszka o tam, na samym końcu ulicy! Kiedy wyjdzie z maluszkiem na spacer, no to kupi gazetę czy papieroski dla pana profesora... A czasami to ostatnio jej krewny, biedna sierota wojenna, tu zajdzie, jak z Cezarem na spacerek pójdzie...

Nie okazałem przesadnego zainteresowania tymi informacjami, by nie wzbudzać jej podejrzliwości. Pogawędziłem jeszcze chwilę – tym razem o dużym ruchu na kąpielisku na Oporowie – po czym udałem się w kierunku wskazanym przez moją informatorkę. Ruch jej ręki wyraźnie świadczył o tym, że państwo Ściborscy mieszkają po tej samej stronie ulicy, po której stoi kiosk.

Ruszyłem wolno aleją Piastów w stronę Ślęzy. Mijałem identyczne sześcienne, jedno- lub dwurodzinne domy z czerwoną dachówką i z malowniczo poszarpanym tynkiem. Ich ściany w dużej mierze pokryte były pnączami. Nie było tu śladów wojny – żadnych pagórków gruzu, żadnych ruin i dziur po kulach. Pierwsi polscy osiedleńcy, jakim władze miasta przyznały te domy, byli prawdziwym *crème de la crème** – na Oporowie zamieszkali głównie artyści i wykładowcy jedynej wówczas wyższej uczelni, wśród których, jak się dowiedziałem od kioskarki, był również znany chirurg profesor Edward Ściborski ze swoim dzieckiem i niezbyt wierną – o ile słowa portiera z opery są prawdziwe – młodą małżonką.

Przez całą drogę intensywnie myślałem nad tym, jaką strategię przyjąć, by porozmawiać z Jonkiszem na osobności. Wykluczone było wproszenie się do domu tancerki: protektorka chłopaka na pewno by nas nie zostawiła samych, choćbym ją o to poprosił. Nie dałaby jej spokoju czysta ciekawość, czegóż to może chcieć prawnik od jej faworyta. Pozostawało mi tylko czekać, aż młody człowiek wyprowadzi na spacer Cezara, którym to dumnym imieniem był obdarzony pies profesorostwa. To czekanie wzbudziłoby z całą pewnością podejrzliwość mieszkańców tej spokojnej okolicy, gdzie zamierał wszelki ruch. W ciągu mej wędrówki od kiosku do domniemanego domu Ściborskich minęły mnie tylko dwa pojazdy – nowiutki motocykl Junak z wózkiem bocznym i furmanka wypełniona złomem, którą powoził, jak mi się zdało, przedstawiciel narodu wybranego. Poza tym aleja Piastów była ślepa, a ściśle mówiąc, na swym końcu zawijała się

---

* *Crème de la crème* (fr.) – śmietanka towarzyska, elita.

w pętlę. Teren wokół niej nie był zabudowany i raczej nie spodziewałem się znaleźć tam kryjówki obserwacyjnej.

Kiedy już tam dochodziłem, odetchnąłem z ulgą. Moje przewidywania się nie sprawdziły. Owa pętla, czego nie dojrzałem z daleka, okolona była bowiem niezbyt dużymi krzakami i karłowatymi drzewkami. Znów wyjąłem z teczki ceratę, rozprostowałem ją i usiadłem pod jednym z drzew przy ścieżce prowadzącej do Ślęzy. Zdjąłem kapelusz, który zdążył się w czasie mojej wędrówki pokryć licznymi zaciekami potu, i powiesiłem na gałęzi. Wytarłem głowę chustką i westchnąłem ciężko. Przede mną było najpewniej kilka dobrych godzin czekania w temperaturze ponad trzydziestu stopni.

Czas mijał, a pot płynął. Po dwóch godzinach daremnego obserwowania dwóch oddalonych o jakieś sześćdziesiąt metrów domów, z których jeden był najpewniej zamieszkany przez Ściborskich, miałem mroczki przed oczami. Wysuszona jama ustna domagała się choćby kropli płynu. Zdjąłem ubranie. Marynarkę powiesiłem na drzewie. Pozbawiona ciężaru brauninga, którego tego dnia nie zabrałem ze sobą, nie ulegnie żadnej deformacji. Zostałem tylko w butach, w skarpetkach i w krótkich kalesonach. Na głowie rozłożyłem chustkę, zawiązawszy jej końce w węzły. Tym samym w oczach kilku ludzi, którzy w ciągu tych czterech godzin minęli mnie w drodze nad rzekę, byłem zwykłym plażowiczem, który się schował w cieniu przed palącym słońcem.

W końcu się doczekałem. Około dziewiątej wieczór z jednego z domów wyszedł młodzieniec ubrany tylko w podkoszulek i w krótkie spodenki. Prowadził na smyczy dużego wilczura i – co najważniejsze – szedł w moim kierunku. Najprawdopodobniej Cezar zostawia swoje pamiątki nad brzegami Ślęzy.

Kiedy młody człowiek wszedł pomiędzy drzewa, wstałem i podniosłem rękę w powitaniu. Nie musiałem go pytać o nazwisko. Opis dokonany przez chuligana z ulicy Wysokiej pasował jak ulał. Jonkisz był niewysokim młodzieńcem lat około siedemnastu z bujną, starannie zaczesaną do góry fryzurą *à la* Gérard Philipe. Spojrzał na mnie swymi wilgotnymi sarnimi oczami najpierw przelotnie, a kiedy mu zastąpiłem drogę – z pewnym niepokojem. Cezar wyraził wobec mnie swoją dezaprobatę, odsłaniając zęby.

– Dobry wieczór, panie Jonkisz. – Uśmiechnąłem się przyjaźnie. – Mam do pana sprawę. Przepraszam za strój, ale...

Cezar na dźwięk mojego głosu wyrwał się w moim kierunku z obnażonymi zębami. Jonkisz szarpnął za smycz i pies prawie stanął na tylnych łapach. Nie złagodniał przez to ani na jotę. Mały zagajnik wypełnił się hukiem psich płuc.

– Przywiąż pan pieska do drzewa! – krzyknąłem, lekko się usuwając. – Chcę z panem porozmawiać! Może pan dużo zarobić!

Chłopak przywiązał psa poniżej gałęzi, na której wisiała moja garderoba. Przyjrzał mi się uważnie i parsknął śmiechem. Rzeczywiście musiałem dość komicznie wyglądać: najpierw chustka z węzłami na łysej czaszce, poniżej tors pokryty gęstym siwym włosem, a jeszcze niżej krótkie kalesony do kolan i buty oksfordy, z których wystawały nogi w skarpetkach. Nie dbałem o to – w odróżnieniu od Jonkisza nie musiałem się wszystkim podobać.

– Jestem prawnikiem – podparłem się pod boki – i chcę z panem porozmawiać o nieodżałowanej pamięci Zenonie Froście... Może pan dużo zarobić! Naprawdę dużo!

Chłopak pogłaskał psa, który się już uspokoił i najpierw kręcił się w kółko pod drzewem, a potem wygiął się w łuk i wycisnął z siebie pamiątkę.

– Prawnikiem? – zapytał, a potem wskazał palcem na moje ubranie. – Nie widzę togi na tym drzewie...

– Na togę dzisiaj zbyt gorąco. – Starałem się zapamiętać zanieczyszczone przez Cezara miejsce. – I nie baw się ze mną w formalistę! Ja też nie żądam od ciebie dowodów na to, że jesteś sodomitą...

Roześmiał się głośno.

– Ile zarobię? – Wyszczerzył do mnie zęby. – I co mam za to zrobić? Nadmuchać panu balonik?

Jego wielkie, wilgotne oczy aż się skrzyły od wesołości. Otarłem pot z czoła. Powstrzymałem grube słowo, które mi się cisnęło na usta.

– Twoje zadanie jest bardzo proste – powiedziałem. – Pójdziesz ze mną do pewnego prawnika, profesora, i zeznasz prawdę o waszych stosunkach z Zenonem Frostem...

– A co to jest prawda? – przerwał mi gwałtownie, teraz jego oblicze kipiało złością.

– Nie zadawaj mi pytań Poncjusza Piłata – odparłem. – Obaj wiemy, jaka jest prawda. Po twoim poprzednim pytaniu nie wygląda, byś się nadmiernie wstydził swoich skłonności. Nie będziesz miał zatem zbytnich oporów, by przed tym profesorem zeznać, że dmuchałeś Frostowi balonik... Mylę się? Oprócz tego powiesz, że go szantażowałeś. I to wszystko. Profesor nie znał Frosta i jest mu wszystko jedno, z kim muzyk sypiał. Chce tylko wiedzieć, czy samobójstwo było uzasadnione. I ty mu to powiesz... Że było... Że nie mógł już żyć w tajemnicy, w zakłamaniu. I to go popchnęło do samobójstwa. A za to dostaniesz ode mnie nagrodę... Dużo, dużo pieniędzy. Nie będziesz musiał okradać pijaków ani się sprzedawać. Jedno słowo tego profesora, a każda szkoła operowa stanie przed tobą otworem... No co? Chyba niezła propozycja?

– Mogę wybrać, co chcę? Każdą zapłatę?

– Tak – odparłem nieco zaniepokojony, bo ten chłopak wydał mi się nieobliczalny *par excellence**.

---

* *Par excellence* (fr.) – w całym tego słowa znaczeniu.

Jonkisz uspokoił się. Podszedł do drzewa, pod którym leżał Cezar. Podskoczył i obiema rękami chwycił się gałęzi. Zawisnął na niej. Machając nogami w powietrzu, nie spuszczał ze mnie wzroku.

– Obiecał, że weźmie mnie ze sobą do Paryża – wciąż wisiał na drzewie – a potem zaczął się wycofywać... No to zagroziłem, że powiem o wszystkim jego żonie... Tak tylko straszyłem... Ale on to wziął na poważnie... Taka jest prawda... Skąd pan wiedział?

Zeskoczył z gałęzi i usiadł na trawie obok psa. Położył głowę na psim karku. Cezar podniósł łeb, warknął i nasłuchiwał czegoś czujnie.

Usłyszałem łkanie. Trwało to dość długo. Cezar powarkiwał, Jonkisz płakał, a ja stałem w negliżu i czekałem cierpliwie. Przed moimi oczami znów pojawiły się mroczki. Usiłowałem przełknąć ślinę. Wydało mi się, że przez gardło przeciska mi się suchy szorstki rzep.

– Do Paryża. – Chłopak podniósł w końcu głowę i spojrzał na mnie zapłakanymi oczami. – To jest moja cena. Chcę wyjechać z tego przeklętego kraju i z tej bidy... Do Paryża.

Wtedy zemdlałem. Ale nie z powodu ekscentrycznego żądania Jacka Jonkisza. Nie z powodu gorąca i pragnienia. Zanim straciłem kontakt z rzeczywistością, usłyszałem wściekły charkot Cezara i świst koło ucha.

Kiedy się ocknąłem, pomyślałem, że oto dopadł mnie pierwszy od dziesięciu lat epileptyczny atak. Ciemność, która zasnuwała mi oczy, niby to potwierdzała – musiało minąć wiele godzin popadaczkowego snu i oto budzę się nad Ślęzą późno w nocy. Poruszyłem się i krzyknąłem z bólu, który rozlał się po mojej głowie. Ból narastał, ale ciemność ustąpiła. Widziałem wszystko wyraźnie. Aż za dobrze.

Przy drzewie zdychał pies. Jego brzuch był rozpłatany. Wśród sklejonej krwią sierści parowały śliskie pęta jelit. Cezar cicho piszczał, a jego oczy zasnuwała mgła.

Szarpnąłem się. Daremnie. Byłem związany.

Krzyknąłem. Bezgłośnie. W mych ustach tkwił knebel. Obok głowy ujrzałem wypełnioną piaskiem pończochę.

Jacek Jonkisz leżał na plecach obok mnie. Dwaj mężczyźni siedzieli mu na rękach i nogach. Trzeci stał mu na głowie i potężnym butem wciskał jego policzek w trawę. Potem pochylił się i w jego dłoni błysnęła żyletka. Nasadził ją na drewniany trzonek wielkości ołówka i wykonał kilka szybkich ruchów nad oczami chłopaka. Ten wyprężył się i zwiotczał, a na jego krótkie jasne spodenki wypłynął mocz. Mężczyźni odsunęli się.

Ból był tak silny, że nie mogłem unieść głowy, aby się im przyjrzeć.

Oprawca Jonkisza stanął nade mną. Poczułem, jak nóż tnie moje więzy.

– Wstawaj, starik, bo się zaziębisz – mruknął nad moim uchem. – A szkoda by było... Byłeś taki grzeczny i pięknie poprowadziłeś mnie do pedała... A teraz filuj na niego, starik: będziesz wyglądał podobnie. I ty, i twoja stara wywłoka... Piśnij tylko słówko glinom...

Zamknąłem oczy. Nie wierzyłem w to, co słyszałem. Ale następna fraza nie pozostawiła już najmniejszych wątpliwości, z kim miałem do czynienia.

– Te, człowiek, daj zajarać – usłyszałem, po czym rozległ się syk zapalniczki.

Potem wszyscy trzej ruszyli w stronę ulicy. Wstałem na chwiejnych nogach i przytrzymałem się drzewa, by nie upaść. Widziałem, jak dwaj napastnicy wskakują na nowiutkiego junaka, a trzeci pakuje się do bocznego wózka. To był ten sam motocykl, który kilka godzin wcześniej minął mnie na alei Piastów. Kiedy ruszyli, w powietrzu zafurkotał kolorowy krawat.

Spojrzałem na Jonkisza. Leżał nieprzytomny. Głowa skierowana była w moją stronę. Na policzku miał rozsmarowany psi kał.

Jedno oko było niewidoczne, drugim patrzyłby na mnie z wyrzutem, gdyby był przytomny.

I gdyby miał to oko.

$$\{x, y^{\dagger}, x^{\dagger}, y^{\dagger}, x, y^{\dagger}\}$$

III

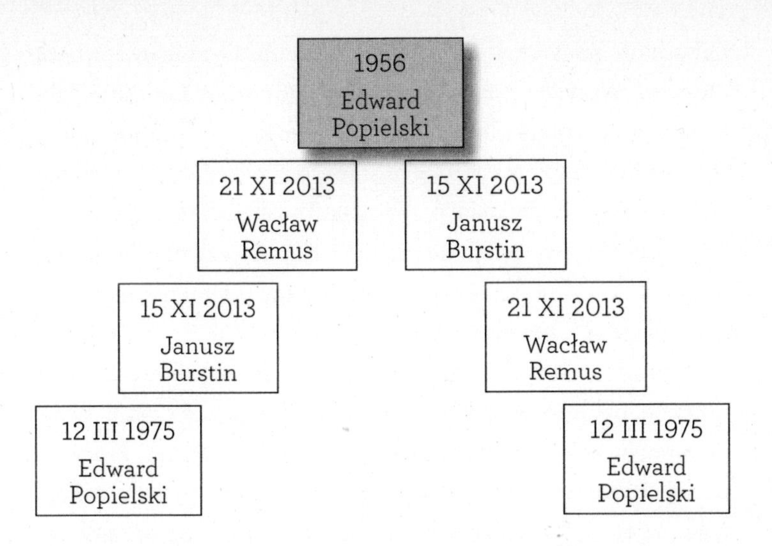

WRÓCIŁEM DO DOMU NAD RANEM. Leokadia smacznie spała, a posiłek – gulasz z kaszą gryczaną – czekał na mnie w bratrurze. Nawet go nie tknąłem. O ile po południu wydawało mi się, że w moim przełyku tkwi szorstki rzep, o tyle teraz, nocą, zawalał go cały kłąb rzepów. Dopadłem garnka z kompotem porzeczkowym. Długo piłem kwaskowaty płyn. Rzepy stały się miękkie, ale wciąż drażniły przełyk.

Rozebrałem się i padłem spocony w posłanie. Nie mogłem zasnąć. Po raz kolejny zdałem sobie sprawę, że panujące na świecie zło nie zestarzało się łagodnie wraz ze mną.

Leżałem w mokrej pościeli i traciłem oddech, kiedy przesuwały się przed mymi oczami obrazy minionego dnia – skatowany Jacek z wyłupanym okiem i wymazany psim gównem, pies drżący w agonii i ja sam – groteskowy starzec ubrany tylko w gacie, buty i skarpetki, oparty o drzewo i miotający przekleństwa w głuche niebo.

Takim mnie zastali ostatni plażowicze, którzy na mój krzyk zbiegli się znad rzeki do zagajnika. Ktoś pobiegł do domu Ściborskich. Po chwili stała koło mnie światowej sławy primabalerina i biła mnie po twarzy. Jej wrogość udzieliła się stojącym wokół ludziom. Wszyscy powtarzali obelgi, którymi mnie obrzucała. Primadonna uznała mnie mianowicie – chyba ze względu na mój wysoce niekompletny strój – za starego zboczeńca, który chciał zdeprawować jej Jacusia, przez co sprowokował napad chuliganów, zajadle tępiących takie praktyki. Kto wie, czy nie zostałbym nawet zlinczowany przez gęstniejący tłum, gdyby nie interwencja profesora Edwarda Ściborskiego.

Wyrwany z wrogiej ciżby siedziałem w domu profesora dobrą godzinę, paliłem papierosy i piłem jakiś napar. Z pokoju obok dochodził lament i delikatne napomnienia chirurga, który zajął się chłopcem. Mimo upału drżałem z zimna. Była to reakcja niecodzienna, ale niecodziennie człowiek ma okazję zniszczyć komuś młode życie.

Pogotowie i milicja przyjechały prawie równocześnie. I tak oto znalazłem się w komisariacie VII na Jaworowej. Przesłuchujący mnie porucznik o nazwisku Tyszczyk najwyraźniej podzielał podejrzenia primabaleriny co do moich pederastycznych skłonności, zwłaszcza od kiedy się dowiedział, że nie jestem żonaty. Najpewniej założył, że napad miał charakter wewnętrznych porachunków, a to wymagało przypisania mi odmiennych upodobań. Rozwiałem jego wątpliwości, kiedy mu oznajmiłem, że jestem przedwojennym policjantem śledczym urzędującym niegdyś we lwowskiej komendzie policji. Policjant sodomita? To nie mieściło mu się w głowie, mimo że miał – delikatnie mówiąc – krytyczny stosunek do sanacyjnej policji. Porzuciwszy trop seksualny, zaczął mnie wypytywać o napastników. Podałem ich fałszywe rysopisy i ani słowem nie wspomniałem o motocyklu. Wciąż dźwięczały mi w uszach groźby Boksera. Tyszczyk zapisał wszystko i na pożegnanie podał mi rękę. Widać nie gardził tak do końca sanacyjną policją.

Było już jasno. Ptaki z całych sił wyśpiewywały swe miłosne trele. Nad miastem wstawał dzień. Ludzie pod moim oknem szli do pracy. Zamknąłem drzwi mojego pokoju na klucz i odwróciłem się do ściany. Tak przeleżałem cały poranek i przedpołudnie. Nie usnąłem ani na chwilę.

Leokadia była bardzo zaniepokojona. Po jakimś czasie zaprzestała pukania, kiedy jej w końcu burknąłem, że żyję, nie idę do pracy i nic mi nie jest – poza tym, że mam potłuczoną nogę i obitą głowę.

Wstałem grubo po południu. Leokadii nie było – najpewniej wyszła po zakupy. Zjadłem gulasz z poprzedniego dnia i wróciłem do mojego pokoju. Zamknąłem znów drzwi na klucz i leżałem z twarzą odwróconą do ściany. Tak trwałem do następnego poranka. Oka nie zmrużyłem, dopóki ptaki na starej akacji nie oznajmiły mi najnowszych wieści z historii swych zalotów.

Wtedy wstałem, otworzyłem drzwi, podszedłem do śpiącej Leokadii i pocałowałem ją w czoło. W łazience zgoliłem brzytwą twardy zarost i nieliczne, ledwo się wykluwające kępki włosów na skroniach i z tyłu głowy. Wklepałem sobie w głowę i w policzki sporo wody kolońskiej. Potem włożyłem czystą koszulę, domowe spodnie i bonżurkę. Rozpaliłem pod kuchnią i postawiłem na palenisku kupioną od mieszkających niedaleko Cyganów niedużą żeliwną patelnię. Umieściłem w niej dużą porcję smalcu i oskrobałem nóż o brzeg patelni. Do środka wbiłem pięć jajek. Na maszynce spirytusowej postawiłem kawiarkę. Wstawał dzień, pachniała kawa, miasto szykowało się do pracy, lekki wiatr poruszał za oknem gałęziami forsycji – wszystko było jak zwykle. W tej porannej symfonii jeden głos brzmiał fałszywie. Płacz chłopca, który marzył o operowej karierze. Chłopca, któremu bandyci wydarli oko. Którego może by nigdy nie znaleźli, gdybym ja lepiej się wokół siebie rozglądał.

Lodzia się obudziła i z wielkim westchnieniem ulgi zobaczyła mnie w zwykłej formie. Do wielkiego sińca na głowie przykleiła mi opatrunek. Potem pocałowała mnie w czoło.

Zjedliśmy śniadanie. Usiadłem na tapczanie i zapaliłem papierosa. Chciałem opowiedzieć wszystko Lodzi. Nie zrobiłem tego. Zasnąłem.

$$\{x, y^\dagger, x^\dagger, y^\dagger, x, y^\dagger\}$$

Obudziłem się w łóżku. Spojrzałem na zegarek. Była piąta po południu. Nie pamiętam, kiedy ostatni raz spałem dziesięć godzin bez przerwy. Spojrzałem po sobie. Byłem ubrany tylko w kalesony.

Nie był to najlepszy strój, by przyjmować gości. A właśnie miałem gościa. I nie musiałem nawet odwracać się od ściany, by poznać, kto nim jest. Lawendowo-waniliowy zapach Pour Homme identyfikował go natychmiast.

– Cieszę się, że pan się wyspał, panie Edwardzie! – Mecenas Aleksander Beck odłożył na moje biurko dodatek sportowy do „Trybuny Ludu". – Panna Leokadia wyszła na herbatkę do asesorowej, tak właśnie kazała panu zakomunikować, a mnie pozwoliła tu uprzejmie poczekać, aż pan się obudzi. Zaopatrzyła w kawę i ciasto. Nie pozwalała pod żadnym pozorem pana budzić! To wspaniała i troskliwa kobieta...

– Pozwoli pan, mecenasie – owinąłem się kołdrą – że dopełnię fundamentalnych obowiązków garderobianych?

Po chwili, ubrany już w bonżurkę, siedziałem przed moim pryncypałem i spokojnie czekałem na ostrą reprymendę. Wiedziałem, jak na nią zareagować. Tym razem jednak jego łagodny ton i familiarny zwrot „panie Edwardzie" były rzeczywiście zapowiedzią przyjacielskiej pogawędki. Beck poprawił się na krześle, aby nie pognieść nieskazitelnie odprasowanej marynarki, przyklepał na skroni przyczernione włosy i spojrzał na mnie z troską.

– Dwa dni nie był pan w pracy. – Wyjął z kieszeni papierośnicę i otworzył ją w moim kierunku. – Panna Leokadia telefonowała wczoraj... Wiem, wiem, że miał pan jakieś kłopoty w związku ze sprawą mojego przyjaciela Zaranek-Platera... Oczywiście dałem panu wolne, a teraz po prostu chciałem zobaczyć, jakże się pan czuje...

Pokręciłem głową przecząco, odmawiając papierosa, i sięgnąłem po talerzyk z ciastem. Był tam sernik krakowski od pana Kantona z ulicy Sępa-Szarzyńskiego. Jadłem powoli. Beck palił i milczał.

– Prowadzę teraz trzy nasze sprawy, mecenasie – powiedziałem po przełknięciu kawałka sernika i delektowałem się smakiem rodzynka. – I zakończę je w ciągu najbliższych dwóch tygodni, przed pańskim wyjazdem na wczasy do Jugosławii. A potem zaproszę pana do Centralnej na dużą wódkę i, jako starszy, zaproponuję panu bruderszaft... Na rozstanie...

– Czyżby to oznaczało...

– Tak, z szefem nie wypada być na ty...

– Czyżby to oznaczało, że odchodzi pan ode mnie?

Nigdy nie palę na czczo. Po przełknięciu ciasta wstałem i sięgnąłem po papierośnicę Becka. Otworzył ją i poczęstował mnie swym ulubionym dukatem. Rozpocząłem wędrówkę po pokoju.

– Niech pan posłucha, mecenasie. – Wydmuchałem dym pod sztukaterie sufitu. – Niech pan wysłucha mojego nowego *credo**! Pracuję dla pana od czterech lat. Moje obowiązki to szukanie sposobów nacisku na niewygodnych dla pana świadków... Moje obowiązki to szantaż lub przekupstwo. Korumpuję ludzi. A korupcja jest złem. A ja to zło sieję. I przedwczoraj zebrałem żniwo... – Beck siedział w milczeniu, a na jego obliczu odmalowywało się bezgraniczne zdumienie. Jego wzrok pytał: „Czyżby chciał pan wstąpić do klasztoru?". – Chciałem przekupić pewnego

* Wyznanie wiary.

młodzieńca – mówiłem coraz głośniej. – Siedemnastoletniego chłopaka. Szukałem go, nie wiedząc, że sam jestem tropiony przez bandytów, którzy do tego chłopaka chcieli przeze mnie dotrzeć. I ja ich do niego doprowadziłem. Niosłem w kieszeni złe ziarna, które miałem zasiać. I zasiałem! Ten młody człowiek, przekupiony przeze mnie obietnicami bez pokrycia, zgodził się, by dla moich celów zupełnie instrumentalnie wykorzystać śmierć... swojego przyjaciela! Zasiałem zło! Ale ci, którzy szli za mną, nie mieli w kieszeniach złych ziaren. Oni mieli żyletki. Dopadli chłopaka i wydarli mu oko! – Nabrałem tchu. – Byłem na milicji i wie pan co? Otóż nic! Wiem, kim są bandyci, wiem, gdzie można ich znaleźć, ale nie powiedziałem o tym ani słowa milicjantowi! Omal się nie sfajdałem ze strachu, bo bandyci mi zagrozili, że wyłupią oko i mnie, i Leokadii, jeśli pisnę słowo! – Podszedłem do biurka i huknąłem w nie pięścią, aż podskoczyła filiżanka Becka. Mecenas odsunął się nieco wystraszony. – Już więcej nie będę nikogo przekupywał ani szantażował! – krzyknąłem w twarz mojemu rozmówcy. – Wciąż stojąc przy biurku, wywróciłem kieszenie spodni. Na blat wysypały się resztki tytoniu i skasowane bilety tramwajowe. – Zabieraj pan – krzyczałem. – Te ziarna zła! Wyrzucam je! Już nikogo nie będę szantażował ani przekupywał, rozumie pan, panie kauzypedro!

Beckowi minął już lęk. Stał oparty o drzwi i patrzył na mnie w zamyśleniu. Odwróciłem się do okna. Szybko i ciężko oddychałem.

– Czy jest coś, co mogę zrobić dla pana, panie doktorze? – usłyszałem zza pleców. Odwróciłem się. – Czy jest coś, co mogę zrobić dla pana, panie doktorze? – powtórzył Beck. – Aby pan u mnie pozostał?

– Tak, panie mecenasie – odparłem po dłuższej chwili. – Może pan... Nakłonić pańskiego milicyjnego Słowika do współpracy ze mną!

Beck zapadł w długie milczenie.

– Wie pan, ze Słowikiem znamy się dobre kilka lat – mówił powoli. – I mamy taką oto umowę. Słowik, podejmując ze mną współpracę, bardzo ryzykuje. Gdyby dla mnie złamał prawo, ryzykowałby wszystko. Swoją pracę, stanowisko i nawet wolność. Zrobiliśmy w naszej niepisanej umowie jedno zastrzeżenie: jeśli poproszę Słowika o złamanie prawa, to on złamie prawo, ale to będzie ostatnia przysługa, jaką mi wyświadczy... I mam teraz do pana bardzo ważne pytanie. Czy ewentualna współpraca Słowika z panem, o co mnie pan właśnie prosi, czy ta współpraca wiąże się z łamaniem prawa?

– Tak – odparłem.

Beck wyciągnął spod marynarki ozdobione spinkami mankiety koszuli. Zdusił papierosa w popielnicy i strzepnął ze spodni niewidzialny pyłek. Włożył kapelusz i spojrzał na mnie.

– Dobrze – sapnął. – Wolę stracić jego niż pana...

Podał mi rękę i wyszedł z pokoju. Zatrzymał się w drzwiach mieszkania i odwrócił się powoli.

– Jutro niech pan odpocznie – powiedział z dłonią na klamce. – A pojutrze, w sobotę, proszę przyjść do biura jak zwykle o ósmej. A w poniedziałek pójdziemy do Centralnej...

– Spotkać się ze Słowikiem? – przerwałem swemu szefowi.

– Tak. – Beck uśmiechnął się pod wąskim wąsikiem *à la* Clark Gable. – No i wypić bruderszaft! Ale na przyjaźń, panie Edwardzie, nie na żadne rozstanie!

$$\{x, y^{\dagger}, x^{\dagger}, y^{\dagger}, x, y^{\dagger}\}$$

Następnego dnia poszedłem z Leokadią na koncert symfoniczny. Uczyniłem to dość niechętnie, ponieważ nie lubię muzycznych nowinek, a tego piątkowego wieczoru miało być zaprezentowane dzieło, które właśnie niedawno wyszło spod pióra kompozytora – X symfonia Dymitra Szostakowicza. Nie znałem jego twórczości – jedynie pod koniec lat dwudziestych przeczytałem w „Kurierze Lwowskim" artykuł o symfonii, w której oddawał hołd rewolucji październikowej. Wielbienie wydarzenia skutkującego sowieckim najazdem na Polskę, któremu się osobiście przeciwstawiałem, walcząc pod generałem Sikorskim pod Mozyrzem, zdało mi się tak wstrętne, że odtąd nazwisko tego kompozytora zawsze źle kojarzyłem.

Kiedy Leokadia zaproponowała mi ten koncert, zdecydowanie odmówiłem. Kuzynka z ogniem w oczach zaatakowała moje uprzedzenia, argumentując, że co innego człowiek, a co innego jego dzieło. Dodała też, iż dowiedziała się z audycji stacji Radio France I, że kompozytor ten popadł był w ostatnich latach w niełaskę u nieżyjącego już – chwała Bogu! – azjatyckiego satrapy. I tym nie dałbym się przekonać, stary uparciuch, gdyby nie pierwsza część koncertu, na którą składały się suity klawesynowe Bacha. Uwielbiałem muzykę barokową, a zwłaszcza surowe i urywane dźwięki klawesynu.

Wykonanie utworów Bacha było ekstraordynaryjne, jak mawiał mój dawny gimnazjalny nauczyciel chóru. Trzy klawesyny, stojące na scenie, wydawały wspaniałe współbrzmienia albo wchodząc sobie w słowo, albo dyskutując ze sobą – kulturalnie, dyskretnie, precyzyjnie. Nie znam się na muzyce, nie wiem, co to takt i akord, ale wyczuwam doskonale, kiedy utwór ma w sobie porządek i – *sit venia verbo* – matematyczny oddech.

To miał Bach, tego nie miał Szostakowicz. Jego X symfonia po pięknym smutnym początku nabrała zawrotnego tempa i zamieniała się miejscami w chaos, z którego raz na jakiś czas wynurzało się ordynarne i jakby ludowe hopsasa. Kręciłem się na krześle, rozpinałem i zapinałem na powrót guzik nad muszką smokingu, ocierałem pot z głowy. Ludzie siedzący nad nami posykiwali, zwracając uwagę na moje niestosowne zachowanie. Po czterdziestu minutach, kiedy zgiełk muzyczny zrobił się nie do wytrzymania, a instrumenty smyczkowe cięły mój umysł ostro jak brzytwa, szepnąłem na ucho Leokadii: „Czekam na zewnątrz", i ku uldze okolicznych melomanów wyszedłem z sali koncertowej. Po drodze zauważyłem, że piorunuje mnie zgorszonym spojrzeniem twórca Wrocławskiej Orkiestry Symfonicznej Wojciech hrabia Dzieduszycki.

Wyszedłem przed monumentalny budynek politechniki – bo właśnie w jej auli odbywały się koncerty – i usiadłem na schodach. Z papierosem w ustach czekałem na Leokadię. Popadłem w jakiś stupor i nie widziałem, co się wokół mnie dzieje. Mój niecodzienny strój zwracał uwagę przechodniów. Jakieś młode kobiety w rozkloszowanych u dołu letnich sukienkach i z kopertówkami w dłoniach bacznie mi się przyglądały. Pewnie szły na zabawę do pobliskiej Kolorowej. Taki ktoś jak ja – siedzący na schodach krzepki starzec z łysym rozbitym łbem, w smokingu oraz z laską, na której opierałem brodę – musiał im się wydać okazem niemal zoologicznym. Parsknęły śmiechem, kiedy mnie minęły. Przyznaję, że nawet ten rodzaj zainteresowania ze strony młodych kobiet sprawił mi przyjemność i wyrwał mnie z letargu.

Po chwili zostałem zeń na dobre wyrwany, kiedy z politechniki wyszedł Władysław hrabia Zaranek-Plater. Był ubrany tak samo jak ja, z tą jednak różnicą, że na jego głowie wznosił się cylinder. Mój zleceniodawca stanął na schodach i rozglądał się dokoła, jakby zaraz miał zajechać po niego powóz. Zamiast stangreta ujrzał jednak mnie.

– Dobry wieczór, drogi panie Popielski. – Wyciągnął do mnie dłoń w białej rękawiczce, nie pierwszej jednak świeżości.

– Dobry wieczór. – Uścisnąłem z lekkim wstrętem wilgotny materiał.

– No i cóż, też nie podobał się panu koncert? – zapytał, a potem nagle zmienił temat. – Czytał pan notatki mojego brata?

W odpowiedzi wziąłem go pod rękę i przeprowadziłem na drugą stronę ulicy. Stanęliśmy pod rozłożystymi platanami. Schyliłem się ku niemu i powiedziałem:

– Bardzo się cieszę, że pana widzę, panie hrabio. Wiele się wydarzyło w naszej sprawie i miałem zamiar jutro pana odwiedzić, by go o czymś poinformować. Mogę to zrobić teraz, nie jutro?

– Nie mam czasu, drogi panie. – Zaranek-Plater spojrzał na zegarek. – Zaraz przyjedzie po mnie pewna osoba, z którą się udam na przyjęcie... Co się panu stało w głowę?

– Do końca tego hopsasa – wskazałem palcem na politechnikę, wciąż nie odpowiadając na żadne z jego pytań – zostało z dziesięć minut. To wystarczy, by panu hrabiemu zakomunikować, że porzucam jego sprawę.

Stanął jak wryty.

– Ależ dlaczego? – wydukał.

– Z tych trzech samobójstw – mówiłem cicho, lecz dobitnie – dwa nie są żadnymi samobójstwami. Albo ktoś zabił te rzekome ofiary dla Belmispara, albo mamy do czynienia z dwoma identycznymi śmiertelnymi wypadkami. *Tertium non datur**. Nie będę nikogo ani zmuszał, ani przekonywał, ani przekupywał, by przedstawił później pańskiemu stryjowi wymyślone przeze mnie dowody na samobójstwa. Oddam panu moje honorarium, oczywiście po potrąceniu kosztów za dobrze dotychczas wykonaną pracę. Podkreślam „dobrze", teraz może ktokolwiek po mnie przyjść i pójść przetartą przeze mnie ścieżką. Może pan oddać całą sprawę pierwszemu lepszemu detektywowi, niech on korumpuje... Zostanie mu niewiele pracy, a ja mam do zrobienia coś znacznie ważniejszego...

Zaranek-Plater wciąż stał jak oniemiały. Patrzył mi w oczy, lecz mnie nie widział. Sprawiał wrażenie, jakby udzielił mu się

---

* Nie ma trzeciej możliwości.

chaos symfonii Szostakowicza. Okazało się jednak, że jego myśli były precyzyjne jak klawesynowe pasaże Bacha.

– Panie Popielski – pochylił się ku mnie – przewidziałem taką pańską reakcję. Wiedziałem, że na szantaż jest pan zbyt moralny...

– Jestem zbyt moralny – przerwałem mu – by oglądać zalane krwią z mojej winy ludzkie oczodoły...

– Wprowadzamy rozwiązanie awaryjne. – Mój rozmówca nie zwrócił najmniejszej uwagi na makabrę moich słów. – Tak, awaryjne... Przewidziałem pański ruch... – Teraz to ja oniemiałem. Moja twarz ułożyła się w znak zapytania. – Nie chce pan nikogo zmuszać do fałszywych zeznań? Zgoda! To pańskie dobre prawo. Uważa pan, że dwie ofiary dla Belmispara wcale nie popełniły samobójstwa? Z pewnością ma pan rację! Tylko, na miłość boską, niech mi się pan tu teraz nie wycofuje! – Melomani zaczęli się wylewać z budynku politechniki. Zaranek-Plater chwycił mnie za guzik od smokingu. – Nie się pan nie wycofuje! Przecież mi chodzi tylko o to, aby mój stryj przestał wierzyć, że zabił jakiś mityczny władca liczb! Jakiś Belmispar! Niech pan znajdzie dowody na nieszczęśliwy wypadek!

– A jeśli to morderstwa?

– No to niech pan znajdzie mordercę! Stryj Apolinary usunie wszelkie przeszkody! Administracyjne, milicyjne i inne! Rozumie pan? Jutro z nim porozmawiam! W poniedziałek niech pan do mnie przyjdzie do domu... Ma pan wizytówkę... Jutro, jutro, panie kochany, bo dzisiaj mam ciekawsze rzeczy do zrobienia...

Pod politechnikę podjechała taksówka. Wychyliła się z niej kobieta i pomachała hrabiemu dłonią w czarnej koronkowej rękawiczce. Nie widać było, w jakim wieku jest owa dama w ciemnym wnętrzu samochodu. Zaranek-Plater uchylił cylindra i pobiegł do niej w śmiesznych podskokach.

Ogarnęła mnie fala nadziei. Oto wreszcie mogę prowadzić normalne śledztwo z cichą pomocą milicji, udzieloną na polecenie profesora Apolinarego. Szukać morderców. Nawet jeśli ich nie znajdę, wykonam może ostatnią w mym życiu policyjną robotę. Zrobię coś, co nadaje sens mojemu życiu. Ten sens jest w każdym śledztwie. Niezależnie od skutku.

Na schodach politechniki stała Leokadia i patrzyła na mnie z lekkim ironicznym uśmieszkiem. Ubrana była w czarną, jedwabną suknię wieczorową, w kapelusz z woalką oraz w atłasowe rękawiczki. Podszedłem do niej i podałem jej ramię.

Szliśmy w milczeniu brzegiem Odry w stronę mostu Grunwaldzkiego, a wokół nas biegały brudne dzieci z obdartych z tynku kamienic stojących pomiędzy ulicami Nadbrzeżną* a Hoene-Wrońskiego. Z jakiegoś otwartego okna dobiegały dźwięki akordeonu i chóralny śpiew. Spacerowaliśmy w naszych wieczorowych strojach wśród zdumionych komentarzy i spojrzeń mieszkańców. Gdyby tu z nami był jeszcze hrabia w swym cylindrze, to pewnie zapełniłyby się od ludzi dachy, skąd można by lepiej oglądać procesję dziwaków z czasu zaprzeszłego.

– Przykro mi, że nie podobał ci się koncert, Edwardzie – powiedziała Leokadia. – Ta wizyta w filharmonii była marnym pomysłem. Ale Bach...

– Wręcz przeciwnie – zaprotestowałem. – Jeszcze nigdy żadna moja wizyta w filharmonii nie była tak udana...

$$\{x, y^{\dagger}, x^{\dagger}, y^{\dagger}, x, y^{\dagger}\}$$

Wieczór był tak piękny, że szkoda było wracać do domu. Zawróciliśmy zatem i postanowiliśmy pójść do siebie drogą okrężną – Wybrzeżem Wyspiańskiego. Po kwadransie spokojnego spaceru pod gęstym listowiem lip mieliśmy już za sobą podrapane kamienice na Nadbrzeżnej oraz politechnikę. Zbliżaliśmy się do

---

* Dziś ul. Joliot-Curie.

wyniosłych kamienic zamieszkanych głównie przez profesorów naszej technicznej uczelni. Nie zwracaliśmy zresztą uwagi na otoczenie. Leokadia słuchała relacji ze zdarzeń, jakie były moim udziałem w ciągu ostatnich dni.

Kiedy skończyłem, musiałem zdjąć marynarkę smokingu, bo rozgrzały mnie emocje i wspomnienia o niedawnych tragicznych wypadkach. Zarzuciłem ją na ramię, zapytawszy się pierwej Leokadii o pozwolenie – wszak przebywanie bez marynarki w towarzystwie damy jest niewielkim wprawdzie, ale zawsze grubiaństwem. Oparłem się na barierce odgradzającej bulwar od rzeki. Za plecami miałem ogród zoologiczny, z którego dochodziły ryki lwów. Brauning, z którym już się nie rozstawałem od czasu ataku Boksera na Jonkisza, zastukał o żelazne pręty. Moja kuzynka stanęła twarzą do rzeki i długo milczała.

Czekałem cierpliwie. We lwowskich latach prawie żadne z moich śledztw nie obyło się bez jej rad i sugestyj. Byłem pod ogromnym wrażeniem jej przenikliwości, czasem nawet ogarniał mnie jakiś irracjonalny niepokój na myśl o jej uzdolnieniach predykcyjnych. Leokadii zdarzało się bowiem – przy poruszaniu tematów niezwiązanych z moimi śledztwami, przy zupełnie innych okazjach! – wygłaszać różne opinie i uwagi, które skojarzone z aktualną sprawą podsuwały mi właściwy trop. Na przykład prawie trzydzieści lat temu Leokadia w rozmowie o naszym budżecie domowym zwróciła mi uwagę na wypożyczalnie sprzętów i narzędzi. Kilka dni później moja pamięć podsunęła mi pojęcie „wypożyczalnia", kiedy intensywnie myślałem nad pewną beznadziejną sprawą. To pojęcie było jak ważny krok w matematycznym dowodzie, było jak właściwy kamyk w mozaice. Poszedłem tym tropem, znalazłem wypożyczalnię i zwyciężyłem.

– Co łączy te trzy ofiary? – Tym razem Leokadia złamała konwenanse i złożywszy w charakterystycznym geście szczupłe długie palce, poprosiła mnie o papierosa. – Otóż wiem, co je łączy...

Wszystkie trzy miały zrobić ważny krok życiowy... Kobieta skończyła zaoczne technikum, miała podjąć pracę... Widziałeś jej podania o posadę. Być może kilka przedsiębiorstw chciało ją zatrudnić, teraz niełatwo o ludzi ze średnim wykształceniem... Nie wiedziała, na które z nich się zdecydować...

– Dobrze, masz rację. – Przytknąłem zapalniczkę do jej papierosa. – Juszczykowska przed podjęciem pracy, a Pasternak i Frost? Przed jakim stali wyborem? Przed jaką decyzją?

– Nie mówiłam o wyborze ani o decyzji – odparła Leokadia. – Tylko o ważnym kroku życiowym... W wypadku tej rzekomej czy rzeczywistej samobójczyni tym krokiem była nowa praca, w wypadku żołnierza nowe życie. Wychodzi z wojska, jego narzeczona jest w ciąży, nie mają gdzie mieszkać... To sytuacja trudna. Przed nim ważny krok, a jego konsekwencje nieznane...

– A muzyk? – Zdusiłem niedopałek czubkiem lśniącego lakierka. – Jaki przed nim był krok?

– Zabrać swego faworyta do Paryża czy nie zabrać? – odpowiedziała. – Szukać znajomości, by wyrobić mu paszport? Wystawać w kolejkach? Błagać jakichś ponurych ubeków? Czy tego nie robić, narażając się na zemstę chłopaka, który już groził, że ujawni żonie muzyka sekretne tajniki ich związku? To jest trudna sytuacja! A może było jeszcze zupełnie inaczej... Może muzyk zdecydował się zdobyć *per fas et nefas** paszport dla chłopaka, ale stał przed innym strasznym dylematem. Czy wyemigrować pod wieżę Eiffla z efebem u swego boku, depcząc okrutnie uczucia żony i córki, czy też pozostać z rodziną, tracąc na zawsze kochanka?

Pod nami przepłynął statek wycieczkowy. Rozbawieni ludzie pomachali nam rękami. Leokadia się im odwzajemniła, ja popadłem w głęboki namysł.

---

* Godziwymi i niegodziwymi metodami.

– Masz rację, Lodziu – zmarszczyłem nos, bo od zoo zawiało zwierzęcym nawozem – to ich łączy. Trudna sytuacja... Ale to jest tylko poprzednik implikacji... A jaki wniosek?

– Zaraz znajdziemy następnik.

Leokadia w czasie studiów romanistycznych na lwowskim Uniwersytecie Jana Kazimierza przeszła solidny, kilkuletni kurs filozofii i logiki u profesora Twardowskiego, poruszała się zatem swobodnie w świecie logicznej terminologii.

– Jeśli ktoś zbliża się do jakiegoś życiowego przełomu, to co robi? No co ty byś zrobił, Edwardzie?

– Przecież wiesz – odpowiedziałem.

– Tak, wiem. Usiadłbyś i postarał się przewidzieć konsekwencje. Potem te konsekwencje przedstawiłbyś w dwóch słupkach: słupek pierwszy to konsekwencje pożądane, pozytywne, drugi to niepożądane, negatywne... A potem w obrębie każdego z osobna słupka poszeregowałbyś te konsekwencje pod względem prawdopodobieństwa, u góry najbardziej prawdopodobne, u dołu najmniej... A potem byś wszystko policzył... I wyszedłby ci wynik. Tak byś zrobił ty, a co robią inni?

– Wybierają intuicyjnie – odparłem. – Bez głębszego zastanowienia... Albo radzą się kogoś, kogo uważają za autorytet... A kto mógł być autorytetem dla trojga naszych samobójców? Ksiądz, nauczyciel? Ten pierwszy odpada w wypadku Frosta i Pasternaka, żadnemu księdzu ani pederasta, ani młody człowiek, który przed ślubem „napompował" dziewczynę, nie powierzyłby swych sekretów. Nauczyciel? Owszem, Juszczykowska niedawno skończyła szkołę, miała kontakt z nauczycielami... Ale czterdziestoletni Frost? Albo młody Pasternak, który nie wiadomo, czy podstawówkę w ogóle skończył? Z jakimi nauczycielami mogli się widywać? U jakich zasięgać porady? Nie, trop nauczyciela się załamuje, Lodziu...

Zapadło między nami milczenie.

– Trop nauczyciela się załamuje, ale nie trop udzielania komuś porady – powiedziała w końcu Leokadia. – No, chodźmy już... Zrobiło się chłodno...

Otuliła się szalem. Dochodziła dziesiąta. Ruszyliśmy w dół Curie-Skłodowskiej, jak wbrew logice przekręcono nazwisko polskiej noblistki na tablicach z nazwą ulicy. Było już prawie pusto. Narzuciłem na ramiona kuzynki moją marynarkę. Czułem, że zlekceważywszy szybko i dość arbitralnie motyw konsultacyj w sytuacji przełomu życiowego, nieco ją dotknąłem. Starałem się zagadywać i podsuwać inne tematy, ale odpowiadała krótko i niechętnie. W końcu i ja zamilkłem.

Nie lekceważyłem bynajmniej pomysłu, który mi podsunęła – by znaleźć jakieś nici łączące troje denatów. Przełom w życiu, jakiś kryzys – tak, to była jedna z łączących je cech. Czy były inne? Różniło ich wiele – wykształcenie, zawód, zainteresowania, a nawet płeć, bo Zenon Frost reprezentował jakąś jej trzecią odmianę. Ale te różnice miały charakter zasadniczy i stały. Czy mogło ich łączyć jednak coś zmiennego i tymczasowego? Coś, co ostatnio robili wspólnie? Na przykład mogli się spotkać w jakimś barze mlecznym...

Już otworzyłem usta, aby zakomunikować Leokadii te pytania i wątpliwości, kiedy ona sama chwyciła mnie za rękę i ruchem brody wskazała na wystawę zakładu fotograficznego w narożnej kamienicy na Szczytnickiej.

– Każdy z nich musiał niedawno robić sobie zdjęcia – szepnęła przejęta. – Frost do paszportu, Juszczykowska do świadectwa ukończenia technikum... No, nie! – Jej zapał osłabł. – Nie każdy! Ten żołnierz nie miał żadnego powodu, by chodzić do fotografa...

Chwyciłem Leokadię za szczupłe ramiona i spojrzałem jej głęboko w oczy.

– Ależ tak! – zawołałem. – Marian Pasternak był niedawno u fotografa! Widziałem jego zdjęcie u Alicji Motylówny! Zdjęcie aktualne, niedawno zrobione, bo z czterema belkami, w randze plutonowego, a stopień ten dostał miesiąc przed śmiercią!

Chwyciłem Leokadię w ramiona i okręciłem się wraz z nią dokoła własnej osi, budząc zgorszenie pewnej damy w plastykowym kapelusiku. Najpewniej sądziła, że ludzie w naszym wieku powinni leżeć w domu i przesuwać paciorki różańca, a nie okazywać radość na środku ulicy.

Nie dbałem o to. Tego wieczoru zyskałem i możliwość prowadzenia śledztwa, i punkt wyjścia: zapewniłem sobie instytucjonalną pomoc ze strony profesora Zaranek-Platera i miałem już punkt wyjścia swoich działań – wrocławskie zakłady fotograficzne.

Udanie się na koncert symfoniczny było naprawdę dobrym pomysłem.

$$\{x, y^{\dagger}, x^{\dagger}, y^{\dagger}, x, y^{\dagger}\}$$

Po powrocie do domu nie poszedłem spać. Powiesiwszy starannie smoking w szafie, przebrałem się w piżamę i usiadłem przy biurku. Nie chciałem się przyznać Leokadii do tego, że sugestia o fotografach tak mocno mnie przekonała wcale nie dlatego, że była dobrze logicznie uzasadniona. Powód był zupełnie inny i nie miał nic wspólnego z logicznym rozumowaniem. Brał się z myślenia zabobonnego, którego wstydziłem się sam przed sobą. Otóż mnie rzeczywiście intrygowała teoria Belmispara. Wstyd mi to mówić, ale w głębi duszy nie wierzyłem, że działanie rzekomego władcy liczb jest tylko wytworem chorego umysłu i zaskakującą zbieżnością czasowo-przestrzenną – to znaczy nie wierzyłem w przypadkową koincydencję, zgodnie z którą współrzędne geograficzne i czasowe produkują samobójców. W jej tle przeczuwałem jakiś głębszy zamysł. Było w tej teorii coś niepokojącego, coś, co – jak drzazga – mocno siedziało w moim umyśle i wraz z każdym jego ruchem w kierunku tej kwestii odzywało się lekkim i irytującym bólem. Myślałem, że pozbędę się tego bólu raz na zawsze i porzucę sprawę Zaranek-Platera, ale decyzja hrabiego otworzyła przede mną nowe perspektywy.

To z tego właśnie powodu z taką niechęcią zajmowałem się korumpowaniem przyszłych świadków szaleństwa Eugeniusza Zaranek-Platera. Względy moralne, przynajmniej do momentu skatowania Jacka Jonkisza przez Boksera i jego ludzi, nie odgrywały w moim postępowaniu większej roli. Najważniejsze było to, że sam pragnąłem rozwiązać zagadkę przedstawioną w notatkach matematyka. Nie chciałem być drobnym łotrzykiem, który szantażuje ludzi, ja chciałem być odkrywcą prawdy lub demaskatorem oszustwa.

To z tego właśnie powodu zasiadłem teraz nad pożyczoną od sąsiada, urzędnika pocztowego pana Tomasza Burzmińskiego, aktualną książką telefoniczną oraz książką adresową Wrocławia sprzed dziewięciu lat i wypisałem z nich obu dwadzieścia dziewięć zakładów fotograficznych. Znów rozłożyłem na podłodze mapę miasta i wszystkie te zakłady na niej zlokalizowałem. Położyłem się na brzuchu i rozpocząłem wędrówkę palcem po mapie. Wiedziałem, że upodobania do leżenia na podłodze nie podziela mój kręgosłup. Nie dbałem jednak o to. Śledztwo było ważniejsze.

To czytanie mapy było pozornie racjonalne. Pozornie, ponieważ Wrocław znałem bardzo dobrze i nie musiałem posiłkować się mapą, by te miejsca odnaleźć. Użyłem jej tylko w jednym celu – sprawdziłem, czy któryś z tych zakładów nie leży w jednej ze stref Belmispara. A to już było nieracjonalne, zabobon drążył mój umysł.

Na dwadzieścia dziewięć wrocławskich zakładów fotograficznych posiadających telefony jedenaście było położonych w strefach Belmispara. Od nich postanowiłem zacząć. Ponadto – by jeszcze dodatkowo zawęzić pole poszukiwań – musiałem następnego dnia rano przed pracą odwiedzić Alicję Motylównę.

Może na portrecie jej narzeczonego jest pieczątka zakładu fotograficznego?

Wstałem o piątej rano. Ledwo chodziłem. Dolne partie kręgosłupa rzeczywiście reagowały gwałtownie. Po ablucjach przystąpiłem do, jak to mawiano we Lwowie, półśniadania albo podśniadania, czyli do małego porannego posiłku, spożywanego wraz z kawą. Zjadłem dwa kawałki upieczonego poprzedniego dnia przez Lodzię ciasta drożdżowego i wyszedłem, kierując się w stronę ulic Sienkiewicza i Prusa. Po dwudziestu minutach byłem już na ulicy, której nazwy nigdy nie wymawiałem. Przed szóstą stałem pod drzwiami mieszkania, w którym Alicja Motylówna wynajmowała swój pokój. Po schodach schodzili robotnicy, trzymając w ręku śniadania zawinięte albo w potłuszczony papier wielokrotnego użytku, albo wprost w gazetę. Minęli mnie, przyglądając się ciekawie i bez skrępowania. Poczekałem, aż ich kroki umilkną, i dopiero wtedy zastukałem w drzwi mieszkania „państwa Kałmuków", jak ich nazywałem ze względu na charakterystyczną aparycję pani domu.

Otworzył mi pan Włodzio, gospodarz tego pomieszkania. Najwidoczniej chodził do pracy na późniejszą godzinę, bo miał na sobie tylko spodnie od piżamy i podkoszulek, a jego nieprzytomne zaropiałe oczy wskazywały wyraźnie na to, że przed chwilą został wyrwany ze snu. Z niewietrzonego mieszkania bił zaduch i dochodziło donośne chrapanie żony i progenitury.

Spojrzenie pana Włodzia było najpierw rozkojarzone, potem bojaźliwe, aż w końcu zrobiło się złośliwe i zuchwałe.

– Najmocniej przepraszam, że pana budzę tak wcześnie. – Uchyliłem kapelusza. – Popielski jestem, byłem tu u panny Alicji kilka dni temu... Pamięta mnie pan?

– Stary kocur – wycedził Włodzio, ukazując braki w uzębieniu. – Do szpyrki mu się zachciało... Tak ranem to lepiej stoi, co? Jak drąg, co?

Afekt, jakim darzył ten człowiek młodą i śliczną sublokatorkę, był widać bardzo silny, skoro po raz drugi pan Włodzio ujrzał we mnie konkurenta.

– Przepuści mnie pan? – zapytałem.

– A won, ty dziadygo! – wrzasnął. – Na kurwy na Gwarną, a nie do spokojnych ludzi!

Nie zdążył zamknąć drzwi. Zablokował je mój but, który znalazł się w jego przedpokoju. Włodzio zamachnął się pięścią. Nie zdążyłem uskoczyć. Nie byłem już taki szybki. Dostałem w skroń nad lewym uchem. Nie było to mocne uderzenie, ale zdążyło wyhamować impet, z jakim rzuciłem się na gospodarza. Byłem od niego o głowę wyższy i dużo szerszy w barach. Walka mimo różnicy wieku była nierówna. Chwyciłem go za ramiączka podkoszulka i szarpnąłem do siebie, uskakując jednocześnie w bok. Materiał jego odzienia trzasnął mi w rękach. Jego właściciel runął na ścienny wieszak, po czym osunął się na podłogę. Pękały tasiemki, za które powieszone były jakieś płaszcze i kurtki. Zanim Włodzio wstał i zanim jego rodzina zjawiła się w przedpokoju, byłem już u Motylówny. Alicji nie było, łóżko porządnie zasłane.

Zamknąłem drzwi na klucz, chwyciłem za portret Mariana Pasternaka i obejrzałem go dokładnie. Na odwrocie był napis „R. Zaleski, Fotografia Ślubna i Okolicznościowa »Foto Tęcza«, ul. Górnicza 92". Odłożyłem zdjęcie i zbliżyłem się do drzwi, które omal nie wypadły z futryny – tak mocno w nie walono wszystkimi odnóżami. Dobiegał zza nich dziki ryk.

Przekręciłem zamek i uskoczyłem. Drzwi otwarły się z hukiem, tynk pękł pod uderzeniem klamki w ścianę. Przed nimi kłębiła się cała rodzina. W małych kałmuckich oczach kobiety nie widziałem żadnych emocji, natomiast jej półotwarte usta, wyszczerzone zęby i rozczapierzone dłonie z ostrymi, brudnymi paznokciami wiele mówiły o jej uczuciach do mej osoby. Włodzio był nie mniej wrogi. Krew płynąca z nosa po jego wąskiej twarzy upodabniała go do hieny, której ktoś przerwał szarpanie padliny. Nawet trzej małoletni synowie państwa Kałmuków mogli mnie skutecznie unieruchomić, wieszając się na przykład na moich nogach. To właśnie ta ostatnia myśl – o brudnych łapach małych Kałmuków oblepiających moje jasne spodnie – zdecydowała o dalszym mym zachowaniu. Wyjąłem z kieszeni brauninga. Cisza, która zapadła, była mi równie przyjemna, jak ta wczorajsza, której doświadczyłem po gwałtownym opuszczeniu jazgotliwego koncertu.

Wszyscy cofnęli się pod ściany, a ja, kuśtykając jak rzymski cesarz Klaudiusz, wyszedłem na klatkę schodową, nie niepokojony przez nikogo. Dopiero tam przystanąłem i krzywiąc się z bólu, dotknąłem nogi naruszonej butem człowieka Boksera i dolnych partyj kręgosłupa źle przyjmujących moje wylegiwanie się na podłodze.

Wiedziałem, że panna Alicja może tego dnia stracić swoje sublokatorskie gniazdko. A to równało się najpewniej jej wizycie u mnie.

Nie było mi to wstrętne. W końcu byłem starym kocurem.

$$\{x, y^\dagger, x^\dagger, y^\dagger, x, y^\dagger\}$$

Tej soboty, za zgodą mecenasa Becka, wyszedłem z pracy godzinę wcześniej – w samo południe. Przede mną była daleka droga – na Pilczyce, gdzie miałem zamiar odwiedzić zakład fotograficzny Romualda Zaleskiego. Byłem niewyspany i nie najlepiej się czułem. Bolała mnie głowa, nadwerężona rankiem przez Włodzia i poobijana przedtem przez pończochę z piaskiem. Bolała stopa, zgruchotana kilka dni wcześniej obcasem jednego z ludzi Boksera. Bolało i zatykało w piersiach, jakby dopadała mnie dusznica. Te wszystkie dolegliwości nie zachęcały mnie jakoś nadzwyczajnie do kilkunastokilometrowej podróży zatłoczonym i rozpalonym od słońca tramwajem, i to w dodatku dwóch linij, bo z okolic kancelarii Becka nie było żadnego bezpośredniego połączenia z odległymi Pilczycami.

Postanowiłem zatem pojechać tam taksówką. Kolejka na postoju pod Dworcem Głównym była bardzo długa, ale szoferzy nadjeżdżali tam nader często, wiedząc, że w porze wakacyjnej ludzie wracający pociągami z dalekich podróży odżałują ostatnie grosze, by tylko nie tłuc się z bagażami zatłoczonymi środkami lokomocji miejskiej. Po dwudziestu minutach i ja wsiadłem i pojechałem.

Na ulicy Górniczej zapłaciłem, wysiadłem i kazałem taksówkarzowi poczekać. Odmówił mi w sposób tyleż zdecydowany, co grubiański.

– Panie! Widziałeś pan tych żydków pod cmentarzem? Ten transparent „Żydowska Spółdzielnia z Bielawy żegna jakiegoś tam Mosze czy Szlomo"? No nie widziałeś pan! Bo pan nie jesteś taksiarz, tylko jakiś urzędas! A ja mam oczy dokoła głowy, ja jestem od tego, żeby wszystko widzieć! Co mnie tam kurs z panem na Grunwaldzką, jak ja mogę mieć kurs do Bielawy albo do Dzierżoniowa! Ja już ich zagadam, to pojadą moją cytrynką, a nie pociągiem! Panie, kto nie ma kiepełe, ten cegły na budowie rzuca albo gówno w rurach popycha!

Citroen prychnął spalinami i odjechał. Rzeczywiście pod Cmentarzem Żydowskim na Lotniczej stała spora grupa ludzi z jakimś transparentem, ale jego treść umknęła moim oczom. Obmyślałem wtedy strategię rozmowy z fotografem, mniej zwracając uwagę na przesuwające się za oknami auta sceny z życia wrocławskich przedmieść.

Pilczyce były cichym, ładnym osiedlem pełnym zieleni rozrastającej się ponad małymi domami i niskimi budynkami mieszkalnymi. Minęła mnie rozśpiewana grupa młodzieży, która z ręcznikami na ramionach zmierzała w stronę pobliskich glinianek.

Ulica Górnicza nie była już tak ładnie zadrzewiona i słońce paliło tam niemiłosiernie. Szedłem jej lewą stroną, gdzie było mniej światła. Zakład fotograficzny mieścił się na parterze długiego dwupiętrowego budynku, który dochodził prawie do ulicy Pilczyckiej.

Dzwonek u drzwi zakładu, ozdobionych szyldem „Foto Tęcza. R. Zaleski", zaterkotał donośnie. Przy biurku siedział starszy mężczyzna z gęstą grzywą siwych włosów. Starannie zaczesana fryzura kontrastowała z oznakami pewnej abnegacji – niedogolonym podbródkiem i kępkami włosów wystającymi z nosa. Fotograf miał na sobie granatowy drelichowy fartuch upstrzony plamami od chemicznych odczynników. Na mój widok uniósł głowę znad szachownicy.

– Dzień dobry! – powiedziałem, zbliżyłem się do biurka i przyjrzałem się szachowej kombinacji. – O, widzę, że rozgrywa pan partię włoską! Mało kto już dzisiaj tak gra...

– Dzień dobry szanownemu panu! – Fotograf wstał i przyjrzał mi się uważnie.

Były dwie możliwe reakcje Romualda Zaleskiego. Albo zwycięży w nim właściciel zakładu, który zechce zrobić mi zdjęcie, albo miłośnik szachów, który złapie przynętę. Miałem plan i na jedną, i na drugą ewentualność, a nawet na trzecią – koniunkcję obu zdarzeń.

– Partia włoska – tymczasem w osobie mojego rozmówcy zwyciężył szachista – burzy symetrię układu figur... Staje się niesymetryczna, a przez to niezbyt elegancka, kiedy czarne wchodzą drugim skoczkiem. Ale jest jedną z najstarszych zanotowanych partii... Lubię ją...

– Tak, ma pan rację... Tradycja w szachach to rzecz ogromnie ważna... bez partyj starych mistrzów wyważamy drzwi dawno już otwarte przez innych...

– Przyszedł pan zrobić sobie zdjęcie? – Zaleski nie połknął na razie przynęty i nie zasiadł ze mną do szachów.

– Tak! – odrzekłem. – Do legitymacji emeryta-rencisty. Wie pan, wraz z końcem roku szkolnego odszedłem na emeryturę... Po wielu latach nauczania matematyki... Co ja mówię, po wielu latach wlewania oleju matematycznego do pustych głów... Pan pozwoli, że się przedstawię... Modelski, emerytowany profesor matematyki z IV Liceum...

– Zaleski...

Fotograf uśmiechnął się.

– Zawsze o tym marzyłem... Żeby zgłębiać matematykę... Ale jakoś się nie złożyło... Pozostały mi tylko szachy i zagadki logiczne...

Wskazał ręką na półkę z książkami z naklejką „Photo-Atelier R. Nitzbon & Sohn". Stały tam i *Kalejdoskop matematyczny* Hugona Steinhausa, i *Matematyka. Poradnik dla samouków* Samuela Dicksteina. Bardziej mnie jednak zainteresowało sześć oprawnych w płótno brulionów, na których grzbietach naklejone były daty – od 1949 do 1955. Taki otwarty brulion z datą 1956 leżał teraz obok szachownicy.

Poczułem się jak ogar, który chwycił wyraźny trop. Fotograf zainteresowany matematyką i rzekomy samobójca, który z powodów matematycznych podniósł rękę sam na siebie – to wszystko się układało w ładną mozaikę. Brakowało w niej tylko jednego kamyka – zakład fotograficzny nie leżał w żadnej ze stref Belmispara.

Musiałem teraz wykonać manewr wyprzedzający, aby całkiem zniweczyć podejrzliwość mojego rozmówcy.

– No to zróbmy, panie mistrzu, to zdjęcie – powiedziałem. – A potem porozmawiamy sobie o szachach... Bardzo mi miło spotkać człowieka, który podziela moją pasję!

– O tak, panie profesorze! – zapalił się fotograf. – Ale porozmawiać o szachach najlepiej przy szachownicy! Zagramy?

Nie potrafiłem ukryć radości. Jej powód był jednak inny, niż sądził Zaleski.

Fotograf zadbał o mnie bardzo troskliwie. Najpierw włączył poniemiecki wentylator, na którym była naklejona nalepka z nazwą dawnego niemieckiego zakładu fotograficznego, taka sama jak ta, jaką już widziałem na półce w biurze. R. Nitzbon - analizowałem w myślach to nazwisko. - Założyłbym się, że to zniemczone polskie Nicpoń.

Tymczasem wentylator wysuszył już całkiem moją twarz i głowę, a Zaleski włączył lampy. Po chwili kilkakrotnie mnie sfotografował, pośpiesznie wyznaczył mi środowy termin odbioru zdjęć, po czym prawie że popędził mnie do biura.

Tam zasiedliśmy do szachów. Wbrew moim nadziejom Zaleski nie był specjalnie rozmowny i skupił się na grze. Grał białymi. Już po kilku ruchach przekonałem się, że mam do czynienia z doświadczonym przeciwnikiem. Na namysł poświęcał zawsze tyle samo czasu, czym mnie zdumiewał. Te regularne odcinki czasowe wcale się nie zmieniły wraz z rozwojem partii. Miał jakby zakodowany rytm wykonywania ruchów. Jego strategia, jak się zaraz zorientowałem, była równie prosta do przewidzenia jak interwały czasowe ruchu i namysłu - jej hasłem było „przyczaić się i zaatakować".

Grałem ostrożnie. Mniej więcej po kwadransie przypuściłem atak. Pomyślałem sobie, że ktoś, kto lubi symetrię, może się wzdragać przed dokonaniem roszady, która to kombinacja symetrię burzy. Podjąłem ryzykowny atak, który łatwo mógłby być właśnie przez roszadę powstrzymany. Rzeczywiście mój przeciwnik nie dokonał roszady, ja zaś poświęciłem skoczka i postawiłem Zaleskiego w sytuacji bez wyjścia.

Poddał partię, po czym długo patrzył na szachownicę, uśmiechał się do siebie i myślał. Nie należał do ludzi, którzy denerwują się przegraną. Wyciągał z niej wnioski.

– Przyznam się panu do czegoś – powiedziałem. – Założyłem, że nie zrobi pan roszady z powodów estetycznych...

– Brak symetrii to nieporządek, chaos – odparł. – A ja uważam, że każdym naszym ruchem, każdą naszą decyzją, powinniśmy się wpisywać w porządek, jaki panuje w świecie. Nawet w szachach...

– Widzę, że pan się interesuje nie tylko matematyką, ale i filozofią... Czy jest pan zwolennikiem stoickiego nastrojenia świata? – zaryzykowałem to pytanie, wiedząc, że udawanie erudyty może go spłoszyć.

– Trochę. – Zaleski wstał i zdjął fartuch. Pod nim miał koszulę z krótkimi rękawami i spodnie na pasku, który opinał jego niemały brzuch.

– Niech pan przyjdzie w środę, panie profesorze – powiedział z uśmiechem. – Na rewanż... Porozmawiamy przy szachach o świecie... Mała u mnie wiedza, ale za to chęć słuchania mądrzejszych bardzo duża. Przed szóstą najlepiej... Co, odpowiada panu ta godzina? A teraz przepraszam, zamykam zakład, muszę iść na obiad...

Spojrzałem dyskretnie na zegar wiszący na ścianie. Dochodziła druga. Uchyliłem kapelusza, powiedziałem: „Dobrze, przyjdę. Do widzenia!", i wyszedłem z zakładu. Zapaliłem papierosa i widziałem, jak Romuald Zaleski zamyka drzwi i przekręca kartonik, na którym z jednej strony było napisane „Czynne 9 ½ – 6", a na drugiej „Przerwa obiadowa 2–2 ½".

Postanowiłem, że fotografa odwiedzę w środę dwukrotnie.

$$\{x, y^{\dagger}, x^{\dagger}, y^{\dagger}, x, y^{\dagger}\}$$

W niedzielne popołudnie Leokadia poszła na bridża do asesorowej Stańczakowej, swej starej przyjaciółki jeszcze ze Lwowa, ja zaś – do Szpitala Miejskiego na ulicy Świętego Józefa, gdzie na oddziale okulistycznym leżał Jacek Jonkisz. Chłopak, już po operacji, o której powiedział mi lekarz: „Widzenia w jednym oku nigdy dzięki niej nie odzyska", odwrócił się na mój widok do ściany. Kiedy położyłem na stoliku torbę z pomarańczami, uderzył w nią na oślep ręką. Owoce potoczyły się po podłodze w plamach słońca, a ja w pocie czoła zbierałem je na kolanach. Oddałem je pewnemu dziecku, które leżało po operacji na jaskrę dziecięcą, i wróciłem do domu. Jonkisz nie zamienił ze mną ani słowa.

W poniedziałek kiepsko się czułem. Do różnych dolegliwości, jakie były pamiątkami po pracy dla Zaranek-Platera, dołączyły się bóle reumatyczne. Gryząc w ustach przekleństwa na starość i boleści, pracowałem wytrwale aż do godziny pierwszej, kiedy to mecenas Beck wyszedł ze swojego gabinetu i powiedział do aplikanta Lamparskiego:

– Panie Michale, idziemy z panem Edwardem na obiad do Savoyu! Będziemy za półtorej godziny!

Wyszliśmy z biura i dopiero po dwudziestu minutach – ze względu na moje kuśtykanie – weszliśmy do restauracji. Starszy kelner po lwowskim powitaniu „Całuj rączki", co było skrótem „Całuji rączki", kłaniał się w pas Beckowi, a na mnie popatrywał z ciekawością. Kiedy mi wręczał kartę, zapytał:

– Jakim tytułem mam się zwracać do paniagi szanownegu?

Chciałem wskazać na rozległy siniec na głowie i odpowiedzieć, że najlepiej „panie nieboszczyku *in spe*", ale spojrzałem w szczere, dobre oczy kelnera i pokręciłem przecząco głową. Mógł się nie znać na żartach.

– Za chwilę, panie Mieciu. – Beck wręczył mu jakąś monetę. – Za chwilę pan nam poda, jak przyjdzie kapitan...

Rozejrzałem się po sali. Z nami było w tym resortowym lokalu tylko ośmiu klientów. Wakacyjną porą wielu ze stałych bywalców jadło obiad w ośrodku milicyjnym w Świnoujściu, a co ważniejsi to nawet w Bułgarii czy w Jugosławii. Brak natłoku klientów nie martwił mnie specjalnie. Nie tęskniłem za ludźmi z resortu, którzy jeszcze niedawno byli o krok od wykonania na mnie wyroku śmierci.

Być może jeden z takich ludzi wszedł właśnie do sali. Był to otyły mężczyzna w rozpiętej koszuli i w sandałach. Jego strój był w Savoyu nie do przyjęcia, nawet latem, i z tegoż powodu mężczyzna powinien być zatrzymany przez szatniarza. Jedno z dwóch – pomyślałem – albo szatniarz przysnął, albo jest to *persona grata*"*.

Usłużność pana Miecia wskazała natychmiast na tę drugą możliwość. Prowadził grubego wprost do naszego stolika i tytułował go bardzo oficjalnie i służbowo towarzyszem kapitanem. Widocznie mężczyzna był bardzo pryncypialny, skoro zakazał formy „pan" nawet restauracyjnemu personelowi.

Podszedł do naszego stolika. Wstaliśmy obaj. Beck przywitał się z przybyszem i przedstawił nas sobie. Kapitan Józef Franczak usiadł, wziął menu od kelnera i oddalił go ruchem ręki.

– Czy ja byłem dzisiaj z panem umówiony, mecenasie? – zahuczał Franczak przepitym barytonem. – Czy to przypadkowe spotkanie?

– Byliśmy umówieni – odparł mój pryncypał. – Jak zawsze w poniedziałki o wpół do drugiej...

– Nasze poniedziałkowe spotkania są tradycją... A tradycja mówi: We dwóch! Spotykamy się we dwóch! – Tu kapitan zaszczycił mnie mało przyjaznym spojrzeniem, które skoncentrowało się na mojej pokiereszowanej głowie. – A ten co tu robi?

Beck spojrzał na mnie znacząco. Znałem ten wyraz twarzy szefa i wiedziałem, co on znaczy: Milcz!

– Pan doktor Popielski jest moim najbardziej zaufanym współpracownikiem. – Mecenas uśmiechnął się i skierował w stronę Franczaka złotą papierośnicę. – I prowadził moje sprawy, wykorzystując

* Osoba pożądana.

informacje od pana kapitana... Pan doktor ma do pana wielką prośbę. A to znaczy, że ja sam mam do pana wielką prośbę!

Kapitan przyjął papierosa i ogień. Wypuścił w powietrze kłąb dymu i otarł pot z czoła. Te wszystkie czynności nie pomogły mu w najmniejszym stopniu ukryć zdumienia i irytacji.

– Po co on tu? – Przejechał po mnie krzywym spojrzeniem. – Przecież mecenas mógł przedstawić jego sprawę jako swoją... A tak mecenas ryzykuje, bardzo ryzykuje... – Nagle jego twarz stała się purpurowa. – Co to jest, kurwa jego mać!? – cedził przez zęby. – Przecież wiesz pan, że spotykamy się tylko we dwóch! Taki mamy układ! Ale tylko do dzisiaj! Do tego momentu, kiedy zobaczyłem tego tu. – Wskazał na mnie. – Koniec układu!

Wstał tak gwałtownie, że krzesło runęłoby na podłogę, gdyby pan Miecio nie wyrósł jak spod ziemi i go nie przytrzymał.

Beck spojrzał na mnie znacząco. Też wiedziałem, co to znaczy.

Wyszedłem z sali i stanąłem koło wyraźnie nudzącego się szatniarza, do którego obowiązków należały nie tylko selekcja gości oraz przyjmowanie i wydawanie płaszczy. W profesji, którą reprezentował, stężenie tajnych agentów było chyba najwyższe z możliwych.

Zapaliłem papierosa Becka i wdałem się z szatniarzem w swobodną pogawędkę. Po chwili zjawił się przy mnie kelner Miecio i szepnął:

– Panowi już si rozmówili... Ja podał już do stołu... Dla szanownegu paniagi to, co dla mecenasa...

Na stole stała waza z zupą i mała oszroniona karafka wódki. W tym lokalu, w odróżnieniu od Anatola, były zwyczaje przedwojenne, tylko klientela mocno powojenna.

– Słucham – warknął kapitan. – Jaka jest prośba?

Mówiłem przez dobre pięć minut. Kapitan mnie wysłuchał, kiwnął głową na zgodę, potem wstał i podał rękę Beckowi. Mnie nie zaszczycił nawet spojrzeniem.

– Nie lubi pana, panie Edwardzie, z dwóch powodów – powiedział Beck i kiwnął na kelnera. – Pański tytuł naukowy go przeraża, sam ma ukończonych siedem klas... Ale jest bystry i szybko się uczy... Poza tym rozzłościł się na pana, bo pokazałem mu jego miejsce w szeregu i zrozumiał, że jest ono o wiele niższe od pańskiego...

Pan Miecio nalał nam zupy i wódki.

– Był mi pan potrzebny, panie Edwardzie. – Mój pryncypał odprowadził wzrokiem oddalającego się kelnera. – Kapitan otrzymał podwójne uderzenie. Od razu, jak tylko pana ujrzał, wiedział, że łamię zasady naszego układu. Kiedy pan wyszedł, uświadomiłem mu, że z naszego układu to on się nie może wyplątać! Dostał dwa ciosy... Należały mu się... Ostatnio był bardzo arogancki.

Milczałem. Mecenas uniósł swój kieliszek wódki.

– A tak *à propos* miejsca w szeregu... Niedawno mi pan pokazał moje! I bardzo mnie ono ucieszyło. Czy pańska propozycja brudzia jest nadal aktualna?

$\{x, y^{\dagger}, x^{\dagger}, y^{\dagger}, x, y^{\dagger}\}$

Po obiedzie zwieńczonym bruderszaftem wróciłem z Aleksandrem do kancelarii, gdzie pracowałem do czwartej. Następnie udałem się do mieszkania hrabiego Zaranek-Platera, aby przypomnieć mu jego obietnice, których spełnienie tak bardzo miało mi ułatwić dalszą pracę. Nauczony złym doświadczeniem postanowiłem nie jechać tym razem taksówką, by nie porzucił mnie w środku moich wędrówek jakiś kapryśny i rozzuchwalony szofer, który gdzie indziej zwietrzy lepszy kurs.

Alternatywną dla jazdy z taksówkarzami była nieoficjalna i srogo przez nich zwalczana forma jeżdżenia na łebka – pokątni kierowcy zajeżdżali obok postoju prywatnymi autami i podwozili klientów, którzy nie mogli się doczekać taksówki. Tacy kierowcy byli tępieni i przez samych taksówkarzy, i przez milicjantów, którzy mieli z tymi ostatnimi często służbowe, ale i jeszcze częściej nielegalne konszachty związane z kupowaniem walut, handlem alkoholem oraz wzajemnym użyczaniem sobie prostytutek.

Możliwość jazdy na łebka, i to dość nietypową, znalazłem właśnie we wrocławskiej krainie bogini Isztar – w zagłębiu seksualnym na ulicy Gwarnej. Niezwykłość mojego kursu polegała na tym, że miałem zostać podwieziony nie autem, ale motocyklem – ku mojej uldze węgierską panonią, nie junakiem. Rozsiadłem się wygodnie w wózku bocznym, w obawie przed brudem podłożywszy sobie pod pośladki niezawodną ceratę, i rozpocząłem swe detektywistyczne popołudnie.

Jego niewątpliwą zaletą była chłodząca jazda po mieście motocyklem, która – czego się trochę obawiałem – może się skończyć zapaleniem korzonków. Najpierw pojechaliśmy na aleję Kasztanową, do pokaźnej willi, którą z dwiema rodzinami zza Buga dzielił Władysław Zaranek-Plater. Hrabia wręczył mi dokument podpisany przez zastępcę szefa Komendy Miasta MO. Było to pełnomocnictwo z jednej strony pozwalające mi na legalne podawanie się za współpracownika milicji i na półlegalne przesłuchiwanie ludzi, z drugiej zaś – będące swoistym listem żelaznym chroniącym mnie przed samą milicją, której moje detektywistyczne działania mogły się bardzo nie podobać. Profesor Apolinary Zaranek-Plater był rzeczywiście człowiekiem omnipotentnym. Wiem, gdzie postaram się o stosowne pozwolenie, jeśli będę chciał urządzić sobie wycieczkę na Księżyc.

Po załatwieniu tej sprawy objechaliśmy z moim motocyklistą o imieniu Waldek cztery zakłady fotograficzne, leżące w strefach Belmispara. Mając pełną swobodę działania, nie podawałem żadnej fałszywej tożsamości, lecz legitymowałem się wspomnianym pełnomocnictwem. Ono otwierało przede mną wszelkie księgi handlowe i codzienne spisy klientów. Choć miałem sprawne narzędzie działania, efekt mojej pracy był mizerny. W dokumentach żadnego zakładu fotograficznego nie znalazłem nazwiska ani Frosta, ani Juszczykowskiej.

Potem zajechaliśmy na ulicę Wysoką. Poleciłem panu Waldkowi odjechać gdzieś dalej, ostrzegając go przed niezbyt przyjemnymi ludźmi kręcącymi się wokół Anatola, po czym – starannie się rozglądając za bandytami od Boksera albo za ich młodocianymi następcami – odwiedziłem mieszkanie wdowy po Zenonie Froście. Zapłakana i zrozpaczona kobieta nie podsunęła mi żadnego tropu. Nie pamiętała, w którym to zakładzie fotograficznym mąż robił zdjęcia do paszportu. W domu nie było śladu jakiegokolwiek pokwitowania zapłaty czy też odbioru fotografii. Podobnym efektem skończył się mój pobyt u Juszczykowskich, a różnica pomiędzy obiema wizytami polegała na tym, że podczas pierwszej miałem z kim rozmawiać, podczas drugiej zaś mogłem jedynie mówić do słomianej maty nad tapczanem, na którym leżał bezwładny, spity do nieprzytomności wdowiec po samobójczyni.

O godzinie ósmej motocykl zajechał pod mój dom, budząc ogromne zainteresowanie okolicznej, bawiącej się na ulicy dzieciarni. Wypłaciłem panu Waldkowi ustalone honorarium i umówiłem się z nim na dzień następny. Leokadii nie było w domu. Przyszła dopiero o dziesiątej – milcząca i tajemniczo uśmiechnięta. Byłem tak zmęczony, że odgadywanie, jakiż to sekret jest ukryty pod tym uśmiechem Mony Lizy, przekraczał moje siły umysłowe.

Następnego dnia po pracy objechałem w motocyklu pana Waldka trzy najgęściej zaludnione strefy Belmispara. Z kartograficznego punktu widzenia były to prostokąty, których środki wypadały odpowiednio: na placu Dzierżyńskiego*, koło Hali

* Dziś pl. Dominikański.

Ludowej oraz przy Cmentarzu Świętej Rodziny na Sępolnie. Wszędzie bez najmniejszych przeszkód zlustrowałem księgi handlowe. Nigdzie nie było śladu interesujących mnie nazwisk.

Na koniec pojechałem na Nowowiejską do znajomego grawera, pana Stryjka. Stamtąd odebrałem pewien złoty drobiazg, który oddałem do ozdobienia dobry miesiąc wcześniej. Od grawera było bardzo niedaleko na ulicę, której nazwy nie wymieniałem. Odwiedziłem zatem kałmucką rodzinę. Pogroziłem im swoim pełnomocnictwem milicyjnym i surowo zażądałem godnego traktowania panny Alicji. Byli wystraszeni, a pan Włodzio wybąkał nawet przeprosiny. Wdzięczne spojrzenie, jakim mnie obdarzyła panna Alicja, wzbudziło we mnie, starym, jakieś niezdrowe ciągoty.

Do domu wróciłem około ósmej i zastałem tam uśmiechniętą Leokadię, która przygotowała na kolację panierowaną wątróbkę wieprzową z ziemniakami i kiszoną kapustą.

Na ten pomysł - panierowania wątróbki - wpadła jej matka, a moja ciotka, która mnie wychowała po tragicznej śmierci moich rodziców zamordowanych w roku 1896 przez bandytów w pociągu relacji Kijów–Odessa. Wtedy to właśnie, w wieku lat dziesięciu, zamieszkałem u wujostwa Tchórznickich w Stanisławowie i tam poznałem kuzynkę, z którą mnie życie połączyło na następne lat sześćdziesiąt. Jako dziecko byłem wybredny i nie zapowiadałem się na tak wielkiego smakosza, by nie rzec „obżartucha", jakim się stałem później. Nie lubiłem zwłaszcza wątróbki, który to wątpliwy przysmak mój wuj, profesor gimnazjalny i autorytet we wszelkich sprawach naukowych, uważał za niezwykle cenny dla rozwoju młodego człowieka. Rękami i nogami broniłem się przed tą wątróbką, aż w końcu służąca i kucharka wujostwa, uwielbiająca mnie jak własne dziecko Ukrainka Ołesia wpadła na pomysł, by z niej poprzez panierowanie zrobić sznycel. Trafiła w dziesiątkę. Od tego momentu jadłbym tę kulinarną hybrydę, ku radości wuja, najchętniej codziennie. Nazwałem ją hepatosznyclem, czym zdobyłem sobie dodatkowe uznanie profesora, który pochwalił użycie klasycznej greki w tej mojej słowotwórczej inwencji.

Zawsze gdy Leokadia podawała hepatosznycel, zagłębiałem się w myślach w czasy stanisławowskie, a potem w wiedeńskie i we lwowskie. Myślałem o wspaniałym gimnazjum klasycznym z nauczycielami, którzy mogliby być ozdobą uniwersyteckich katedr. Przypominałem sobie wiedeńskie studia, w czasie których zgłębiałem tajniki matematyki i łaciny, a w wolnych chwilach wygrywałem spore sumy w szachy. Potem pojawiały się obrazy pracy policyjnej, w czasie której budziłem strach i szacunek u lwowskich bandytów, oraz sceny z życia rodzinnego z ukochaną córką Ritą i niezawodną, i nieodmiennie spokojną kuzynką Leokadią. Wspominanie tych szczęśliwych chwil groziło przesadnym gloryfikowaniem przeszłości. Nie bez trudu je wytłumiałem, przypominając sobie w zamian całe zło, które mnie spotykało w tych wszystkich okresach mego życia – rozpacz po stracie rodziców, epileptyczne ataki, dzikie niezaspokojone młodzieńcze pożądanie, a potem w burzliwych latach męskich – przedwczesną śmierć żony, bestialski mord na mojej córce i zaginięcie wnuczka.

Tak oto hepatosznycel był przepustką do przeszłości, która nie była ani dobra, ani zła. Gdybym ją miał scharakteryzować, powiedziałbym: „Moje życie przeszło w prawie idealnej egzystencjalnej równowadze. Prawie, bo z lekką przewagą dobra". Otrząsnąłem się z tych myśli. Jeszcze nie umieram, a płeć nadobna wciąż budzi we mnie wspomnienie dawnych niespożytych sił witalnych.

Położyłem chrupiący kawałek wątróbki na wilgotnym posłaniu z kiszonej kapusty. Wsunąłem pod nie widelec i uniosłem ku górze. Smak wątróbki, bułki tartej i jajka zmieszał się z lekkim posmakiem czosnku, którym Lodzia doprawiła surówkę. Zamknąłem oczy – tak, hepatosznycel był opowieścią o życiu.

Wypijając szklankę kompotu, patrzyłem na kuzynkę. Była ubrana w lekką letnią sukienkę. Jej podkręcane codziennie na papilotach włosy, sięgające ramion i farbowane na jasny kasztan, odejmowały jej lat. Znów, tak jak wczoraj, miała na ustach ni to szelmowski, ni to tajemniczy uśmieszek. Patrzyłem na nią z wyczekiwaniem. Już wiedziała, że jestem zainteresowany tym, co ma mi do powiedzenia: jeszcze chwilę się ze mną podroczy, a potem wszystko mi opowie. *Ab ovo usque ad mala**.

Tak się też stało.

– Mam nowy trop w twoim śledztwie – powiedziała.

$$\{x, y^{\dagger}, x^{\dagger}, y^{\dagger}, x, y^{\dagger}\}$$

Leokadia miała swój plan, który przemilczała w rozmowie po piątkowym koncercie symfonicznym. Na pytanie, co mają ze sobą wspólnego ludzie, przed którymi ważny krok życiowy, odpowiedziała sobie w duchu, ale tej odpowiedzi głośno nie sformułowała w obawie, iż może być posądzona o hołdowanie zabobonom. Co ja bym zrobiła w sytuacji przełomowych zdarzeń? – zapytała sama siebie i odpowiedziała w myślach: – Niezawodnie poszłabym do wróżki Larysy!

To ustalenie nie stało według niej w najmniejszej nawet sprzeczności z tym, że dwoma samobójcami byli mężczyźni. Była pewna, że szukanie porad u wróżki, wbrew powszechnie utartej opinii, wcale nie jest właściwe tylko kobietom. Znała wielu mężczyzn, których można by określić jako zabobonnych i przesądnych.

W poniedziałek rano poszła do wróżki Larysy, którą bardzo lubiła i z której wiedzy tajemnej czasami skrycie korzystała. Wróżka

---

* Od jajka do owoców. Rzymianie na początku uczty jadali jajka, na koniec zaś jabłka, czyli od początku do końca.

była Rosjanką, którą dziwne wiatry historii zagnały do zachodniej Polski. Przyczyny tej wędrówki, której kresem był Wrocław, głęboko skrywała i nie ujawniała ich nigdy nawet przed tak zaprzyjaźnionymi z nią i długoletnimi klientkami jak panna Leokadia Tchórznicka. Nie widziała natomiast najmniejszego powodu, by skrywać to, co wiedziała o swej konkurencji.

– Kochana panno Lodziu – gramatyczna poprawność jej polszczyzny była zabarwiona silną wschodnią wymową – psują mi opinię różne nieuki, które stawiają karty i wróżą z fusów, a nie mają odrobiny tej wiedzy co ja... Czy pani wie, że nauki pobierałam u samej Heleny Bławatskiej?

Leokadia słyszała o tym wielokrotnie, toteż skinęła głową. Wiedziała też, że musi trochę poczekać, by wysłuchać po raz kolejny tych samych petersburskich historyj, i że nie powinna przerywać ani okazywać zniecierpliwienia. Już czekała na opowieści o balach i parujących samowarach. Ale tym razem wróżka spojrzała na zegar i powiedziała:

– Dużo jest oszustów, panno Lodziu, którzy niszczą mi reputację... Ale nie mam ich adresów, nie jestem przecież biurem meldunkowym... Niech mi pani powie, kochanieńka, coś więcej o tej poszukiwanej przez panią wróżce... Gdzie może mieszkać? Czym wróży? Kartami? Kulą? Nie mamy zbyt dużo czasu. Zaraz mam klienta – dodała ciszej. – Bardzo ważnego... Milicjanta...

Leokadia opowiedziała krótko o trojgu samobójcach, o których sądziła, że mogli chodzić do wróżki.

– A w jakim rejonie miasta oni mogli szukać porady duchowej? – zapytała Larysa. – Niech pani powie, to łatwiej będę mogła coś skojarzyć...

– W okolicach Rynku, uniwersytetu... – odparła szybko Leokadia. – Wprawdzie jeden był żołnierzem w koszarach na Obornickiej, ale bywał często u swojej narzeczonej, mieszkającej na

Stalina*, drugi był muzykiem w operze, czyli codziennie był w centrum, trzecia samobójczyni zaś mieszkała na Odrzańskiej...

– Na Odrzańskiej, powiada pani, koło uniwersytetu, na Stalina... – Larysa się zamyśliła, a po chwili zaraz rozchmurzyła. – Wiem, wiem! Na Cybulskiego, adresu nie znam, mieszka wróżka, ona stawia tarota i robi to dobrze! Nic nigdy złego o niej nie słyszałam, wręcz przeciwnie... Dziwi mnie bardzo jej duża wiedza predykcyjna, bo słyszałam, że to młoda osoba... Ale cóż... Zna pani przysłowie „Duch tchnie, kędy chce"...

– *Spiritus flat, ubi vult*** – powiedziała Leokadia w zamyśleniu.

Z placu Solnego, gdzie był gabinet Larysy, poszła Kiełbaśniczą, a potem przez most Pomorski przedostała się na ulicę Cybulskiego. Języka zaczerpnęła u młodych kobiet siedzących na jednym z podwórek przy piaskownicy, w której ich pociechy na przemian już to lepiły babki z piasku, już to się okładały łopatkami po głowach.

Zgodnie ze wskazówkami udzielonymi przez młode matki wróżka przyjmowała na drugim piętrze w narożnej kamienicy. Do mieszkania Leokadię wpuścił niski starzec, który sprawiał dość osobliwe wrażenie. Miał dziwnie wąską głowę wepchniętą mocno w zagłębienie, jakie tworzyły jakby uniesione ramiona. Wydawało się, że człowiek ten nie ma szyi. Rzadkie, długie i siwe włosy powiewały przy każdym jego kroku jak ptasi puch, a poruszał się nader żwawo. Ubrany był w czysto utrzymany surdut, który uszyto pewnie jeszcze w czasach Franciszka Józefa. Zamiast krawata miał romantyczną chustę oplatającą stojący kołnierz zwykłej i znoszonej koszuli.

– Witam, witam szanowną panią w naszych progach. – Nisko się skłonił. – Pani była umówiona z madame Margaritą? Była pani umówiona?

---

* Dziś ul. Jedności Narodowej.

** Duch tchnie, gdzie chce.

– Nie, nie byłam – odpowiedziała Leokadia, zastanawiając się, jak najcelniej określić w myślach tego człowieka. – Przychodzę z polecenia...

– A kto pani nas polecił? Kto taki?

– Ta osoba pragnie pozostać anonimowa. – Leokadia z wyższością spojrzała na mężczyznę, co z racji różnicy ich wzrostu nie było bardzo trudne.

– Rozumiem, najzupełniej rozumiem. – Człowieczek położył sobie dłoń na piersi i pochylił głowę. – Szanowna pani pozwoli, Antoni Dreksler, impresario madame Margarity...

– Ja także pragnę pozostać anonimowa. – Wyciągnęła ku niemu rękę w czarnej koronkowej rękawiczce, a Dreksler ucałował ją z szacunkiem.

– Zechce pani tu poczekać. – Wskazał na niewielki pokoik. – Życzy sobie pani coś do picia? Może domowego kompotu? Może wody gazowej? – Leokadia pokręciła głową. – A może herbatki? – Również odmówiła. – Są tam różne czasopisma, popielnica... – ciągnął Dreksler. – Wróżka Margarita ma właśnie klientkę... Przyjmie panią za dwadzieścia minut...

Leokadia weszła do ładnie urządzonej poczekalni, w której stały dwa fotele i niewielki stolik zasłany różnymi numerami „Przyjaciółki". Był to typowy pokój przechodni, oddzielony jednymi drzwiami od gabinetu, a drugimi od jeszcze jednego pokoju, prawdopodobnie dziecinnego, bo dochodził z niego szczebiot dziecka i piski jakiegoś zwierzątka. Odgarnęła woalkę z czoła i spojrzała przez okno. Po drugiej stronie ulicy, tuż nad Odrą, stał ponury przypominający warownię budynek, o którym Leokadia wiedziała, że był w czasach niemieckich aresztem wojskowym. Teraz mieściły się w nim mieszkania komunalne.

Dziecko szczebiotało za drzwiami coraz głośniej. Leokadia zbliżyła się i przez szparę ujrzała następującą scenę: dziewięcioletnia na oko dziewczynka stała przy stole i mówiła coś pieszczotliwie do małego zwierzęcia, które skakało po wielkiej półtorametrowej klatce. Leokadia wytężyła wzrok i zidentyfikowała zwierzątko. Była to mała małpka. Dziewczynka, przemawiając do niej, wykonywała jakieś ruchy palcami o symbolice sobie tylko wiadomej. Miała na głowie dwa warkoczyki, każdy u swej nasady ozdobiony wielką kokardą. Nagle stanął koło niej Antoni Dreksler. Głaskał ją długo po głowie i szeptał jej coś do ucha. Jego palce musnęły jej szyję. Dziecko skinęło grzecznie głową i ruszyło w kierunku drzwi, za którymi stała Leokadia.

Po chwili Dreksler znów kłaniał się w pas nowej klientce.

– Wróżenie się przeciąga, droga pani – powiedział. – A ja muszę wyjść... Oto Hania, córeczka madame Margarity... Ona dotrzyma pani towarzystwa...

Skinął głową i wyszedł z pokoju. Dziecko grzecznie dygnęło i usiadło na krześle, rozprostowując nóżki. Miała czyste, wypastowane buciki i koronkowe białe podkolanówki.

– To twoja małpka? – zapytała Leokadia, uśmiechając się do dziewczynki.

– Nie – odparła Hania. – Ja bym chciała, ale mama nie pozwala... To małpka pana Antoniego, a kiedyś była przy katarynce... Lubi pani katarynkę?

– Tak, bardzo lubię – skłamała Leokadia.

– Ja też!

– Jak się wabi ta małpka?

– Kloto.

– Tak miała na imię – Leokadia zamyśliła się – jedna z greckich boginek przeznaczenia, która przędła nić ludzkiego żywota. Jej siostry to Lachesis i Atropos...

Dziewczynka nie była w najmniejszym stopniu zainteresowana mitologią. Ta rozmowa chyba ją nudziła. Milczała i nasłuchiwała zgrzytu i dzwonienia tramwaju za oknem. Na palec nawijała rąbek sukienki. Była ślicznym dzieckiem. Jak z obrazka – tak pewnie o niej wszyscy mówili. Ciemne włosy wiły się wokół jej czoła, a niewielkie usteczka symetrycznie były dopełnione przez dołki w policzkach. Ukochana córeczka tatusia, którym nie jest okazujący jej czułość pan Antoni.

– Lubisz pana Antoniego? – zapytała Leokadia.

– O tak! – ożywiło się dziecko. – On mi w lekcjach pomaga!

– A w jakich to lekcjach?

– W matematyce!

Leokadia uśmiechnęła się z pobłażaniem.

– Rozumiem cię, drogie dziecko, gdy byłam w twoim wieku, też bardzo nie lubiłam matematyki...

– Jest inaczej, niż pani myśli! – W otwartych drzwiach gabinetu stała piękna czarnowłosa kobieta po trzydziestce i patrzyła na Leokadię życzliwie. – Moje dziecko jest bardzo uzdolnione i na lekcjach po prostu się nudzi. Matematyki uczy się od domowego nauczyciela i właśnie przerabia materiał licealny... Algebra... Mnie to niewiele mówi... Lepiej się znam na ludzkich duszach...

Domowy nauczyciel. Śmieszny demon – takie określenie pana Antoniego Drekslera przyszło Leokadii do głowy.

Przywitała się z wróżką i weszła do jej gabinetu.

$$\{x, y^\dagger, x^\dagger, y^\dagger, x, y^\dagger\}$$

Moja kuzynka przerwała swoją opowieść i wypiła łyk herbaty. Choć zmierzchało, nie zapalaliśmy światła w obawie przed komarami. Przez okno wpadał słodki zapach goździków brodatych. Na chodniku zastukały głośno buty milicjantów zmierzających do komisariatu.

– I co o tym sądzisz? – zapytała mnie Leokadia.

Nie chciałem pokazać rozczarowania jej opowieścią i zamyśliłem się głęboko nad problematem „jak tu nie urazić kuzynki?". Cała historia, wbrew jej przekonaniu, nie rzucała więcej światła na moje śledztwo. Oto Leokadia była u wróżki, której pomocnik pomagał w algebrze jej uzdolnionemu dziecku. I tyle. Cóż w tym było ciekawego? Jakiż nowy trop? We Wrocławiu jest wiele utalentowanych matematycznie dzieci. Jest też wielu ludzi, którzy mogą udzielać korepetycyj z prostej algebry. Wszak wzory na przemienność czy łączność wyrażeń albo też kwadraty sumy czy różnicy to żadna filozofia i takie zagadnienia wykładać może każdy, kto się w gimnazjum przykładał do matematyki. Miałem wrażenie, że kuzynka – po raz pierwszy czynnie mi pomagając w detektywistycznej robocie – bardzo chciała się wykazać. Aby tego dokonać, zaczarowała całą sytuację, nazywając w swej opowieści dziwaka „śmiesznym demonem", a małpkę kataryniarza – „boginią przeznaczenia".

– Nie okazujesz zbyt wielkiego entuzjazmu. – Leokadia była najwidoczniej rozczarowana moim długim milczeniem.

Wstałem i przeszedłem się po pokoju. Krążyłem wokół stołu, wykonując szybkie skręty. Przed oczami migały mi w półmroku mijane sprzęty – kredens, stojący zegar i fotel, na którym siedziała coraz bardziej zniecierpliwiona kuzynka. Nareszcie wpadłem na pomysł, jak uspokoić Leokadię.

– Nie okazuję ekscytacji – odparłem w końcu – bo w moim wieku rzadko co wzbudza mój entuzjazm...

– Chyba że wdzięki młodych niewiast... – mruknęła Leokadia.

– A poza tym – udałem, że nie słyszę tego zgryźliwego komentarza. – A poza tym jestem wierny twojej dewizie „*Festina lente*"*...

Zasłoniłem okno, zapaliłem światło i wyjąłem z kieszeni medalion na złotym łańcuszku.

– Co to? – Oczy Leokadii się rozszerzyły. – Mój złoty łańcuszek... A ja myślałam, że go zgubiłam... I nic ci nie mówiłam...

---

* Śpiesz się powoli.

– Podwędziłem ci go dwa miesiące temu. – Uśmiechnąłem się szeroko. – A potem dokupiłem do niego medalion i oddałem grawerowi... Oto prezent dla ciebie...

Leokadia była zdumiona i szczęśliwa. Nie wierząc własnym oczom, wpatrywała się w złoty medalion, na którym było wyobrażenie delfina, owijającego się wokół kotwicy.

– *Festina lente* – przeczytała napis na odwrocie medalionu, a potem wstała i ucałowała mnie serdecznie.

– Dziękuję ci, kochany Edwardzie! – powiedziała ze łzami w oczach. – Ale z jakiejże to okazji?

– Dokładnie sześćdziesiąt lat temu – pogłaskałem ją po policzku – przybyłem jako zapłakana po śmierci rodziców sierota, twój mały kuzynek, do domu twoich rodziców... W odróżnieniu od twoich braci, *sit eis terra levis**, przyjęłaś mnie bardzo serdecznie... I tak trwamy w tej obopólnej serdeczności sześć dekad...

Usiedliśmy w fotelach i przez dłuższą chwilę trwaliśmy w dobrym, spokojnym milczeniu. Leokadia oglądała medalion i ocierała oczy ze wzruszenia, ja paliłem powoli papierosa. W tej ciszy nasze myśli ulatywały w różnych kierunkach. Leokadia myślała pewnie o szczęśliwych latach stanisławowskich i o swoich studiach romanistycznych we Lwowie, które podjęła na początku wieku jako jedna z nielicznych wówczas kobiet. Pewnie myślała też o swoim koledze, młodym austriacko-polskim arystokracie, Ludwiku von Schönborn, który w głośnym na całe miasto romansie uwiódł ją i porzucił.

Moje myśli były bardziej zakotwiczone w teraźniejszości. Przed oczami przewijały mi się jak w filmie różne postaci, z którymi ostatnio miałem do czynienia: kałmuczka, wdowa po Froście, Bokser, fotograf Zaleski, Jacek Jonkisz, a nawet Waldek motocyklista. Potem przenosiłem się w myślach w różne miejsca – na Oporów, gdzie

---

* Niech im ziemia lekką będzie.

skatowano Jonkisza, na Pilczyce, gdzie następnego dnia miałem przeszukać atelier Zaleskiego, i na ciche uliczki Sępolna, po których jeździłem z panem Waldkiem w poszukiwaniu fotografów.

I wtedy mój mózg podsunął mi pod oczy fragmenty map Wrocławia.

Wstałem gwałtownie i popędziłem do pokoju. Na podłodze leżała polska i niemiecka mapa Wrocławia. Klęknąłem i patrzyłem przez chwilę na zaznaczone wcześniej ołówkiem strefy Belmispara.

Wpadłem z powrotem do pokoju i stanąłem rozpromieniony przed Leokadią.

– Oto i masz mój entuzjazm! – krzyknąłem. – Ulica Cybulskiego leży w strefie Belmispara! Idę jutro do tej wróżki!

Lodzia się uśmiechnęła.

– Już jej powiedziałam: „Mój mąż do pani przyjdzie"!

– Skąd wiedziałaś, że się rzucę na ten trop? Wiedziałaś, bo mieszkanie wróżki leży w strefie Belmispara, czy tak?

Leokadia zmrużyła oczy.

– Nie, nie dlatego! Znam cię lat sześćdziesiąt i wiem, że jesteś zabobonny...

Nie wyprowadzałem jej z błędu. Z tropem wróżki nie wiązałem żadnych nadziei, a wstąpiłem nań tylko dla Leokadii. Ostatecznie sześćdziesiąt wspólnych lat zobowiązuje.

$$\{x, y^{\dagger}, x^{\dagger}, y^{\dagger}, x, y^{\dagger}\}$$

W środę przyszedłem do kancelarii już o wpół do szóstej rano. Obudziłem stróża pana Wenantego Wachulca i wręczyłem mu złotówkę zgodnie z przedwojennymi zasadami, które mówiły, iż strzeżona kamienica jest zamknięta od dziesiątej wieczór do szóstej rano, a każdy, kto budzi stróża w tych godzinach, jest mu winny opłatę za wyrwanie ze snu.

Pracowałem wytrwale i w takim skupieniu, że zapomniałem o drugim śniadaniu i o tym, że z Beckiem jestem od dwóch dni na ty. Dopiero gdy mi zwrócił uwagę, kiedy tytułowałem go mecenasem, użyłem formy „Aleksandrze" i to nie przy koledze Lamparskim, lecz wyłącznie podczas rozmowy w cztery oczy, jaką z nim odbyłem około południa. Dotyczyła ona mojego wcześniejszego tego dnia wyjścia z pracy. Aleksander, kiedy dowiedział się, że sporządziłem w terminie wszystkie listy wartościowych rzeczy, które były w posiadaniu trzech świadków w pewnej obecnie prowadzonej przez niego sprawie, zgodził się chętnie, bym wcześniej opuścił kancelarię.

– Mówiłem ci już kiedyś, Edwardzie – rzekł, podając mi rękę na pożegnanie – że tak naprawdę twój obowiązkowy ośmiogodzinny dzień jest tylko pozorem dla inspektorów pracy. Ty jesteś zawsze wolny, kiedy wykonasz swoją robotę...

Nie pamiętałem wprawdzie takiej między nami umowy, ale uznałem, że po poniedziałkowym bruderszafcie pojawią się pewnie jeszcze inne, nowe zasady.

Z kancelarii zatelefonowałem do sklepikarza ze Szczytnickiej, z którego telefonu korzystał grzecznościowo pan Waldek. Sklepikarz wezwał sąsiada chyba jakimś tajnym i błyskawicznym sygnałem, bo po minucie usłyszałem w słuchawce głos motocyklisty. Umówiliśmy się za kwadrans pod kinem Śląsk. Bardzo mi odpowiadała współpraca z tym młodym człowiekiem. Był on słowny, małomówny i punktualny, a jego pannonia tak czysta, że przestałem już używać ceraty. Pojechaliśmy na róg Pomorskiej i Cybulskiego, gdzie postanowiłem odwiedzić gabinet wróżb. Jak wspomniałem, wiązałem z tą wizytą niewielkie nadzieje. Nieco bardziej od samej wróżki Margarity interesował mnie jej impresario. Matematyka i wróżbiarstwo splatały się mocno w mojej sprawie, a zatem nic dziwnego, że byłem ciekaw człowieka, który jest związany i z jedną, i z drugą dziedziną jednocześnie.

Pan Waldek zatrzymał się przy moście Uniwersyteckim, a ja wszedłem do narożnej kamienicy opatrzonej tabliczką „ul. Cybulskiego 1". W spisie lokatorów nazwisko „Dreksler Antoni" przypisane było do mieszkania numer dwa na parterze. Na liście nie znalazłem nikogo o imieniu Margarita. Na drugim piętrze, gdzie według Leokadii mieścił się gabinet wróżki, mieszkało dwóch lokatorów – pod siódemką Kwiatkowski Ryszard, a pod ósemką Fritzhand Izaak.

Wobec braku dzwonka zastukałem laską w drzwi, na których widniały dwa numery – dwa i trzy. Powtórzyłem to jeszcze kilka razy. Niezmiennie odpowiadała mi cisza. Wtedy nacisnąłem klamkę i znalazłem się w małym zagraconym przedpokoju, do którego wychodziły dwie pary przeciwległych drzwi. Było to typowe dla starych kamienic duże mieszkanie, które podzielono na dwa mniejsze. Na jednych drzwiach widniała wizytówka „A. Dreksler", na drugich nabazgrano „C.U. Wnukowie". Z tego drugiego lokalu dochodziła teraz charakterystyczna woń drożdży. Najwidoczniej pan o inicjale imienia C lub U i o nazwisku Wnuk produkował coś, co potocznie nazywało się bimbrem, a żartobliwie księżycówką, jako że ten nielegalny napój wytwarzano głownie w ciemnościach nocy. Domorosły gorzelnik Wnuk był jednak wyjątkiem od tej reguły.

Postanowiłem wykorzystać tę sytuację. Ktoś, kto pędzi bimber, jest obiektem łatwym do zastraszenia.

Pokręciłem się trochę po zagraconym miednicami wspólnym przedpokoju i wyszedłem, głośno zatrzaskując drzwi. Stałem na korytarzu i nasłuchiwałem. Po chwili usłyszałem, że drzwi Wnuków cicho się otwierają, a potem zobaczyłem oko w szparze drzwi wspólnych.

– Milicja! – krzyknąłem i pokazałem nowiutki dokument podpisany przez komendanta.

– Co jest!? Do kogo!? – Szpara w drzwiach nieco się poszerzyła i widziałem już w niej nie tylko oko, ale i nalany policzek.

– Do was, obywatelu Wnuk! Otwierać! Ale już!

Drzwi się otworzyły i stanął w nich tęgi, niewysoki mężczyzna ubrany tylko w robocze drelichowe spodnie. Na skłębionych kłakach na jego piersi osiadły krople potu. Wionęło od niego alkoholem. Najwyraźniej był nie tylko bimbrownikiem, ale i kiperem.

Bezceremonialnie wdarłem się do przedpokoju. Mężczyzna usunął się i patrzył na mnie z lękiem i nienawiścią. Chęć zrzucenia mnie ze schodów walczyła w tym człowieku z koniecznością udawania niewiniątka. W jego pijanej głowie zrodziła się chyba nadzieja, że nie rozpoznałem zapachu. Postanowiłem go jej pozbawić.

– Słuchaj no, Wnuk! – Wysunąłem szczękę. – Ja wiem, co tak tu śmierdzi! Pędzenie bimbru jest przestępstwem!

Jeszcze raz podsunąłem mu pod nos moje pełnomocnictwo. Gapił się na nie tępo. Najwidoczniej był analfabetą. Tym lepiej, na takiego każda pieczątka działa.

Otworzył mi drzwi mieszkania. Woń stała się intensywna.

– Pan wchodzi, wchodzi – zabełkotał. – Bo muchi lecą.

– Nazwisko! – warknąłem, kiedy już się znaleźliśmy w jego własnym, ciemnym jak grób przedpokoju, gdzie walczyły ze sobą różne wonie: bimbru, śmieci, pluskiew i kanalizacji.

– Wnuk Celestyn – odpowiedział.

– Posłuchaj, Wnuk – prychnąłem i zamachałem dłonią przed swoim nosem – śmierdzi tu u ciebie... Bimbrem i gównem, Wnuk!

– A ta moja Ulcia – krzywo się uśmiechnął – to dobra kobieta, ale czysta to nie bardzo... To co, panie władza, weźmie pan buteleczkę? Wódeczka pierwsza klasa! Ja jestem stary Al Capone...

Poznawszy imię jego połowicy, przystąpiłem do szturmu.

– Chcesz mnie przekupić, Wnuk? Ja tu mogę do ciebie zaraz przyjść, Wnuk, ale z mundurowym... I wtedy Ulcia pozostanie tu sama na całe lata i zarośnie brudem... A ty posiedzisz na państwowym wikcie, oj, posiedzisz...

– Gdzie tam przekupić, panie władza! – Uderzył się w pierś. – Ja tylko poczęstować... U nas w Sandomierskiem mówiło się „gość w dom, Bóg w dom"! Ja gościnny...

– Milczeć! – wrzasnąłem i spojrzałem na niego surowo. Widziałem, że strach bierze w nim górę nad rzekomą gościnnością. Zapaliłem papierosa, by choć na chwilę zabić odrażającą woń. Teraz był czas na ton pojednawczy. – Posłuchaj, Wnuk, ja o wszystkim mogę zapomnieć, ale ty zapomnisz o mnie i pary z ust nawet nie puścisz Dreksleroowi, rozumiesz?

Nie był zbyt bystry. Chwilę to trwało, zanim zrozumiał, kto to jest Dreksler.

– A, pan Antoni... – Pokazał sfatygowane uzębienie i uderzył się w pierś. – To ja nic... Słowa nawet!

– Dobrze! – powiedziałem. – A teraz prowadź do tej bimbrowni, to mi opowiesz o nim i jeszcze o kimś ze swoich sąsiadów...

Wnuk poprowadził mnie do kuchni. Stała tam cała aparatura. Jej głównym elementem był zrobiony z dwóch zespawanych ze sobą miednic baniak, z którego wychodziła rurka podłączona do prowizorycznej chłodnicy. W pomieszczeniu było ciemno – okna dokładnie zasłonięto kocem. Można było się udusić od smrodu i gorąca. Zdjąłem marynarkę i powiesiłem ją sobie na ramieniu. Obecną w pomieszczeniu kobietę rzeczywiście trudno było nazwać czystą.

Wnukowa Urszula, bo w takiej irytującej urzędowej kolejności przedstawiła mi się kobieta, ubrana była jedynie w brudny, niegdyś biały lniany fartuch bez rękawów i w tekstylne buty bez pięt. Gdyby ta otyła niewiasta miała jeszcze na głowie siatkowy czepek, wyglądałaby jak oprawczyni w zakładach mięsnych, waląca siekierą w półtusze i oddzielająca jelita. Bił od niej słodkawy odór, który – by pozostać w kręgu wyobrażeń mięsa i wnętrzności – kojarzył mi się z prosektorium. W odróżnieniu jednak od swego ślubnego była całkiem trzeźwa.

– Stary! – zwróciła się do męża. – Pilnuj bimberku, a ja pogadam z panem władzą! On głupi, panie władza. – Wyszczerzyła zęby i spojrzała na mnie. – Co on tam wie? Ja tu wszystko wiem!

Odsunąłem się od niej na sporą odległość i rozejrzałem się po pomieszczeniu – było pokryte od podłogi po sufit zieloną olejną farbą, która tu i ówdzie łuszczyła się od wilgoci. Na kuchni węglowej stał garnek, z którego się wylewał biały kożuch pleśni. Wyobraziłem sobie, jak w nocy ze zlewu wyłażą roje karaluchów. Wymarzone miejsce do konwersacji.

– Antoni Dreksler sam mieszka? – zacząłem przesłuchanie.

– Sam, tylko małpka z nim, o, taka w klatce – odpowiedziała kobieta. – Sam i chyba nikt do niego nie łazi... Rozumie pan, panie władza... Dobrze to ja nie wiem, bo jak bimberek robię, to i w kuchni siedzę... Do drzwi nie latam, by ślipieć, kto przychodzi do tego, skaranie boskie, sąsiada... On głowę do góry nosi i nawet „dzień dobry" nie powie! Taki to, kurwa, z niego chojrak... O przepraszam, ja niezwykła przeklinać... Raz mój stary na bimberek go zaprosił, rozumie pan, panie władza, bimberek, jakaś rybka z puszki, no fajno, z kulturką... To tylko coś mruknął, pokraka jedna, garbus w dziąsło szarpany, i wzgardził sąsiadami!

– Nikt do niego nie przychodzi?

– Tylko ta wywłoka z góry, ta wiedźma, skaranie boskie!

– Jaka wiedźma?

– To wiedźma i kurwa ostatnia, panie władza! – Wnukowa odsłoniła w złości żółte zęby. – Wróżka Margarita! – prychnęła. – Ja tu mieszkam od powojny, to widziałam, jak ona tu przyjechała... ta wróżka Margarita, a naprawdę to Heńka Rybak ze wsi Kokoszki... Tak mówiła... Jak cień, chuda, brzydka, z bękartem na ręku... I zaraz otumaniła tego starego Żyda Fritzhanda... I ożenił się z nią, panie władza! I taka kurwa to ma szczęście! Żyd porządny był człowiek, krawiec, bogaty, o tu, niedaleko, na Dubois – to nazwisko wymówiła zgodnie z pisownią – miał zakład... I co? Umarł biedak na zawał! Do tego go doprowadziła! A jej i jej bękartowi całe mieszkanie zostawił... Całe, nie podzielone jak nasze! I ta wiedźma tam gabinet wróżb otworzyła... Czary-mary! Że taką piekło nie pochłonie! I jeszcze ma czelność do kościoła chodzić! Co środa do spowiedzi, do katedry! Pokazuje światu, że niby pobożna... Że się woda święcona na jej widok nie zagotuje!

– Jak ona się teraz nazywa? Rybak czy Fritzhand?

– Fritzhandowa, a jakże! Żydowica jedna!

– Jak to się stało i kiedy, że Fritzhandowa zatrudniła Antoniego Drekslera? Jak on został jej impresariem?

– Impasariem! Od razu impasariem! – wrzasnęła Wnukowa. – Jej pies, nie impasario... Służy jej i ogonem merda! Pies nie weźmie, jak suka nie da! Spotkała go w kościele, panie władza, i w kościele otumaniła starego durnia... Taka to pobożnisia! A kiedy? Od razu po tym, jak stary Fritzhand kopyta wyciągnął... Nic więcej nie wiem, nic więcej nie pamiętam, panie władza, a ja wiem wszystko, ja nawet pamiętam, co ja mam zapomnieć! No co ja mam zapomnieć, panie władza?

– Niech mi tu Wnukowa nie pierdoli. – Użyłem grubego słowa, by się uwiarygodnić jako funkcjonariusz nowej władzy. – I niech mi tu zaraz Wnukowa powie, ile ma lat ta wróżka, a ile Dreksler!

– A ja wiem dokładnie! – Babsko uśmiechnęło się zjadliwie. – Bo kiedyś to ona wyjechała i Dreksler wyjechał... Pewnie razem... Pies za suką poleciał... No to wyjechali i sąsiadowi, Kwiatkowskiemu Rysiowi z drugiego piętra, zostawili odpis swoich dowodów, żeby Kwiatkowski od listonosza jego emeryturę i jej rentę po Żydzie odebrał... A Kwiatkowska to mi wszystko powiedziała... Ona wszędzie mówi, że ma trzydzieści pięć, a w dowodzie ma trzydzieści sześć! To kłamczucha jedna...

– Kto? Kwiatkowska? – Byłem trochę skołowany.

– Ona! Ta Margarita! – Wnukowa wykrzywiła pogardliwie twarz, wymawiając to imię. – Ona jest trochę nie ten tego, wie pan, co mówię, panie władza? Raz już była na Kraszaka, to ten jej bachor ryczał na całą bramę!

Zrobiła sobie kółko na czole, co miało podkreślić pobyt madame Margarity w szpitalu psychiatrycznym na Kraszewskiego.

Puściłem w niepamięć wzmiankę o obłędzie i skupiłem się na wieku Heńki *vel* Margarity. Nie wydało mi się specjalnie dziwne to, że w naszych czasach dowód dodaje komuś lat. Było to bardzo częste w sytuacji, gdy w czasie wojny ginęły dokumenty, a pożary trawiły kościoły wraz z metrykami chrztu. Ludzie dodawali lat sobie, a zwłaszcza swoim dzieciom, sadząc, że prędzej będą one uznane za pełnoletnie, otrzymają lepszą pracę, krótko mówiąc – że lepiej będą miały w życiu. Było to oczywiście myślenie magiczne, ale to właśnie magią zajmowała się madame Margarita.

– Kto jeszcze odwiedzał Antoniego Drekslera? – zapytałem na koniec.

– Jak Boga kocham, nie wiem, ja nie wychodzę i nie ślipię, jak ktoś stuka za drzwiami... Własnego nosa pilnuję... U nas taki interes, że lepiej nie leźć ludziom w oczy... No co, panie władza, buteleczkę pan weźmie? Za darmo, panie władza...

– Wieczorem. – Uśmiechnąłem się łaskawie. – Ja tu przyjdę do Wnukowej wieczorem.

Kobieta, nie przejmując się obecnością swego męża, chwyciła się pod boki i zaczęła się rytmicznie i uwodzicielsko kołysać.

– To ja będę czekać na pana władzę! – powiedziała to tak melodyjnie, że zabrzmiało prawie jak „oj da, dana!". – I rybkę z puszki otworzę! Fajno i z kulturką!

Cokolwiek by znaczyły jej słowa, zabrzmiały w moich uszach jak „Zapraszamy do kiły".

$\{x, y^{\dagger}, x^{\dagger}, y^{\dagger}, x, y^{\dagger}\}$

Było już dobrze po pierwszej, kiedy zadzwoniłem do drzwi mieszkania numer osiem. Otworzyła mi mała ciemnowłosa dziewczynka, na oko dziesięcioletnia. Dobrze ją Leokadia opisała. Mimo półmroku widziałem dziecko nienaturalnie piękne. Wyglądało prawie jak kicz, jak aniołek, który zszedł z oleodruku.

– Dzień dobry. – Dygnęła grzecznie. – Pan do mamusi?

– Dzień dobry, Haniu. – Uśmiechnąłem się serdecznie. – Tak, do mamusi...

– Mamusia ma klientkę – powiedziało dziecko. – I zaraz kończy... A potem idziemy do kościoła...

– Do spowiedzi? – zapytałem. – Mała kiwnęła głową. – Mogę zaczekać w domu, aż mama skończy?

Dziewczynka otworzyła drzwi i zniknęła. Wszedłem do pomieszczenia i dokładnie się rozejrzałem dokoła. Stare policyjne przyzwyczajenie.

W przedpokoju było sporo światła padającego przez otwarte drzwi dwóch pokojów. Trzecie, zza których dochodził donośny i dźwięczny kobiecy głos, były zamknięte. Na przeciwległej do trojga drzwi ścianie stał wieszak na płaszcze i kapelusze, a obok niego pięknie rzeźbiony stojak na parasole.

Dziewczynka siedziała w małym pokoiku przy oknie. Wszedłem tam i ujrzałem, że dziecko coś rysuje z wielkim zacięciem. Aż skostniałem z wrażenia, kiedy zobaczyłem te rysunki. Były to figury geometryczne w różnych kombinacjach – a to trójkąt wpisany w koło, a to koło w trapezie, a to jakiś walec, w którym zamknięta była kula. Po tych wszystkich figurach chodziły małe figurki ludzkie – głównie dziewczynki z warkoczykami i kokardami.

– Lubisz rysować, Haniu? – zapytałem.

Dziecko się trochę zawstydziło. Kiwnęło główką i dalej rysowało – tym razem sześcian.

Było w tej scenie coś niepokojącego i przewrotnego, coś niezgodnego z naturą. Oto dziewczynka, małe jeszcze dziecko –

zamiast rysować domki w lesie i zwierzątka na łące – wkracza w krainę abstrakcji i szkicuje geometryczne figury. Opętana przez bóstwo geometrii? – przyszła mi do głowy absurdalna myśl.

– Pokażesz mi jakieś inne swoje rysunki, Haniu? Są też tak ładne?

Wstała od stolika. Była ubrana w letnią sukienkę i lakierowane półbuty zapinane na klamerkę. Sprawiała wrażenie automatu, który bez słowa wykonuje polecenia. Poczułem niepokój i wstręt na myśl, która mnie teraz naszła. Śliczne i posłuszne dziecko, które wpuszcza obcych do domu i robi to, o co się je prosi, jest łatwym łupem porywaczy i zboczeńców.

Hania wyszła do drugiego pokoju i przyniosła stamtąd blok rysunkowy. Kiedy mi go podawała, spojrzałem na jej dłonie. Rozczulające swą kruchością, nieudolnie kokietujące blaszanym pierścionkiem ze szkiełkiem. Łup, łatwy łup dla perwersanta. Że tacy są zawsze i wszędzie, poznałem dobrze w czasie jednej ze spraw, które prowadziłem.

Ku mojemu zdziwieniu tym razem rysunki przedstawiały leśny pejzaż. Wśród dość nieudolnie naszkicowanych choinek tkwiły małe krzyże.

– Co to jest, Haniu? – zapytałem, wskazując na jeden z krzyży.

– Grób – odpowiedziała i zaczęła pokazywać inne jeszcze krzyże. – I to grób, i to... Wszędzie groby dzieciątek...

– Dlaczego rysujesz groby dzieci, kochanie?

– Bo mama rysuje – odparła Hania. – Mama zawsze rysuje groby i trumienki, a ja tylko odrysowuję...

Spojrzała na mnie swymi dużymi oczami i nie spuszczała wzroku. Czułem, że to spojrzenie mnie przenika na wskroś. Poczułem dreszcz na karku. Moje zmieszanie pokryłem w sposób niezdarny, ale jedyny, jaki mi przyszedł do głowy. Sięgnąłem do kieszeni i wyjąłem pięć złotych.

– Kup sobie lodów, kochanie! – Podałem jej monetę.

Hania wzięła ją, schowała do fartuszka na sukience, a potem dygnęła. Spojrzała na mnie raz jeszcze i nagle podbiegła. Objęła mnie rączkami za szyję i przytuliła się do mnie. Poczułem świeży dziecięcy oddech na policzku, a potem wilgoć w oczach. Trzydzieści lat temu tak mnie obejmowała moja nieżyjąca córka Rita.

– Co to jest? – usłyszałem dźwięczny głos. – Kim pan jest? Co ty robisz temu panu, Haniu?

W drzwiach stała wysoka brunetka o długich do ramion, lekko kręcących się włosach. Była ubrana w czarną sukienkę, na tyle obcisłą, by uwydatniać jej powabne kształty, i na tyle szeroką, by nie burzyć snów każdego napotkanego mężczyzny. Miała około trzydziestu pięciu lat. Jej cera była bardzo jasna, a oczy czarne i lśniące. Lekkie zmarszczki przy oczach budziły we mnie jakiś nieokreślony smutek, sentyment i czułość.

Podeszła do mnie, zdecydowanie stukając obcasami. Wskazała mi palcem drzwi. Grymas niechęci wykrzywił jej pełne usta.

– Mój Anioł Stróż ostrzegał mnie przed panem – syknęła. – Za panem idzie zło! Precz, szatanie!

Otworzyłem usta ze zdumienia. Może niepotrzebnie zlekceważyłem słowa bimbrowniczki o obłędzie sąsiadki?

Wytrzymałem piorunujący wzrok kobiety i po chwili namysłu uchyliłem kapelusza.

Opuściłem te gościnne progi. Do określeń, jakimi mnie ostatnio obdarzano, dopisałem kolejne.

$$\{x, y^{\dagger}, x^{\dagger}, y^{\dagger}, x, y^{\dagger}\}$$

Wskoczyłem do wózka motocyklowego i ponagliłem pana Waldka. Do drugiej zostało dwadzieścia pięć minut, a o tej właśnie godzinie Romuald Zaleski szedł na obiad i zamykał swój zakład. Miałem nadzieję, że zamek nie oprze się któremuś z moich wytrychów brzęczących w teczce z krokodylej skóry. Ruszyliśmy pędem na Pilczyce.

Na ulicy Księcia Witolda Waldek zwolnił, aby przepuścić furmankę wyjeżdżającą z bramy magazynów milicyjnych. Pod kamienicą naprzeciwko magazynów stało czterech mężczyzn i gapiło się na nasz motocykl. Widząc ich zakazane mordy, nie zachęcałbym mojego przewoźnika do zajeżdżania w te okolice po zmroku.

Mężczyźni patrzyli na nas przez chwilę, po czym weszli do kamienicy. Wiedzieli, dokąd mają iść. Zatrzymali się pod drzwiami numer dwanaście na ostatnim piętrze. Nasłuchiwali przez chwilę, a potem się rozdzielili. Dwóch z nich zeszło na półpiętro, a dwóch stanęło na schodach prowadzących na strych. Z mieszkania numer dwanaście dobiegał najpierw męski śpiew, a potem odgłos chlapania wody. Wtedy jeden z mężczyzn zszedł ze schodów i zastukał mocno w drzwi. Odgłosy higieniczne ucichły i w szparze, nad łańcuchem uniemożliwiającym otwarcie drzwi na oścież, pojawiła się namydlona twarz mężczyzny.

– Kto? – zapytał gospodarz, ocierając twarz z piany do golenia.

Zamiast odpowiedzi rozległ się tupot nóg na schodach prowadzących na strych. Jeden ze stojących na nich wcześniej mężczyzn teraz zbiegł w dół i runął na drzwi. Łańcuch nie wytrzymał pod tym impetem. Do mieszkania wpakowali się dwaj napastnicy, a dwaj kolejni wbiegli tam po sekundzie.

Walka była nierówna. Gospodarz usiłował się bronić. Krzyczał: „Ratunku!", i miotał się po jednopokojowym mieszkaniu z kuchennym nożem, odwracając się raz po raz całym ciałem w kierunku napastników. Ci, sięgnąwszy po różne niebezpieczne przedmioty, w milczeniu zaciskali wokół niego krąg. Kilka ciosów spadło na niego z dwóch naraz stron. Jeden zadany był stołkiem, drugi pogrzebaczem. Nie zdążył na nie zareagować. Stołek trafił go w głowę, pogrzebacz w ramię. Zachwiał się. Wtedy go dopadli.

Kiedy już leżał na brzuchu, dwaj napastnicy związali mu ręce na plecach. Dwaj pozostali chwycili go pod pachy i przyciągnęli do stojącej na podłodze balii, w której gospodarz jeszcze przed chwilą prał skarpety i bieliznę. Jeden chwycił go za włosy i wsadził mu głowę do wody. Brudna ciecz z wykwitami mydlin zalała mu oczy i usta. Czynność tę powtórzono kilkakrotnie.

Po minucie jeden ze zbirów wyciągnął napadniętego z balii, omal nie wyrywając mu włosów z czoła. Do twarzy topionego mężczyzny przylgnęła dziurawa skarpeta.

– Czy ty jesteś Wiesiek, kelner z Anatola? – gospodarz usłyszał pytanie.

– Tak – wychrypiał, a na ustach mu pękła bańka mydlin.

– Powiesz mi, gdzie teraz znaleźć Boksera, czy mam cię, kurwa, utopić?

$$\{x, y^\dagger, x^\dagger, y^\dagger, x, y^\dagger\}$$

Przed godziną drugą motocykl zajechał na ulicę Górniczą i zatrzymał się niedaleko zakładu „Foto Tęcza R. Zaleski". Liczyłem na to, że ujrzę fotografa wychodzącego z budynku na obiad, ale się zawiodłem. Różni ludzie wchodzili i wychodzili, ale w żadnej z tych osób nie rozpoznałem Romualda Zaleskiego. Być może mieszkał w tej bramie, gdzie miał zakład, i jadł posiłki po prostu w swoim mieszkaniu.

Gdyby tak właśnie było, to musiałbym skrócić planowaną rewizję. Owszem, mogłem do Zaleskiego wejść w majestacie prawa i zrewidować jego księgi, ale wobec takiego postępowania protestował we mnie jakiś zmysł przyzwoitości. Głupio mi było straszyć człowieka, z którym kilka dni wcześniej grałem w szachy.

W pracy policyjnej wielokrotnie udawałem tego, kim nie jestem, i wielokrotnie nawiązywałem nić sympatii, by potem – ujawniwszy moją tożsamość – tę nić brutalnie poszarpać. Ale szachy, ukochana przeze mnie gra, były czymś intymnym, czymś, co wzmacniało sympatię i wprowadzało ją w rejony niemal przyjacielskich relacji. Wolałem dokonać rewizji pod nieobecność niedawnego szachowego partnera, by tylko nie tracić jego szacunku.

Pięć po drugiej stanąłem pod drzwiami zakładu i – upewniwszy się, że na drzwiach wisi kartka z napisem „Przerwa 2–2 ½" – rozpocząłem manipulowanie wytrychami. Przed laty na szkoleniu policyjnym w wołyńskich Sarnach przeszedłem kurs techniki otwierania zamków. Zdobyte tam umiejętności wielokrotnie później wykorzystywałem.

Nie przydały mi się one jednak teraz. Kiedy tylko zacząłem wiercić w zamku wytrychem, drzwi się gwałtownie otworzyły. Stał w nich właściciel zakładu i patrzył się na mnie ze zdumieniem.

– Miał pan przyjść przed szóstą, aby zagrać w szachy – powiedział.

To proste stwierdzenie zmieszało mnie niewymownie. Aby ukryć konsternację, wszedłem do środka.

Na biurku stał tak zwany trojak – trzy naczynia umieszczane jedno nad drugim i zamykane na klamrę, która utrzymuje ich stabilność i nie pozwala im się przesuwać. W naczyniach tych nosi się obiady, w najniższym zupę, w wyższych drugie danie. Ten trojak był rozmontowany. W naczyniu wypełnionym zupą tkwiła łyżka, w dwóch kolejnych wznosiła się górka klusek.

Przy biurku siedziała staruszka, która przyjaźnie się do mnie uśmiechała.

– A pan to kulega Romcia, co z panem w szachy grał? Tak, Romciu, moje dziecko? – zwróciła się do fotografa. – Ten pan to kulega od szachów, a?

Staruszka mogła mieć lat sto, a mogła też mieć osiemdziesiąt. I jeden, i drugi wiek uwiarygadniał ją jako matkę Romualda Zaleskiego. Traktowanie przez nią jak dziecko człowieka niewiele młodszego ode mnie mogło być objawem starczej sklerozy.

– Tak, mamo – odparł fotograf. – To mój kolega od szachów, pan profesor... Matematyk...

Przełykałem gorzką ślinę i milczałem jak grób.

– O jak fajnu – ucieszyła się staruszka. – Mój Romciu tak szachy lubi i tuwarzystwa żadnego tu ni ma... Może pan zje, panie profesorze? Ja Romciowi knedli zrobiła... I barszczu ukraińskiegu...

– Niech pan siada, panie profesorze... – powiedział fotograf.

Usiadłem. Zapadło ciężkie milczenie przerywane czasami przez staruszkę, która kilkakrotnie dopytywała się, z jakich stron pochodzę. Kresowy dialekt przez nią używany zniechęcił mnie do powiedzenia prawdy, by nie uruchomić całej lawiny pytań i opowieści, jakimi by mnie pewnie obdarzyła, gdybym ujawnił me pochodzenie. Odpowiadałem zatem, że pochodzę z Kujaw, i czekałem cierpliwie, aż Zaleski zje knedle.

Kiedy to się w końcu stało, staruszka pożegnała się ze mną serdecznie. Kiedy się pochyliłem, by ucałować ją z uszanowaniem w dłoń, nieoczekiwanie chwyciła mnie za głowę i pocałowała w czoło.

– Jak to dobrzy, że Romciu takiegu ma kulegi – powiedziała, otarłszy łzę z zaczerwienionego oka.

Wyszła. Ja wciąż łykałem gorzką ślinę, a pod płonącą skórą twarzy czułem pulsującą krew. Na głowie pojawiły mi się grube krople potu.

Romuald Zaleski złożył ręce na biurku i patrzył na mnie bez słowa. Rozłożyłem dokument urzędowy i przesunąłem go po blacie biurka.

– Milicja – powiedziałem cicho. – Poproszę o księgi rachunkowe i spisy pańskich klientów z ostatniego roku.

Wstał i sięgnął na półkę sygnowaną „R. Nitzbon & Sohn". Potem położył przede mną brulion z zapiskami handlowymi z bieżącego roku. Chciał wyjść na zaplecze.

– Siedź pan tu i nie ruszaj się – warknąłem. – A ja sprawdzę, co mam sprawdzić, i się pożegnam...

Zaleski siedział, patrzył na mnie, a minuty mijały. Przesuwałem szkolną linijką po spisie klientów i nie mogłem się skupić. Wszędzie widziałem szczery uśmiech staruszki, którą rozpierała radość, że jej sześćdziesięcioparoletni syn ma nowego kolegę.

Nagle w tym spisie zobaczyłem inną twarz, której nigdy wcześniej nie widziałem i którą mogłem sobie jedynie wyobrazić. Subtelną, uduchowioną twarz, jaką często natura obdarza poetów i muzyków.

Pod datą 16 kwietnia br. było zapisanych kilka nazwisk. Jedno z nich brzmiało „Z. Frost".

Spojrzałem przeciągle na Zaleskiego, który wciąż siedział bez ruchu i w milczeniu mi się przypatrywał. Wyrzuty sumienia gdzieś się ulotniły. Zamiast goryczy w ustach czułem słodycz tryumfu.

Odsunąłem się nieco od biurka, by nie tracić z oczu niedawnego partnera szachowego. W kieszeni marynarki czułem bezpieczny ciężar brauninga. Sunąłem linijką niżej i niżej, i po chwili znalazłem nazwisko „A. Juszczykowska".

Rozciągnąłem się na krześle, które zatrzeszczało pod moim dziewięćdziesięciokilogramowym ciężarem. Założyłem laskę pod głowę i na niej oparłem ręce. Nie byłem przygotowany na to pełne zwycięstwo. Patrzyłem na Zaleskiego bez zmrużenia powiek i tym bezwzględnym spojrzeniem usiłowałem go zastraszyć. On jednak nie wyglądał na wystraszonego, a ja nie wiedziałem, co dalej robić.

– Ciekawe, ciekawe. – Zapaliłem papierosa i uśmiechałem się drwiąco. – Bardzo ciekawe, co, Zaleski?

– W tym spisie nie widzę niczego ciekawego! – odparł po chwili. – Zwykły spis klientów mojej firmy, panie... panie...

– Kapitanie – warknąłem, przyjąwszy moją AK-owską szarżę.

Wstałem, oparłem się pięściami o biurko i pochyliłem nad fotografem.

– Jak mi wytłumaczycie, Zaleski, że dwoje spośród waszych klientów zginęło tragicznie? Czy macie na to jakąś odpowiedź? Jeśli nie macie, to my ją z was wydusimy, Zaleski...

– Którzy to? – zapytał fotograf ze zdziwieniem.

– Antonina Juszczykowska. – Wskazałem palcem na drugie ze znalezionych nazwisk. – Znaliście ją?

Zaleski patrzył przez chwilę na mój palec i na zapis w księdze rachunkowej.

– Ja mam wyraźne pismo, panie kapitanie. – Spojrzał na mnie spokojnie. – Ale tu widać bardzo się śpieszyłem i napisałem trochę niedbale. To nazwisko to „A. Jurzykowska". Nie pamiętam tej kobiety, ale na pewno mam negatyw z jej zdjęciem... Mogę panu zaraz pokazać fotografię, panie kapitanie... Tylko pójdę do ciemni i wywołam...

Przy drzwiach zabrzęczał dzwonek. Do zakładu weszła młoda kobieta z trzyletnim może chłopczykiem. Dziecko miało na sobie ciepłą kurteczkę i wełniany berecik z antenką. Ubranie w sam raz na dzisiejszą pogodę. Skutkiem swego stroju dziecko było rozdrażnione i od razu po wejściu gruchnęło potężnym płaczem.

Odwróciłem się do kobiety i spojrzałem na nią. Wściekłość wywołana pomyłką musiała się wyraźnie malować na mojej twarzy, bo dziecko schowało się za matkę, a ta oparła dłoń na klamce.

– Won z tym bachorem! – ryknąłem.

Kobieta wyszła natychmiast, a ja całą uwagę zwróciłem znów na fotografa.

– A co mi o tym powiecie, Zaleski? – Wskazałem palcem na nazwisko „Z. Frost".

– Widziałem go dzisiaj rano, jak szedł do pracy – odparł spokojnie fotograf i wycelował palec w sufit. – Mieszka tu, pod czwórką...

Opadły mi ręce. Pozostawało mi jeszcze powiedzieć na pożegnanie: „Ja tu jeszcze wrócę, Zaleski!". Zbliżyłem się do biurka. Dopiero wtedy zauważyłem szachownicę z przygotowanymi do gry figurami. Były tak ustawione, że on miał grać czarnymi. Białymi miałem grać ja. W rewanżu, którego nie będzie. Obok szachownicy leżała książka. „Marek Aureliusz, *Rozmyślania*" – przeczytałem napis na jej grzbiecie. Punkt wyjścia filozoficznej rozmowy, której też nie będzie.

Nie powiedziałem nic.

Po wyjściu z zakładu spojrzałem na listę lokatorów. Widniało na niej nazwisko „Frost Zygfryd".

Kiedy już byłem na ulicy, Zaleski wyszedł z zakładu i podał mi moje zdjęcia.

– Ładnie pan wyszedł, kapitanie – powiedział z przymilnym uśmiechem. – Nic pan nie płaci. Gratis. Od firmy. I proszę wybaczyć mojej matce. Mam lat sześćdziesiąt dwa, a ona traktuje mnie jak dziecko... To demencja...

Wyjąłem zdjęcia i spojrzałem na widocznego na nich człowieka. Na jego łysej głowie widniał napis „Oszust".

$$\{x, y^{\dagger}, x^{\dagger}, y^{\dagger}, x, y^{\dagger}\}$$

Kiedy wróciłem do domu, nie było ani mojej kuzynki, ani obiadu. Wcale mnie to nie zdziwiło. Była środa, czyli dzień „zlotu czarownic". Tak ironicznie Leokadia nazywała spotkania ze swoimi przyjaciółkami w kawiarni Teatralnej obok Teatru Żydowskiego, gdzie panie latem spożywały kawę i lody, a zimą herbatę z malinami i napoleonki.

W środy nie jadałem zatem obiadów w domu, ale w restauracji Pod Złotą Kolumną na rogu Piastowskiej i Sienkiewicza. Dzisiaj sprzeniewierzyłem się temu zwyczajowi, nie chciało mi się nigdzie iść. Zjadłem kawałek chleba z gęsim smalcem i ten mało wykwintny posiłek popiłem zimną herbatą miętową. Potem położyłem się na dywanie w chłodnym pokoju, do którego popołudniowe słońce niemrawo się przebijało przez gęste liście akacji, i rozmyślałem o śledztwie.

Daleki byłem od radości, ale też od samokrytyki. Minęły dopiero niecałe dwa tygodnie, a ja ustaliłem z całą pewnością, że dwoje pośród trojga rzekomych samobójców nie miało powodów do desperackiego czynu. Leokadia odkryła, że wszyscy troje stali przed jakąś ważną decyzją życiową. To ustalenie podsunęło dwa tropy: fotograficzny i wróżbiarski. Oboma szedłem uparcie, choć różne były motywy podążania nimi i różne przekonania o sensowności każdego z osobna. Trop wróżbiarski był tajemniczy, intuicyjny i kuszący, trop fotograficzny – nudny, racjonalny i jałowy. Nie mogłem zrezygnować z żadnego z nich. Byłem dwiema osobami w jednym ciele – zimnym śledczym i pełnym pasji odkrywcą żądnym zrozumienia świata, którego obraz zaciemniał zabobon. Pierwszy z Edwardów Popielskich chciał zakończyć sprawę Zaranek-Platera, zainkasować godziwe honorarium i przez tych kilka lat, jakie mu zostały, czytać Cycerona w ogrodzie botanicznym, drugi zaś za wszelką cenę chciał zrozumieć, czy związek Belmisparowych dni, miejsc i ludzkich ciągów ma coś wspólnego z prawdą, czy też jest wyłącznie wytworem chorego umysłu.

Te rozważania mój zdrowy umysł uznał w końcu za męczące i zapadłem w sen. Po godzinnej drzemce i bezmyślnej lekturze gazety wstałem, ubrałem się i po raz drugi tego dnia ogoliłem. Starannie dobrałem strój. Darowałem sobie krawat, a na sportową marynarkę z wszytym z tyłu paskiem wyłożyłem duży kołnierz popelinowej koszuli. Słomkowy niewielki kapelusz z szeroką granatową taśmą dopełnił całości. Do kieszeni marynarki włożyłem ceratę – na wszelki wypadek, gdybym miał gdzieś na kogoś czekać w mało komfortowych warunkach, na przykład w mieszkaniu Wnuków. Nie chciałem się przyznać sam przed sobą, ale wiedziałem, dlaczego włożyłem teraz świeże i eleganckie ubranie. Nie dla Drekslera, którego miałem zamiar przesłuchać, nie dla niego...

Mimo że tego dnia upał zelżał, popołudniowa wędrówka o lasce koło katedry, przez Wyspę Słodową i Bielarską do mostu Uniwersyteckiego nie była wymarzonym spacerem. Owszem, większość drogi przebiegała w przyjemnych warunkach – wśród drzew i w cieniu monumentalnych budowli – ale pod koniec trasy, przy dawnym niemieckim areszcie wojskowym, mogły spotkać wędrowca nieciekawe niespodzianki. W mieszkaniach komunalnych tam urządzonych nie mieszkali ludzie nastawieni przyjaźnie do obcych. Kiedy tamtędy przechodziłem, kilku młodzieńców narodowości cygańskiej wykrzykiwało w moim kierunku jakieś dezyderaty typu „poczęstuj fajką, dziadek", a kiedy nie zwracałem na nich uwagi, posyłali w moim kierunku grube słowa. Nie wziąłem ze sobą brauninga, na szczęście na wyzwiskach się skończyło.

Po przekroczeniu mostu Uniwersyteckiego byłem już o krok od celu. Przechodząc przez jezdnię, patrzyłem uważnie w okna narożnej kamienicy. Chciałem i nie chciałem jednocześnie, by Henryka Rybak *vel* madame Margarita dostrzegła mnie z góry. Czekało mnie jeszcze przesłuchanie Antoniego Drekslera, a wróżka mogła je poważnie zakłócić. Sam jej widok byłby jednak rekompensatą tej niedogodności.

Zakląłem w duchu. Śledztwo było ważniejsze od widoku najpiękniejszych choćby kobiet. Impresario mógł dysponować spisem klientów, a przede wszystkim – jako trochę wróżbita, trochę matematyk – mógł mi nawet nieświadomie podpowiedzieć coś, co by pomogło zrozumieć ten wciąż nieuchwytny i niejasny w całej sprawie mariaż wróżbiarstwa, samobójstw i matematyki. Ze strony zapalczywej madame natomiast mogłem się tylko spodziewać tego, że znów nazwie mnie szatanem i wyśle do moich rzekomych współdemonów.

Antoni Dreksler był na szczęście w domu i nie musiałem czekać na niego na przykład – Boże broń! – u pani Wnukowej, z którą właściwie byłem dziś umówiony, nie pamiętałem dobrze, na bimberek „pod śledzika" czy też „pod sardynkę".

Leokadia trafnie opisała Drekslera jako człowieka bez szyi, natomiast określenie „garbus", jakie dziś pod jego adresem padło z ust Urszuli Wnukowej, było grubą przesadą. Jej sąsiad miał, owszem, nieco zaokrąglone plecy, ale nie bardziej niż przeciętny księgowy czy bibliotekarz.

Moje milicyjne pełnomocnictwo znalazło w oczach Drekslera pełne zrozumienie. Zaprosił mnie do mieszkania, pochyliwszy się nisko w ukłonie. Gdyby miał kapelusz z piórem, to pewnie omiótłby nim ziemię. Zamiast kapelusza miał jednak na głowie szlafmycę z kutasem, a jego stroju dopełniał jedwabny kwiecisty szlafrok, spod którego wychodziły tasiemki kalesonów. Ten osobliwy strój domowy był przedsmakiem tego, co ujrzałem później. Po wejściu do jedynego w tym mieszkaniu pokoju poczułem się, jakbym się przeniósł do teatralnej garderoby. A wszystko to z powodu wiszących wszędzie na obitych aksamitem ścianach ubrań rodem z czasów Bismarcka. Były to surduty, peleryny, meloniki i cylindry. Wśród nich znalazła się nawet sutanna. Wszystko umieszczono na różnych wysokościach, a stojący przy drzwiach drąg z hakiem pozwalał gospodarzowi ściągać to, co akurat mu było danego dnia potrzebne.

To wieszanie wokół ubrań nie było, jak mi się na początku zdało, objawem ekstrawagancji lokatora tego lokalu, ale chyba raczej jego zmysłu praktycznego. Nawet gdyby się udało kupić szafę zdolną pomieścić te wszystkie ubrania, to pewnie zajęłaby ona całe to pomieszczenie. Pokój Drekslera był bowiem mikroskopijny. Mieściła się w nim tylko otomana, stary wytarty na oparciach fotel i duży stół przykryty kordonkowym obrusem. Na stole stała ogromna klatka, w której skakała katarynkowa małpka. Do tych sprzętów niełatwo było się dostać, bo na podłodze w równych stosach ustawiono książki i trzeba było między nimi manewrować.

Dreksler robił to bardzo sprytnie i zaraz dotarł do otomany. Siedząc tam, wskazał mi ręką fotel. Byłem mniej zręczny od niego i jednym stosem książek zachwiałem, a drugi wprost obaliłem na ziemię. Stawiając go na nowo, ujrzałem francuskie głównie tytuły właściwe dla astrologii, spirytyzmu i okultyzmu.

Nie przejmując się pytającym spojrzeniem Drekslera, wyjąłem ceratę i rozłożyłem ją na fotelu. Usiadłem i dobyłem z siebie głębokie westchnienie. Męczący był ten dzień.

– Czym mogę panu służyć, panie oficerze?

– Nie jestem oficerem. – W rozmowie z Drekslerem nie miałem zamiaru przypisywać sobie kapitańskiej milicyjnej rangi, ale też daleki byłem od mówienia prawdy. – Jestem stałym współpracownikiem milicji i ekspertem sądowym. Badam matematyczny aspekt pewnej sprawy...

– Jakiej sprawy? Jaki matematyczny aspekt? – Dreksler aż podskoczył z ekscytacji.

– Staram się być kulturalnym człowiekiem, proszę pana – oznajmiłem lodowatym tonem. – I nie skarcę pana ostrym napomnieniem typu „kto tu zadaje pytania?".

Zamilkliśmy. Zza obitej aksamitem ściany doszły pijackie okrzyki. Widocznie u sąsiadów było „fajno i z kulturką". Chciałem ostrzec astrologa, by zdarł ze ścian aksamitną draperię. Pluskwy od Wnuków mogły pod nią znaleźć bezpieczne schronienie, o ile jeszcze dotąd tego nie zrobiły.

– Słucham pana i o nic już nie pytam – powiedział Dreksler.

– Jak się madame Margarita rozlicza z urzędem skarbowym?

– Płacimy opłatę zryczałtowaną jak inni przedstawiciele branży rozrywkowej...

– A zatem nie sporządza pan list klientów madame? – W moim głosie był pewien zawód.

– Owszem, sporządzam.

– Po co?

Dreksler odsapnął i długo milczał. Za ścianą ożywił się schrypnięty głos i zaśpiewał solo: „Szła dzieweczka do laseczka, do zielonego!".

– Widzi pan – zaczął z wahaniem. – Ja jestem stary dziwak, niektórzy uważają mnie za pomylonego... Opowiem coś panu o sobie, jeśli pan pozwoli... To naprawdę wyjaśni, dlaczego robię te spisy, choć ze względów urzędowych wcale nie muszę...

Kiwnąłem głową z aprobatą. Uznałem, że nadszedł czas na okazanie mojemu rozmówcy łaskawości. Wyciągnąłem ku niemu papierośnicę. Odmówił, twierdząc: „Nigdy nie paliłem, nawet w gimnazjum". Ja wręcz przeciwnie – od gimnazjum paliłem zawsze.

– Przed pierwszą wojną mieszkałem wraz z rodzicami w Łodzi. – Dreksler uśmiechał się do wspomnień. – Zajmowaliśmy duże mieszkanie na Piotrkowskiej... Zna pan Łódź? – Pokręciłem przecząco głową. – Otóż w tym mieszkaniu – ciągnął astrolog – działy się nocami dziwne rzeczy... Coś szeleściło, coś stukało, często rozlegały się śmiechy i jęki. Mówiąc dosadnie: coś straszyło. Słyszała to moja matka, słyszałem ja, słyszały kolejne służące, które się z powodu tych strachów zmieniały jak w fotoplastykonie... Tylko ojciec nic nie słyszał i gromił wszystkich za uleganie zabobonom. Był to człowiek światły, absolwent politechniki w Rydze, przemysłowiec, dziś powiedzielibyśmy „burżuj"... Nie dopuszczał myśli o duchach i nie chciał za nic się zgodzić na zmianę mieszkania. No to moja matka oszalała... Tak, proszę pana, zwyczajnie zwariowała od tego straszenia... Ojciec się załamał, zaniedbał nasze wychowanie, zbankrutował... Ale wciąż, w chwilach przytomności od wódki, wołał, że duchów nie ma. A ja, wbrew ojcu, nie chciałem za nic uwierzyć, że to, co doprowadziło matkę do obłędu, było w niej samej... Rozumie pan, co mam na myśli?

– Nie bardzo – odpowiedziałem zgodnie z prawdą.

– Byłem przekonany, że obłęd matki nie tkwił w jej głowie i pod wpływem tajemniczych zdarzeń dopiero się uruchomił... Byłem przekonany, że przyszedł on z zewnątrz... Że jakaś istota demoniczna spuściła na nią szaleństwo... I zacząłem tej istoty szukać...

– W jaki sposób? – Poczułem na karku dreszcz niepokoju.

– Nie wiem, dlaczego właściwie panu o tym mówię... – zasępił się Dreksler i zaczął pocierać palcami skronie.

– Pytanie moje było – przypomniałem. – Dlaczego pan zapisuje klientów madame, podczas gdy z urzędowego punktu widzenia nie jest to wcale potrzebne...

– O tak, rzeczywiście. – Dreksler uderzył się w czoło z takim impetem, że poruszył mu się na skroniach ptasi puch, jaki tworzyły jego włosy. – Miałem panu wyjaśnić, dlaczego zapisywałem tych ludzi... Tak, tak... Otóż, widzi pan, matka, zanim umarła, miała ataki histerii i melancholii... Zauważyłem, że dzieje się to w określone dni, kiedy moja mała małpka kapucynka, moja ukochana zabawka z dzieciństwa, o, prawie taka sama jak ta tutaj, moja Kloto. – Wskazał na klatkę, w której zwierzątko siedziało spokojnie i jadło kawałek marchewki. – Otóż melancholia nachodziła matkę wtedy, kiedy moja dawna małpka... dziwnie się zachowywała...

– A jak mianowicie? Co to znaczy dziwnie?

Dreksler się zamyślił i długo milczał. Miał opory przed wyjawieniem mi jakiejś tajemnicy. Ja zaś zastanawiałem się poważnie, czy przypadkiem nie tracę tu czasu na słuchanie osobliwych opowieści o duchach i straszydłach, kiedy tylko na jedno moje słowo zgodny, kulturalny i grzecznie współpracujący Dreksler pokaże mi wszystko, czego od niego zażądam. Jedno moje słowo, a zaraz wyląduje przede mną spis klientów wróżki, ja go przejrzę i cała moja misja, z jaką tu przyszedłem, będzie już wypełniona.

– Uzna mnie pan naprawdę za wariata, kiedy to powiem... – wydukał w końcu impresario.

– Uznam, że coś pan przede mną ukrywa, jeśli mi pan nie powie. – Doszedłem do wniosku, że mogę jeszcze o kilku osobliwościach wysłuchać, bo puenta, do której zmierza Dreksler, nie jest tak wcale odległa.

– Otóż tamta małpka w Łodzi bawiła się kostką do gry – powiedział wolno. – Kiedy wyrzucała sześć liczb z rzędu, na przemian parzysta i nieparzysta, matka ulegała atakom... Małpka zsyłała na nią te ataki... A zwierzęta mają w sobie jakiś magnetyzm... Słyszał pan o magnetyzmie zwierzęcym?

Pokręciłem przecząco głową i zgasiłem papierosa. Kolejny cudak na mojej liście szaleńców.

– O to właśnie... – szepnął Dreksler. – Tyle chciałem panu powiedzieć...

Odetchnął z wyraźną ulgą i patrzył na mnie z nadzieją, że go nie wyśmieję.

– Nie odpowiedział mi pan na moje pytanie. – Byłem już znużony.

– A tak, rzeczywiście – odparł Dreksler. – Zgadza się... Dlaczego zapisuję klientów madame? Widzi pan, niech pan spojrzy... W klatce małpki jest stojak z dwiema drabinkami prowadzącymi do kosza. W koszu jest orzech. Kloto ma do dyspozycji dwie drabinki... Czarną i białą... Wkładam ten stojak z drabinkami do klatki codziennie rano, kładę po kolei sześć orzechów i patrzę, którędy po nie wchodzi...

Spojrzałem do klatki. Rzeczywiście w klatce wszystko było urządzone tak, jak mówił. W tej chwili zwierzątko siedziało na czarnej drabince i patrzyło na mnie swymi mądrymi okrągłymi ślepkami.

– Kloto wchodzi po orzech raz po jednej, raz po drugiej drabince... I wie pan, kiedy wchodzi tak na przemian trzy razy z rzędu, to madame dostaje melancholii... Przez następny dzień nie odzywa się do mnie i traktuje mnie okrutnie... Wyśmiewa się... Ale ja się nie gniewam, wiem, że jakaś istota demoniczna zsyła na madame tę melancholię... Ale nie wiem kto... Demon opętuje wtedy albo małpkę, albo któregoś z klientów... A madame ma wielką siłę duchową, ale pamięć u niej słaba... Dlatego notuję nazwiska klientów i opisuję ich wygląd... Potem, kiedy melancholia już minie, ja te nazwiska jej czytam, przypominam, jak ci ludzie wyglądali... I wie pan co? Margarita myśli, przypomina sobie rozmowy z tymi ludźmi, sprawdza, co im wywróżyła, i nic z tego nie wynika... Okazuje się, że ci ludzie nie mówili niczego, co mogłoby madame wzburzyć... Nie odczuwała w rozmowie z nimi żadnych złych fluidów... I jaki z tego wniosek? Winną jest małpka Kloto... Ona swym magnetyzmem tak oddziaływa na madame... – Dreksler wstał i zbliżył się do klatki. Wyszczerzył zęby do zwierzątka. Ono zaś zaniepokoiło się i pisnęło głośno. – Zabiłbym cię, gadzie – wychrypiał do małpki astrolog – ale mała księżniczka zbyt mocno cię kocha...

Zmarnowałem czas na rozmowę z nieszkodliwym wariatem. Nie żałowałem jednak niczego. Marnowanie czasu to cecha mojego zawodu.

– Pokaż pan w końcu te spisy – mruknąłem.

– Mówiłem madame o tym, że małpka zsyła na nią melancholię. – Impresario jakby zupełnie nie słyszał mojego polecenia. – Że zsyła na nią zło... Jak dzisiaj. Ostatnio to w ogóle Kloto chyba zwariowała, wie pan? Wciąż wchodzi na przemian raz po białej, raz po czarnej drabince! A pani wciąż cierpi na melancholię...

– Naprawdę? – powiedziałem niechętnie. – Pewnie za dużo grochu pan daje małpie... Wzdęcia nie sprzyjają spokojnemu zachowaniu... No, dawaj, człowieku, te spisy i idę do domu je przestudiować!

Dreksler spojrzał na mnie nieco oburzony.

– To jest do zwrotu, panie oficerze! – Wręczył mi zatłuszczony zeszyt. – Bardzo proszę! Do zwrotu!

Przejrzałem go pobieżnie.

Zesztywniałem. Impresario miał piękne kaligraficzne pismo. Bardzo wyraźne. Nie pozostawiało ono żadnych wątpliwości podczas odczytywania.

Wśród wielu nieznanych mi nazwisk trzy dobrze znałem. „A. Juszczykowska", „M. Pasternak", „Z. Frost".

$$\{x, y^{\dagger}, x^{\dagger}, y^{\dagger}, x, y^{\dagger}\}$$

Leokadia cieszyła się jak dziecko, kiedy ją poinformowałem, że jej trop okazał się trafny. Chciała mi okazać swą radość na różne sposoby. W czwartek znów przygotowała na obiad hepatosznycel i wciąż wchodziła mi w oczy po to tylko, bym na nią spojrzał i się ucieszył tym, że cały czas nosi na szyi podarowany jej przeze mnie medalion.

A ja nie okazywałem jej więcej serdeczności niż zwykle, bo wciąż myślałem o sprawie Belmispara. Wraz z odkryciem, jakiego dokonałem w księgach Drekslera, wkroczyłem w mym śledztwie na *terra incognita**. Oto znalazłem się na ziemi tajemniczej, mglistej i – czułem to – bardzo niebezpiecznej. Był to świat rządzący się jakimiś osobliwymi związkami przyczynowo-skutkowymi, gdzie skoki małpy decydowały o ludzkich nastrojach, dzieci rysowały trumny i krzyże, a piękne kobiety o rozchwianej psychice brały mnie za demona. I było dla mnie prawie jasne, że ktoś w tym świecie manipuluje niewinnymi ludźmi, którzy byli

* Nieznany ląd.

na tyle głupi i na tyle pyszni, by chcieć poznać przyszłość. Ten Ktoś był w jakiś tajemny sposób uwikłany w ich śmierć. Kto to był i na czym jego udział polegał? Tego zupełnie nie wiedziałem i – co gorsza – nie miałem zielonego pojęcia, jaką pójść drogą, by się dowiedzieć. Zabrać się ostro do przesłuchań Drekslera i madame Margarity? Usłyszę w zamian stek okultystycznych bzdur! Zbadać, czy istnieje jakiś związek pomiędzy teorią chorego psychicznie Eugeniusza Zaranek-Platera a spekulacjami Drekslera? To miałoby sens, gdyby założyć, że obaj się znają i w całą sprawę ten pierwszy jest zamieszany. O ile znać się rzeczywiście mogli, na przykład z jakiegoś towarzystwa metafizycznego, o tyle udział w samobójstwach szalonego matematyka, który lęka się opętania przez Belmispara i dlatego od roku siedzi na swym strychu zabezpieczonym sztabami na drzwiach i kratami na oknach, był bardzo mało prawdopodobny! Jakże on miałby się niby kontaktować z innymi ludźmi, na przykład z trojgiem samobójców? Telepatycznie – odpowiedziałby jakiś zabobonnik, ale ja zabobonnikiem nie byłem i tę odpowiedź odrzucałem. A może istnieje ktoś jeszcze inny, kto oddziałał i na Eugeniusza Zaranek-Platera, i na Drekslera? Jakiś guru sekty numerologicznej? Kto to był? I tu znów dochodziłem do znanego mi momentu, kiedy mój umysł, otumaniony nieco okolicznościami całej sprawy, podpowiadał mi „Demon!, Belmispar!".

I te wszystkie myśli huczały mi w głowie przez całe czwartkowe popołudnie. Wieczorem postanowiłem nieco od nich odpocząć i w towarzystwie wiernego brauninga wyszedłem na spacer do parku Nowowiejskiego. Znad stawu odgoniły mnie krzyki dzieci pluszczących się w wodzie i akordeonowa muzyka, przy której nad samym brzegiem tańczyło kilka par. Poszedłem w spokojniejszą część parku, w stronę kościoła Świętego Michała Archanioła. Sama świątynia, niedawno całkiem już wyremontowana ze zniszczeń wojennych, nie była jednak ostatecznym celem mojego spaceru. Był nim mały poniemiecki cmentarz leżący pomiędzy kościołem a ulicą Starczą*.

Lubiłem spokój tego cmentarzyka ukrytego pośród drzew. Tu zawsze znajdowałem samotność, bo Niemców we Wrocławiu już prawie nie było i mało kto tu przychodził na groby bliskich. Oprócz nich pojawiało się tu czasami kilka starych, mieszkających w pobliżu kobiet i zapalało z dobroci serca świeczkę, modląc się o spokój niemieckich dusz.

Choć tego wieczoru nawet ich tu nie było, nie odnalazłem tu samotności i spokoju. Kiedy już usiadłem na jednej z przygrobowych ławek, powiesiłem marynarkę na gałęzi i zamyśliłem się nad swym śledztwem, usłyszałem przeraźliwe skrzypienie zawiasów cmentarnej bramki. Odwróciłem się, a widok zgrabnej kobiecej postaci natychmiast ożywił moje ruchy. Włożyłem marynarkę i spojrzałem na zbliżającą się w moim kierunku sylwetkę.

Była to Henryka Rybak *vel* Fritzhand *alias* madame Margarita. Uchyliłem kapelusza i – kiedy spojrzałem w jej czarne roziskrzone oczy – natychmiast zapomniałem, że poprzedniego dnia nazwała mnie szatanem.

– Dobry wieczór panu! – Uśmiechnęła się nieśmiało.

– Dobry wieczór – odrzekłem.

Kobieta milczała. Najwyraźniej była zakłopotana tym, co miała mi zamiar powiedzieć.

– Mogę usiąść?

Wskazałem jej ławkę, na której leżała używana przed chwilą przeze mnie cerata.

– To dla pani, by się nie pobrudzić...

Uśmiechnęła się z wdzięcznością, usiadła, a ja wciąż stałem.

– Jak się mam do pani zwracać? Pani Fritzhandowa? Madame?

---

* Dziś ul. Edyty Stein.

– To drugie jest piękne... ale zbyt oficjalne, a ja do pana przyszłam nieoficjalnie. Może pani Henryko?

Omiotłem ją spojrzeniem. Miała na sobie rozkloszowaną sukienkę w kwiaty i nosiła dużą płaską torebkę z jasnej lakierowanej skóry. Oczy jej były lekko podmalowane, usta zaś pełne i piękne bez użycia szminki. Delikatne stopy spoczywały w białych pantoflach na obcasie. Mimo nieprzewidzianych męskich reakcyj zwyciężył we mnie stary policjant. Usiadłem na rogu ławki jak najdalej od tej kobiety.

– Jak mnie tu pani znalazła?

– Wie pan, ja jestem jasnowidzącą – uśmiechnęła się lekko – i wiem, gdzie kto mieszka... Ale tak naprawdę to miałam adres pana... No żony... Bo tak się przedstawiła pani Leokadia... Zaniosłam jej dzisiaj ekspertyzę astrologiczną, którą sporządził pan Antoni... Ja sama wróżę z kart, stawiam tarota, a pan Antoni do moich wróżb niekiedy dodaje astrologię... Na życzenie klienta... Cóż, prawie nikt nie chce horoskopów... Pana żona była pierwsza w tym roku... No to zaniosłam jej i zapytałam o pana... Wszak mówiła, że pan do mnie zajdzie, i skojarzyłam, że mężczyzna, którego wygoniłam wczoraj z domu, to właśnie pan... Powiedziała mi, że pan koło kościoła Świętego Michała zawsze szuka wytchnienia... No to jestem...

– Co panią do mnie sprowadza? – zapytałem.

– Dwie sprawy – odparła rzeczowo i spoważniała. – Po pierwsze, chcę pana przeprosić, a po drugie, ostrzec, bo...

– Zacznijmy od tego drugiego. – Nie wytrzymałem i przerwałem jej w pół zdania. – Przeprosiny niech będą później... Każda przyjemność jest najmilsza na końcu...

Henryka się zamyśliła, jakby nie słyszała nuty flirtu czy raczej – starczego świntuszenia w moim głosie.

– Przepraszam za wczorajsze zachowanie. – Wybrała inną kolejność swych działań niż ta, którą jej zaproponowałem. – Byłam bardzo podminowana... I kiedy zobaczyłam moją Hanię całującą obcego dorosłego mężczyznę, to wpadłam w furię... Rzuciłam na pana straszną obelgę... Jeszcze raz przepraszam!

– Ach co mi to też za obelga! – Uśmiechnąłem się lekko. – Ostatnio słyszałem o sobie takie określenia jak „stary kocur", „absztyfikant", „miglanc", „starik" i „pan Łysman"... A po pani wypowiedzi do tej listy dopisałem jeszcze „szatan". To normalne w mojej pracy...

Henryka roześmiała się perliście i powtórzyła cicho: „Pan Łysman", które to określenie najbardziej ją rozbawiło. A ja tak się rozdokazywałem, że powiedziałem o jedno zdanie za dużo. Zaraz otrzymam pytanie: „A jaka to praca?".

– A teraz ostrzeżenie, drogi panie – usłyszałem zamiast tego. – Wiem od pana Antoniego, że z pana to detektyw matematyczny... Tak właśnie powiedział mój impresario... I dodał, że bada pan matematyczne aspekty jakiejś kryminalnej sprawy, w którą są być może zamieszani moi klienci... „Być może", bo mój wspólnik mówił mi, że właśnie o ich spisy pan go prosił... Błagam pana, niech pan tego nie robi! Niech pan porzuci swoje śledztwo! Zaklinam... Mam złe przeczucia...

Nic nie było tak sprzeczne z moją pracą jak irracjonalizm i kierowanie się przeczuciami. O ile jeszcze czasami, bardzo rzadko, uwzględniałem własne intuicje, o tyle histerie nieznanych mi osób nie tylko nie skutkowały, ale doprowadzały mnie do irytacji.

– Te przeczucia podsunął pani Anioł Stróż czy dobry słowiański duch opiekuńczy Swarożyc Trzygłowy? – Uśmiechnąłem się drwiąco.

– Gdyby pan wiedział, jakie pan może uwolnić siły zła – Henryka była spięta i najwyraźniej zdenerwowana – toby pan wcale nie żartował...

Zapadło milczenie. Wieczorne powietrze dobrze przewodziło dźwięki. Na ulicy Nowowiejskiej zadudniły koła tramwaju.

Znad stawu słychać było krzyki dzieci i co wyższe akordeonowe dźwięki.

– Skąd pani wie, że mogę uwolnić złe siły? – zapytałem.

– Po co mam panu mówić? – odpowiedziała spokojnie. – Będzie się pan tylko śmiał... Błagam pana, niech pan porzuci tę sprawę... Ostrzeżenia, które dostałam, są bardzo, bardzo wyraźne... Zło, które idzie za panem, zagraża mnie i Hani... Pan sam jest dobry. Moja córeczka, która ma zadatki na wielkie medium, nie ucałowałaby nikogo złego... A pana tak... Ale za panem idzie diabeł... Niech pan posłucha! – nagle podniosła nieco głos. – Szuka pan związku między liczbami a przyszłością! Pan tego nie powiedział, ale ja to wiem! A przyszłość jest domeną Boga i nie wolno panu wkraczać na Jego pole! Pan depcze Boskie przykazania i w ten sposób sprowadzi zło na tych, którzy mają jakiś związek z pańskim śledztwem! A najwyraźniej taki związek mamy ja i moja córeczka!

Zdumiałem się tymi słowami.

– Ostrzega mnie pani przed czymś, co sama pani robi? Mówi pani do mnie, żebym nie wchodził na pole Boga, a tymczasem pani na tym polu kłusuje kilka razy dziennie.

Henryka wstała gwałtownie z ławki. Uczyniłem to samo. Patrzyła mi w oczy z wielką mocą. Nie bałem się jednak, że mnie zahipnotyzuje. Taki stary drań jak ja był odporny na wszelką hipnozę.

– Ma pan rację! – mówiła wciąż podniesionym dźwięcznym głosem. – Ma pan świętą rację! To moja tragedia! Pomagam ludziom, a odgadując przyszłość, jednocześnie grzeszę przeciwko pierwszemu przykazaniu! Czyniąc dobro, czynię zło! I wie pan, co mi pozostaje? Tylko błagać Boga o wybaczenie w cotygodniowej spowiedzi! To moja tragedia! To mój krzyż! Spowiadam się i w tym właśnie momencie, kiedy się spowiadam, wiem, że będę grzeszyć dalej! Czy pan to rozumie?

Na jej twarzy odmalowało się autentyczne cierpienie. Usta drżały, a oczy stały się jeszcze większe i wilgotne. Powstrzymałem się od głupiej rady, żeby zmieniła zawód, i czekałem na dalszy rozwój tej dziwnej rozmowy.

Henryka usiadła, łokcie oparła na kolanach i schowała twarz w dłonie. Po chwili uniosła głowę i spojrzała na mnie.

– Niech pan przerwie swoje śledztwo! Co mam zrobić, by je pan porzucił? Zrobię wszystko!

Oto los zesłał mi nieoczekiwany prezent. Trafiła mi się niezwykła okazja zgodnie ze znanym porzekadłem „jak ślepej kurze ziarno". Dzięki temu podarkowi mogłem pójść dalej w moich inwestygacjach. Musiałem jednak umiejętnie tę niespodziankę wykorzystać.

– Droga pani Henryko. – Usiadłem koło niej i z trudem powstrzymałem chęć pogłaskania jej po kruczoczarnych włosach, w których ujrzałem dwie–trzy nitki siwizny. – Chcę być z panią szczery... Nie mogę pani obiecać, że porzucę moją sprawę... Ale mogę pójść w zupełnie innym kierunku niż ten, który wydaje się pani tak straszny... I zrobię to, obiecuję, będę pani unikał jak ognia, byleby tylko nie dotknęło pani to zło, które się niby za mną ciągnie... Ale najpierw musi pani coś dla mnie zrobić... Musi pani złamać swe zasady, bo pewnie wróżbici je mają... Jak lekarze pewnie nigdy nie zdradzają tajemnic swoich klientów... Ja pozostawię panią i Hanię w spokoju, będę omijał ulicę Cybulskiego łukiem parabolicznym, ale pani mi najpierw powie wszystko, co pani wie o trojgu swoich klientach... Oni na pewno się pani zwierzali, bo jest pani też lekarzem ludzkich dusz... Pani mi powie wszystko o Marianie Pasternaku, Antoninie Juszczykowskiej i Zenonie Froście... I kiedy mi to pani powie, zniknę na zawsze z pani horyzontu...

Henryka wstała i ruszyła w stronę bramy cmentarnej. Poszedłem za nią szybkim krokiem.

– Obiecuję! Zniknę! – zawołałem.

Odwróciła się do mnie i w jej oczach dostrzegłem pioruny.

– *Apage, satanas**! – wrzasnęła.

$\{x, y^{\dagger}, x^{\dagger}, y^{\dagger}, x, y^{\dagger}\}$

W czasie gdy Henryka Fritzhandowa po raz drugi nazwała mnie szatanem, godzinę drogi z cmentarza, na którym to nastąpiło, rozegrały się dramatyczne wypadki, a ich głównym bohaterem był niejaki Ireneusz Semczuk, zwany Bokserem.

Osobnik ten zapałał kilka tygodni wcześniej wielką żądzą do Zofii Migaczówny, siedemnastoletniej dziewczyny mieszkającej z rodzicami i czworgiem rodzeństwa na ulicy Lwowskiej. Panienka Zosia była uczennicą szkoły prowadzonej przez Centralny Urząd Szkolenia Zawodowego i zapowiadała się na utalentowaną krawcową. Migaczowie – jedni z wielu polskich komunistów, którzy wrócili z Francji i Belgii do kraju przodków – byli twardym, robociarskim małżeństwem, które uważało, że dzieci niebite są niekochane. Tę zasadę aż za dobrze poznała ich najstarsza córka Zosia. Była bita przez matkę za najdrobniejszy sprzeciw, a przez ojca za kiepskie wyniki w nauce i za opuszczanie mszy w kościele, na które on, zdeklarowany ateista, na wszelki wypadek ją posyłał.

Ireneusz Semczuk, mieszkający ulicę dalej, o tym wszystkim wiedział i starannie sobie zaplanował zdobycie serca i ciała dziewczyny. Mimo trzydziestki na karku był wciąż kawalerem zgodnie z zasadą, która głosił wszem wobec. Brzmiała ona: „Jeśli się chcę mleka napić, nie muszę całej krowy kupować". Owo picie mleka było w życiu Boksera czynnością tak częstą, że uczyniło go sławnym „na całej parafii" – od Grabiszyńskiej po Żelazną.

---

* *Apage, satanas* (gr.) – idź precz, szatanie.

Semczuk uwodził Zosię nieśpiesznie i perfidnie, zdobycie jej uważał za święto i za tryumf, na który warto poczekać. Nadmiar pożądania wyładowywał przy pomocy wielu kobiet, które w odróżnieniu od Zofii Migaczówny nie miały ani żelaznych zasad moralnych, ani pustych akt na milicji. Perfidia jego polegała na tym, że dawał Zosi odczuć nieznaną jej wcześniej łagodność i obiecywał małżeństwo. Dziewczyna dała się oszukać tą obietnicą, jak wiele przed nią i wiele po niej. Któregoś dnia to oszustwo zadziałało tak mocno, że na zapleczu restauracji Anatol Zosia zrzuciła majtki, a Semczuk na stosie brudnych obrusów zdobył to, do czego tak długo i tak wytrwale dążył.

Owo wspólne „picie mleka" stało się czwartkowym cotygodniowym rytuałem, bo właśnie w czwartkowe popołudnia Migaczówna udawała się z obiadem do chorej samotnej ciotki, która mieszkała na Tęczowej. Na całe szczęście dla dziewczyny jej ojciec nigdy nie zainteresował się tym, dlaczego jej powrót do domu trwa o wiele dłużej niż powrót jej sióstr i braci, którzy zanosili ciotce obiad w inne dni tygodnia.

Tego popołudnia Migaczówna jakoś długo nie wychodziła od swej ciotki i Bokser zaczął się niecierpliwić. Jego kompani pili wódkę w najlepsze w sali restauracyjnej, a on siedział na zapleczu Anatola, nabrzmiały od żądzy i przy każdym kroku, jaki słyszał za zamazanym wapnem oknem prowadzącym na podwórko, rozpinał rozporek, by za chwilę go z trudem zapinać.

Jego dłoń nie powędrowała do guzika spodni, kiedy usłyszał na podwórku dudnienie kilku par butów. To nie mogła być Zosia. Ona poruszała się lekko i z gracją. Poczuł zwierzęcy niepokój i rzucił się do drzwi pomieszczenia. Było już zbyt późno na ucieczkę.

Ludzie, którzy od podwórka wpadli na zaplecze, byli gwałtowni i milczący. I najwyraźniej przyzwyczajeni do walki w ciasnych pomieszczeniach. Bokser po kilku sekundach leżał, a ktoś mu wpychał brudną serwetę między zęby. Po chwili poczuł, że ktoś okręca mu łeb cuchnącym wymiocinami obrusem.

A potem już nic nie czuł.

Ostatnia myśl, jaka mu zaświtała w głowie, dotyczyła Wieśka. Dlaczego nie było go w pracy? – zapytał sam siebie.

Ani tego popołudnia, ani żadnego następnego kelner Wiesław Sieja już się nie zjawił w Anatolu. Zamieszkał na odległym Brochowie i tam kelnerował w lokalu Bajka.

$\{x, y^{\dagger}, x^{\dagger}, y^{\dagger}, x, y^{\dagger}\}$

Małpka Kloto spełniała już teraz prawie bezbłędnie polecenia człowieka. Nauczyła się wchodzić raz po jednej, raz po drugiej drabince. Cały jej świat stał się uporządkowany. Robiła, czego od niej żądano, i otrzymywała za to nagrodę w postaci orzecha.

Ale po jakimś czasie droga po białej drabince stała się nieprzyjemna, ponieważ człowiek przykładał do niej druty. Prąd raził, choć nie tak mocno jak poprzednio. Małpka myślała, że w ten sposób zniechęca ją do białej drabinki. Omijała ją zatem, bo wspinanie się po niej było karane, i wybrała jako swą drogę po orzech jedynie drabinkę czarną.

Okazało się jednak, że nie o to chodziło człowiekowi. Kiedy małpka po raz kolejny użyła jedynie czarnej drabinki, spotkała ją straszliwa kara.

Człowiek wkładał przez pręty klatki pętlę, zaciskał ją znienacka na kończynie zwierzątka i przywiązywał ją do klatki. Potem to samo robił z kolejnymi kończynami i po kilku minutach małpka Kloto była przywiązana do prętów i unieruchomiona. Wtedy człowiek narzucał jej na głowę mały mokry kaptur, a potem z obu stron głowy przykładał baterie.

Małe uszy i kruche skronie małpki przenikał teraz ból, który nie był świdrujący i paraliżujący. On był jak walec. Gruchotał jej układ nerwowy. Kiedy osiągał swoje apogeum, zwierzątku drżały wszystkie kończyny, a drobne palce rozprostowywały się i kurczyły. Po futerku płynęły wydzieliny.

Niedługo to trwało, gdy zrozumiała, że ma do wyboru albo lekko cierpieć, wchodząc po białej drabince, albo cierpieć strasznie, w razie gdyby ją omijała. Kiedy to zrozumiała, wspinała się znów na przemian – raz po czarnej i zaraz potem po białej, mimo że używanie tej ostatniej równało się lekkiemu rażeniu prądem.

Za to dostawała orzechy.

Została upokorzona i poskromiona. Wbrew naturze uznała, że lekki ból, jaki ją spotykał, jest dobrem.

A człowiek osiągnął pewność, że małpka Kloto zawsze będzie się wspinała na przemian. Że ta naprzemienność została w skuteczny sposób wtłoczona w jej zwierzęcą psyche.

IV

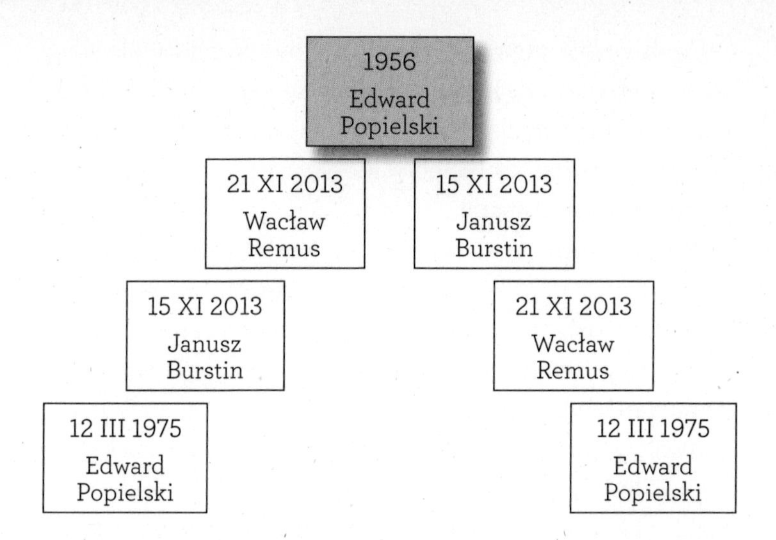

POSTĘPY W SPRAWIE BELMISPARA najpierw poczyniłem błyskawicznie, a później, po rozmowie z Fritzhandową na cmentarzu, utknąłem na dobre na mieliźnie. Pierwsze dwa tygodnie minęły na weryfikacji właściwych założeń śledztwa, trzy następne na męczącej nudnej robocie, której wynik był bardziej niż niepewny.

Gdybym był zabobonny, powiedziałbym, że wróżka rzuciła klątwę na moje śledztwo, ponieważ uznała, że ciągnę za sobą zło, które zagraża i jej, i jej córce. Byłem jednak racjonalistą do tego stopnia wierzącym w potęgę ludzkiego rozumu, że nie poddawałem się i cierpliwie wyobrażałem sobie dobry skutek mych działań. Czasami jednak zalewała mój umysł fala irracjonalizmu i śledztwo me stawało się jakąś nieznośną obsesją, jakimś nałogiem, hazardem, przymusem. Codziennie wyrywałem kartki z kalendarza i uważnie sprawdzałem godziny wschodu i zachodu Słońca, by upewnić się, czy dany dzień nie jest dniem ofiary dla wyimaginowanego bóstwa.

Wiem, dlaczego popadłem w ten nałóg. Ja się po prostu bałem, że nierozwiązanie sprawy samobójstw wywoła we mnie zwątpienie w racjonalność świata. A jeśli ją już utracę, to nic nie będzie takie samo jak wcześniej. Stracę fundament, jakim zawsze była dla mnie logika, związki przyczynowo-skutkowe zostaną porwane, a mnie samego pochłonie nierozumna, amorficzna magma grząska jak bagno, w którym zamiast logiki przeczucia mieszają się ze snami.

Brnąłem zatem uparcie w dalsze rejony tej sprawy, mimo że – parafrazując znane przysłowie – nie widziałem ani drzew, ani lasu. Po jakimś czasie trochę się w tym gąszczu rozjaśniło, ponieważ oczyściłem, po pierwsze, pole mych działań, sprawdziwszy księgi we wszystkich interesujących mnie zakładach fotograficznych, a po drugie, znikły ograniczenia czasowe, które do tej pory mnie krępowały. W pracy wziąłem należny mi urlop, a Leokadia wyjechała wraz ze swoimi przyjaciółkami do Karpacza, na wakacyjny zlot czarownic i w cieniu Śnieżki rozgrywała skomplikowane szlemy i szlemiki godne samego Culbertsona.

Tymczasem ja, niewyspany, często głodny i rozjątrzony tą dziwną sprawą, przez pierwsze trzy tygodnie sierpnia nic innego nie robiłem, jak tylko tropiłem i śledziłem dziwną parę wróżbitów. W swej inwigilacji albo siedziałem w smrodzie mieszkania Wnuków, albo obserwowałem okno madame z budynku dawnego aresztu wojskowego, za który to punkt obserwacyjny hojnie płaciłem Wnukowym bimbrem pewnej rodzinie z Wileńszczyzny o pięknym nazwisku Frliczka właśnie przybyłej do Wrocławia wraz z ostatnimi grupami repatriantów. Opłaciwszy się papierosami i gotówką, nie byłem tu też narażony na zaczepki ich cygańskich sąsiadów.

Ani astrolog, ani wróżka nie opuszczali prawie wcale swoich mieszkań – poza stałymi wizytami w katedrze w środowe popołudnia. Dziwiłem się, że zamiast rozkoszować się słońcem i latem siedzą w czterech ścianach. Hani zaś, której najodpowiedniejsze miejsce było teraz na łąkach czy w lasach, szczerze żałowałem.

W te środy – dzięki moim wytrychom – dokładnie przejrzałem wszystkie półki z książkami, sekretarzyki i biurka w obu mieszkaniach. Miałem nadzieję przede wszystkim na to, że znajdę jakieś ukryte księgi lub zapiski, w których natrafiłbym na troje samobójców. Nadzieje okazały się płonne. W licznych ręcznie pisanych dokumentach i notatkach nie znalazłem niczego godnego uwagi.

Oprócz inwigilacji i rewizyj wciąż łamałem sobie głowę nad tym, jak by tu dowiedzieć się od Henryki czegoś więcej na temat trojga samobójców. Ponieważ na cmentarzu zaprezentowała mi swój niezłomny wobec takich nagabywań sprzeciw, musiałem ją do tego zmusić szantażem. I poza siedzeniem pod ich oknami taki właśnie szantaż przygotowywałem. Aby zmusić Fritzhandową do mówienia, musiałem zdobyć o niej możliwie jak najwięcej informacyj, i to nie od jakiejś jędzy i plotkary, ale z wiarygodnego źródła.

Długo się nad takim źródłem zastanawiałem, aż w końcu wpadłem na pewien pomysł. Udałem się do mojego przyjaciela niezastąpionego i niezawodnego księdza Jasia Blicharskiego i zaprezentowałem mu moją prośbę. Zgodził się mi pomóc i już po kilku dniach pewien młody kleryk zostawił w zakładzie szewskim mojego sąsiada mistrza Morawskiego wiadomość, iż ksiądz sekretarz kapituły wrocławskiej oczekuje mnie u siebie. Następnego dnia – akurat była środa, a zatem dzień, kiedy nie śledziłem – stawiłem się w ogrodach kapitulnych nad brzegiem Odry.

Było tak jak zwykle – lwowskie i stanisławowskie wspomnienia, papierosy marki Lord i zimna lemoniada donoszona nam przez uczynne siostry zakonne. Po półgodzinnej pogawędce Blicharski przeszedł do rzeczy.

– Miałeś dobre przeczucie, Edziu... Informacyj o Henryce Rybak dostarczyła mi emerytowana przełożona jadwiżanek, których zadaniem jest przede wszystkim opieka nad dziećmi zagrożonymi zepsuciem i upadłymi dziewczętami... Otóż, już ci mówię, com zanotował w rozmowie z przełożoną klasztoru siostrą Eufrozyną... Pamięta ona dobrze Henrykę Rybak. – Blicharski wyjął zmiętą kartkę z kieszeni sutanny. Spojrzałem na nią krytycznie. – Dobrze, dobrze! – Prawidłowo zrozumiał moje spojrzenie. – Wiem, że ty to byś kartkę żelazkiem wyprasował, a ta moja jak psu z gardła wyciągnięta... Ale tu nie forma jest ważna, nie forma... Zaraz ci wszystko ustnie zrelacjonuję, a tymi zapiskami to ja tylko wspomogę starczą pamięć... – Włożył okulary i patrząc już to mnie, już to w kartkę, rozpoczął swą opowieść. – Otóż, jakoś we wrześniu 1946 roku... Taki jest zapis w księgach klasztornych... Otóż we wrześniu 1946 roku przyjęta została do klasztoru jadwiżanek kobieta o nazwisku Henryka Rybak, lat dwadzieścia sześć, z dwumiesięcznym dzieckiem na ręku. Ojciec dziecka NN. Kobieta szybko zadomowiła się w klasztorze, pracowała bardzo chętnie i wykazywała dużą pobożność i obyczajność. Była wykształcona, miała ukończone seminarium nauczycielskie, i udzielała lekcyj innym pensjonariuszkom i rezydentkom klasztoru. Po pół roku ośmieliła się coś więcej o sobie powiedzieć. Pochodzić miała, zgodnie z jej słowami – Blicharski spojrzał do notatek – z „kresów północnych" i przytrafić się jej miał straszny wypadek. Otóż zhańbiona została na jarmarku przez grupę pijanych furmanów i ta hańba zaskutkowała brzemiennością, której to owoc, dziewczynka imieniem Hanna, w zdrowiu nabierał sił i ciała na klasztornym wikcie... Rybakówna wyznała kiedyś ze strasznym pokutniczym płaczem, że miała zamiar spędzić płód i po modlitwach w klasztorze postrzega to jako straszną plamę na sumieniu... Po roku pobytu u jadwiżanek pożegnała je i rozpoczęła nowe życie jako żona u boku jakiegoś dużo od siebie starszego mężczyzny. Ten szybko ją odumarł. Wraz ze swoją córką odwiedziła kilka razy siostrę Eufrozynę, która jest jak najlepszego zdania o jej pobożności i sile ducha...

Zamyśliłem się głęboko. Od wody bił chłodny powiew. Z oddali dobiegały okrzyki dzieci, które skakały do wody z kładki przerzuconej nad stawem oddzielającym Wzgórze Polskie od Muzeum Narodowego. Z wież katedry dzwon wzywał miasto na modlitwę *Anioł Pański*. Ten ostatni dźwięk uświadomił mi, że Jaś Blicharski jest nie tylko moim gimnazjalnym przyjacielem i życzliwym informatorem, ale również kapłanem, i to takim, który bardzo poważnie traktuje swoje powołanie i zasady, jakie ono nań nakłada. Poczułem wściekłość na samego siebie.

– Przepraszam cię, Jasiu – powiedziałem przez zęby. – Z twojej opowieści rysuje się obraz kobiety, z którą los strasznie się obszedł i która dzięki swojej sile charakteru i pobożności podniosła się z upadku... Swoje rozbite przez dzikich wieśniaków życie skleiła i dobrze się teraz miewa... Jest zatem wartościową osobą... A ja... A ja chciałem...

Jeszcze nigdy kapłański stan mojego przyjaciela nie wprowadził mnie w takie pomieszanie i jeszcze nigdy nie czułem się przy nim tak podle.

– Wiem, co chciałeś. – Blicharski spojrzał na mnie znad okularów. – Chciałeś moje informacje wykorzystać, by do czegoś przymusić tę kobietę... Czy tak?

– Właśnie tak! – odparłem i wstałem. – I obiecuję ci, że tego nie zrobię! Chciałem ją przymusić do zeznań w pewnej sprawie, nie do folgowania wszetecznym żądzom... Zapewniam cię, Jasiu! A teraz żegnaj, stary druhu. Moja wizyta u ciebie była dla śledztwa bezużyteczna, dla duszy wręcz przeciwnie!

Blicharski uściskał mnie serdecznie i wręczył mi kartkę z zapiskami, które sporządził po rozmowie z siostrą Eufrozyną.

– Masz, mnie to już niepotrzebne!

Wyszedłem na ulicę Katedralną i udałem się w stronę seminarium duchownego. Koło jednej z przyklejonych do głównego gmachu katedry renesansowych kaplic przystanąłem i zapaliłem papierosa. W tej czynności przeszkadzała mi kartka z notatkami Jasia, którą nie wiedzieć czemu wciąż trzymałem w palcach. Chowając ją do kieszeni marynarki, zauważyłem, że jest ona zapisana również z drugiej strony.

„Częste listy na adres klasztoru – czytałem pośpiesznie notatki. – Jakaś ważna dla niej osoba. Listy chowała do poduszki dziecinnej".

Na tym kończyły się notatki. Zaciągając się papierosem, myślałem intensywnie. Podczas rewizji w mieszkaniu madame natknąłem się, owszem, na szafie w jednym z pokojów na dziecinny becik z pościelą. Nawet mnie to wzruszyło, bo moja Rita w niemowlęctwie spała w podobnym. Jednak w ogóle do głowy mi nie przyszło, by tę pościel przetrząsnąć.

Był to błąd, który teraz mogłem naprawić. Spojrzałem na zegarek. Było pięć po szóstej. Dreksler i Fritzhandowa wracali z katedry zwykle około ósmej, po wieczornej mszy.

Pod kościołem Świętego Idziego zatrzymała się taksówka i wysiadło z niej dwóch starszych księży w kapeluszach. Ich sutanny, zaopatrzone w ciemnoróżowe guziki, były przepasane szarfami takiegoż koloru. Obok nich stał młody, szczupły ksiądz z elegancką teczką pod pachą. Były to, jak sądziłem, jakieś ważne osobistości Kościoła, a młody duchowny pełnił zapewne funkcję ich sekretarza.

Pokuśtykałem najszybciej jak mogłem i z daleka machałem laską w kierunku taksówki. Księża, myśląc, że to do nich, stanęli jak wryci i przyglądali mi się z pewnym niepokojem.

Tego uczucia nie podzielał bynajmniej taksówkarz, bo zapuścił silnik i ruszył w moim kierunku.

Pół godziny później wysiadałem z tejże taksówki w tym samym miejscu. Twarz mi płonęła. W wewnętrznej kieszeni marynarki trzymałem list do Henryki *vel* Henrietty Rybak, *primo voto** Fritzhand. On zmieni moje śledztwo. Nie wiedziałem, że również życie.

$$\{x, y^{\dagger}, x^{\dagger}, y^{\dagger}, x, y^{\dagger}\}$$

---

* Z pierwszego małżeństwa.

Kochana Henrietto! Wciąż muszę cię wzmacniać napomnieniami, wciąż muszę ci przypominać o tym, co mi obiecałaś. Pamiętasz, jak spacerowałaś ze mną, brzemienna, po tym przeklętym lesie, gdzie cię zhańbiono? Masz jeszcze w pamięci, ile tam było zakopanych dziecinnych trumienek? Pomioty sowieckich żołdaków, którzy napadali na kobiety z okolicznych wsi. Ty, jako nauczycielka, byłaś przed nimi chroniona przez milicję, ale ta zapijaczona milicyjna hołota nie uchroniła cię przed szaleństwem i żądzą koniokradów. I wtedy ja się zjawiłem w Twoim życiu, i wtedy ja, pokazując ci te małe groby, mówiłem: „Nie zabijaj tego dziecka! Ocal to małe życie!". I ty je ocaliłaś, ale znienawidziłaś już pierwszego dnia, kiedy ten bękart wydał z siebie pierwszy okrzyk, który uznałaś za przebrzydły i gadzi! Ciągle ci to mówiłem, moja Henrietto, przypominałem do znudzenia, że ja, namówiwszy cię na urodzenie dziecka, wydarłem je śmierci. A wydarcie śmierci jest obdarzeniem istoty życiem. I ja ją życiem obdarzyłem, tę małą istotkę, która dla ciebie jest bękartem. Stałem się zbawcą Hani, stałem się jej ojcem. I wciąż jestem jej ojcem. Powtarzam Ci to, co podkreślałem wczoraj – nienawidzisz tego bękarta, to oddaj mnie moją córeczkę, oddaj! Chcę powtórnie ocalić jej życie. Łatwo to zrobić – trzy ofiary zostały złożone Belmisparowi. Bękart będzie czwartą. Ale ciało Hani nigdzie nie wypłynie, bo ona, cała i zdrowa, będzie ze mną. Na zawsze! A ty będziesz wolna od tego pomiotu i ułożysz sobie życie. I pamiętaj o tym, co zawsze – wystrzegaj się łysego starca, on sprowadzi zło na Twój dom, on Cię podepcze i zniszczy, o czym Ci wciąż przypomina i błaga o ostrożność Twój Anioł Stróż.

Takiej to treści list właśnie czytałem po raz czwarty w ciągu ostatnich trzydziestu minut – wcześniej raz w mieszkaniu Fritzhandowej, gdzie się dostałem pod jej nieobecność, i dwa razy w taksówce. Był to jedyny list, jaki znalazłem pod poszewką dziecinnego becika na szafie.

Kim był Anioł Stróż? Pytanie to było istotne, ponieważ z jego strony groziło dziecku niebezpieczeństwo. Na czym miałoby ono polegać? Przynajmniej na zawłaszczeniu, bo o gorszych rzeczach to nawet myśleć nie śmiałem. Anioł Stróż chciał tego dziecka i przekonywał matkę, by oddała mu Hanię! A ona wciąż się wahała, bo – zgodnie z jego słowami – nienawidziła dziecka będącego wynikiem gwałtu. Prowadził perfidną grę, grając na obu uczuciach matki do dziecka – na miłości i na nienawiści. Z jednej strony nazywał ją Hanią, dzieckiem, małym życiem, z drugiej zaś – bękartem i pomiotem. Wniosek z tego listu był bardzo smutny – Henryka nie stanowiła ochrony dla własnego dziecka! Nie mógł go też ochronić dziwaczny impresario, który okazywał Hani bardzo osobliwe względy – gładził ją po szyi i pieszczotliwie nazywał „małą księżniczką". Poraziła mnie następna myśl: – Jeśli ktoś może ochronić to dziecko, to tym obrońcą jestem ja sam! W dodatku ta obrona byłaby możliwa tylko wtedy, gdybym złapał Anioła Stróża albo go jakoś inaczej wyeliminował. Wtedy nie miałby kto szczuć Henryki na własną córkę.

Kim jest Anioł Stróż? – myślałem gorączkowo i zaraz sobie odpowiedziałem: – Kimś, kto chce wykorzystać samobójstwa trzech rzekomych Belmisparowych ofiar do swoich celów. A może to on zabił Pasternaka, Juszczykowską i Frosta? Może wiedział o dziwacznych teoriach Eugeniusza Zaranek-Platera? Może założył, że profesor Apolinary zatuszuje sprawę i łatwo będzie porwanie dziecka wpisać w serię dziwnych samobójstw? Z tego by wynikało, że Anioł Stróż najpierw pozabijał tamtych, a potem chciał porwać dziewczynkę! Może to w takim razie Antoni Dreksler, który okazywał jej dziwną czułość? Nie, niemożliwe! Przecież by listów do Henryki nie pisał, bo ją codziennie widuje! A może to Eugeniusz Zaranek-Plater? Nie, matematyk musiałby mieć ponadludzkie zdolności, by przecisnąć się pomiędzy kratami okna i pofrunąć albo siłą woli zniszczyć sztabę zabezpieczającą drzwi na zewnątrz!

A może Anioł Stróż jest po prostu wytworem chorego umysłu Henryki i ona to wszystko zrobiła, by na samym końcu pozbyć się znienawidzonego dziecka? Otumaniła troje swych klientów, udała się z nimi na spacer nad pobliską Odrę i zepchnęła tych nieumiejących pływać ludzi do Odry! Nie, przecież któryś z mężczyzn, chyba Pasternak, umiał pływać! A poza tym czy sama by do siebie pisała list?

Było to możliwe. Henryka była kiedyś w szpitalu psychiatrycznym, a ja czytałem kiedyś o chorych psychicznie ludziach, którzy odczuwali w sobie dwie różne osoby i potrafili mówić różnymi głosami w zależności od tego, która się właśnie osoba w nich ujawniała. Może takie samo zjawisko zachodziło w wypadku pisania? Może Henryka pisała sama do siebie? Nie potrafiłem na to pytanie odpowiedzieć, bo nie znałem jej charakteru pisma.

Kim był Anioł Stróż i kiedy ten list napisał?

Kimś, kogo muszę złapać *per fas et nefas* – odpowiedziałem sobie. Nawet gdybym miał Henrykę zaszantażować, że informacje o gwałcie na niej dokonanym porozlepiam na wszystkich słupach ogłoszeniowych! Nawet gdybym się miał sprzeniewierzyć Jasiowi Blicharskiemu! Wszystko zrobię, by za jednym zamachem ocalić dziecko i rozwiązać sprawę Belmispara!

Czując silną presję jako potencjalny jedyny obrońca Hani, starałem się zapanować nad emocjami. Udało mi się to wraz z kolejnym papierosem. Nie ulegało wątpliwości, że Anioł Stróż jest mężczyzną, o czym mówiły formy słowne w liście typu „ja się zjawiłem". Miał też z Henryką stały kontakt. Pytanie tylko, czy listowny czy osobisty. Czasowniki „powtarzam", „przypominałem" mogły świadczyć i o jednym, i o drugim. Przyjmując jednak, że żądał przekazania sobie dziecka, doszedłem do oczywistego wniosku, że osobisty kontakt był bardzo prawdopodobny. Wszak dziecka listownie przekazać nie można.

Kiedy list został napisany? Nie miał on niestety żadnej daty, ale – z uwagi na wzmiankę o mnie – nie mógł być pisany wcześniej niż pod koniec lipca, bo wtedy poznałem Henrykę *vel* Henriettę. Że łysym starcem z listu byłem ja, to rzecz pewna. Henryka, nazwawszy mnie szatanem w czasie naszego pierwszego spotkania, powołała się *expressis verbis** na Anioła Stróża. Ponadto przyznała się milcząco do jego opieki nad sobą w czasie naszej rozmowy na cmentarzu, kiedy jej Anioła Stróża kpiąco porównywałem zę Swarożycem.

Z tych wszystkich rozważań płynął jeden jedyny wniosek, który wydał mi się na początku absurdalny, a sekundę później stał się oczywisty. To on sprawił, że mimo zgruchotanej nogi rzuciłem się pędem w dół po schodach, wybiegłem z kamienicy na Cybulskiego, padłem na tylne siedzenie taksówki i kazałem się wieźć z powrotem do katedry. Jeśli Henrietta-Henryka miała z kimś kontakt osobisty w ciągu tego miesiąca, to tym kimś byli jej klienci. Wśród nich jednak nie wypatrzyłem w czasie mej inwigilacji ani jednego mężczyzny. Miała też kontakt osobisty z Drekslerem i... z jeszcze jedną osobą. Był nią ksiądz spowiednik! I to jego przyszedłem tu ujrzeć, a potem śledzić, inwigilować, dopaść! To był mój nowy, najświeższy trop!

Zdeptałem niedopałek, oderwałem się od statuy Madonny z Dzieciątkiem i ruszyłem w stronę potężnych drzwi katedry. Kiedy już się szykowałem do wejścia w chłodny półmrok świątyni, poczułem, że ciepłe, wilgotne i małe palce zaciskają się na mej dłoni.

Spojrzałem w dół i ujrzałem Hanię Rybakównę.

– Proszę pana – zaszczebiotało dziecko, patrząc na mnie. – A ten pan daje mi cukierki i dziwnie się uśmiecha, a mama mówiła, że mam nie brać nic od obcych...

---

* Wyraźnie, dobitnie.

Wskazała mi paluszkiem mężczyznę, który stał kilka metrów dalej, przed świątynią. Poczułem zawrót głowy z wściekłości. Księdza spowiednika jeszcze znajdę dzięki Jasiowi – pomyślałem i ruszyłem ku mężczyźnie gwałtownie, ciągnąc dziewczynkę za sobą. Po chwili stałem twarzą w twarz z debilem.

Był to brudny żebrak w przykrótkich spodniach i powykręcanych butach. Kiwał głową i coś mruczał do siebie. Jego wpółotwarte usta rozsadzał wielki, jakby opuchnięty język. Wydzielał z siebie smród obory. Zobaczywszy Hanię i mnie, wystraszył się mocno i rzucił do ucieczki.

Nie zdążył. Nie panowałem nad furią. Ona mi dodała młodzieńczych sił.

Zabiegłem mu drogę. Gwałtownie rozprostowałem obie ręce i pchnąłem go w pierś. Żebrak runął na plecy, a jego potylica miękko i soczyście klasnęła o bruk. Zabiłem skurwysyna – przebiegła mi przez głowę lodowata myśl.

Za sobą usłyszałem liczne ludzkie głosy. Ludzie wychodzili po mszy. Zaraz zobaczą zabitego przeze mnie być może niewinnego człowieka. Skupią się wokół mnie, ktoś pobiegnie na milicję. Zabiłem człowieka, żebraka, który prawdopodobnie nie chciał niczego złego, a uciekał po prostu instynktownie, na widok rozwścieczonego buhaja, w jakiego się zamieniłem. I zapłacę słono za to morderstwo. Ostatnie lata życia spędzę w więzieniu, nie z Cyceronem w ogrodzie botanicznym.

Leżący poruszył się i zaczął gwałtownie się czołgać, odwracając głowę do mnie z wielkim niepokojem. Po chwili otumanienia jego ruchy nabrały szybkiego tempa. Uciekał na czworakach zwinnie jak płaz. Po chwili zniknął za statuą Madonny z Dzieciątkiem, a potem zaczął biec.

Hania trzymała mnie kurczowo za rękę.

– Mamusiu – usłyszałem. – Jakiś pan dawał mi cukierki, a pan Łysawy mnie obronił... A tamten pan uciekł... I ma głowę rozbitą...

Henryka przytuliła dziecko do siebie i zaczęła płakać.

– Gdzie ty uciekłaś? Gdzie ty uciekłaś? – szeptała. – Mówiłam ci, żebyś czekała, aż mamusia spowiedź skończy, a ty gdzie? Kiedy nie ma z nami pana Antoniego, to nie wolno ci nigdzie odchodzić, rozumiesz? No gdzie? No gdzie ty poszłaś, dziecko najmilejsze?

Potem uniosła głowę i poczułem na sobie jedno z najpiękniejszych spojrzeń, jakimi w życiu mnie obdarzono. Mówiło ono o wdzięczności więcej niż ukłony i fanfary. Podejrzenia, jakie jeszcze przed chwilą żywiłem wobec tej kobiety, ulotniły się tak szybko jak pobity przeze mnie żebrak.

Kiwnąłem jej głową i pobiegłem do katedry. Ludzie opuszczali świątynię z wszystkich stron. Hulał przeciąg. W pustych konfesjonałach powiewały firanki.

Wróciłem. Wyjąłem z kieszeni list.

– Kim jest Anioł Stróż? – zapytałem. – On zagraża Hani, nazywa ją gadem i bękartem! Mów, kim jest! Wiem o tobie wszystko! Jak mi nie powiesz, to całe miasto się dowie o koniokradach!

Henryka oparła się o murek okalający statuę. Zrobiła się blada. Klęknąłem przed nią i z braku lepszego pomysłu chwyciłem ją za przegub dłoni, by zmierzyć puls. Na jej bladych pięknych ustach zabłąkał się nagle uśmieszek – ni to ironii, ni to żalu.

– Nie ma go teraz – szepnęła. – Wyjechał... Będzie jutro, w czwartek, mówił...

– Kim jest!? – ryknąłem, aż się dziecko wystraszyło.

– Uratuje pan przed nim moje dziecko? – zapytała, nie patrząc mi w oczy.

– Tak! – Wciąż mówiłem podniesionym głosem. – Mów!

– Nie będę niczego przed panem kryć. – Wydawała się albo głęboko zraniona, albo zakłopotana. – Chodźmy! Opowiem panu o nim. Ale w domu, w domu...

Spojrzałem z czułością na trzy siwe nitki w kruczoczarnych włosach tej kobiety. Tym razem się nie powstrzymałem i pogłaskałem ją po głowie.

$$\{x, y^{\dagger}, x^{\dagger}, y^{\dagger}, x, y^{\dagger}\}$$

Ani w czasie powrotu z katedry, ani po przybyciu do swojego mieszkania Henryka nie powiedziała mi nic więcej. Wciąż wskazywała oczami Hanię i przykładała palec do ust. Rozumiałem tę pantomimę, ale – co gorsza – rozumiało ją także dziecko. Wiedziało, że matka ze względu na nią nie chce mi czegoś powiedzieć. To wpłynęło na zachowanie dziewczynki. Stała się nieznośna, nie opuszczała nas ani na krok, przeszkadzała ciągle w rozmowie i wciąż się domagała, by matka dopuściła ją do tajemnicy.

Bardzo mnie to denerwowało. Oto miałem poznać prawdę o Aniele Stróżu, oto byłem o krok od rozwiązania całej zagadki, lecz tego kroku nie mogłem uczynić, bo przeszkadzała mi w tym mała dziewczynka, która biegała wciąż za matką, wieszała się jej sukienki i krzyczała: „Zdradź, no zdradź ten sekret!".

Krzyki natrętnego i rozhisteryzowanego dziecka wypełniały całe mieszkanie. Mogłem się od nich uwolnić w oczywisty sposób – po prostu wyjść i poczekać, aż w końcu Hania da matce spokój i uśnie. Było to o tyle wskazane, że może ja sam pobudzałem to dziecko do wyrażania uporu i do agresywnego zachowania. Wczułem się w myślenie tej małej istoty. Może ona odczuwała zazdrość o matkę. Oto zapada zmrok, a tu w domu siedzi jakiś obcy mężczyzna i ani myśli wychodzić. Nie była to normalna sytuacja, o ile wierzyć opinii siostry Eufrozyny na temat obyczajności Henryki.

Pożegnałem się zatem głośno, po cichu dodając: „Jestem na moście Uniwersyteckim, proszę mnie zawołać, jak dziecko zaśnie!".

Nie zamierzałem jednak odchodzić tak daleko. Po chwilowej słabości daleki byłem od okazywania zaufania Henryce Fritzhandowej. Wciąż byłem starym policjantem – sceptycznym, zimnym i upartym.

Całą godzinę spędziłem, stojąc na półpiętrze przy otwartym oknie. Wdychałem papierosowy dym i wyziewy z bimbrowni Wnuków, która pracowała pełną parą. Bezmyślnie obserwowałem podwórko, na którym młodzi ludzie wylegiwali się na kocach i raczyli piwem nalewanym do kufli z kanek po mleku. Kilka razy musiałem odpędzić, pokazując moje pełnomocnictwo, ciekawskich sąsiadów, którzy pytali mnie, czego szukam i na kogo czatuję na ich klatce schodowej.

W końcu się doczekałem. Henryka Fritzhandowa wyszła ze swojego mieszkania i zapaliła światło na korytarzu. W ręku trzymała klucze i torebkę.

– O, co pan tu robi? – Przestraszona drgnęła na mój widok. – Pan nie na moście?

– Tam jest zbyt romantycznie. – Uśmiechnąłem się krzywo. – Noc i słowiki śpiewają. Jeszcze mógłbym się w kim zakochać...

– Nie jestem w nastroju do żartów – powiedziała sucho. – Dobrze, że nigdzie daleko pan nie poszedł... Hania śpi bardzo niespokojnie, może się obudzić... Proszę do mnie, usiądziemy w gabinecie wróżb... Będziemy cicho rozmawiać... Przy otwartych drzwiach...

W gabinecie, którego wróżbiarsko-tajemniczy wystrój dobrze znałem, panował półmrok. Z wykusza rozciągał się widok na most Uniwersytecki i na wrocławską Alma Mater. Teraz w gęstej szarówce godziny dziesiątej jej obrysy stały się obłe i nie odcinały się wyraźnie od ciemniejącego nieba. Na moście i pod budynkiem uczelni migotały gazowe latarnie.

Nie przyszedłem tu jednak, by widoki podziwiać. Spojrzałem na Henrykę pytającym wzrokiem.

– Opowiem panu wszystko. – Dobrze zrozumiała moje spojrzenie. – Po tej niewyobrażalnej krzywdzie, jakiej doznałam, chciałam się zabić. Stałam się bardzo samotna. Mimo że w mojej wiosce wiele kobiet zostało w czasie wojny zniewolonych przez Rosjan, nie mogłam od nich, od mych towarzyszek w niedoli, oczekiwać pomocy. One pochowały małe trupki na cmentarzyku w lesie i zapomniały o wszystkim. W ich rodzinach się o tym nie mówiło. A jeśli się o czymś nie mówi, to tego nie ma. Poza tym mnie zniewolili swoi, a to była duża różnica. Niedługo po mej hańbie, kiedy szłam przez wieś, usłyszałam od tych zgwałconych przez Rosjan kobiet słowa: „Pies nie weźmie, jak suka nie da!".

Niedawno słyszałem te słowa od Wnukowej. Rację mieli ci filozofowie, którzy twierdzili, że głupota jest złem. Widziałem wiele zła, jakie uczynił ten przerażająco głupi pogląd. Wiele bydląt, wielu zboczeńców, podleców i prześladowców uniknęło kary, jaką im gotowałem, tylko dlatego że ich ofiary zostały zablokowane swym niewieścim wstydem.

– Wie pan, co było najgorsze? – zapytała Henryka. – Nie to, że ja tych ludzi widywałam często, a nawet byłam przez nich nagabywana. Nie, nie to! Najgorsze było to, że ja, hańbiona przez nich wiele godzin, nie czułam do nich nienawiści! Tak, proszę pana! Nie mogłam wykrzesać z siebie nienawiści! Ta nieumiejętność doprowadzała mnie do najgorszych myśli. Chciałam się powiesić i czuć w chwili śmierci, jak przeklęty embrion zdycha wraz ze mną!

Milczałem. Tu można było tylko milczeć. I czekać cierpliwie na nazwisko Anioła Stróża.

– Ksiądz Antoni Dreksler – usłyszałem to nazwisko. – Wtedy się mną zajął ksiądz Antoni Dreksler. Tak, był księdzem, proszę pana. I moim Aniołem Stróżem! A teraz nie jest ani jednym, ani drugim!

Milczałem nadal. Henryka była w stanie najwyższego wzburzenia. Prawie przestałem oddychać. Znając jej wybuchowe i zmienne usposobienie, bałem się, że nagle zrobi coś nieoczekiwanego – nieodwołalnie przerwie swoją opowieść i zacznie płakać albo – gorzej – wyzwie mnie od szatanów i wyrzuci z mieszkania.

– To potężna osobowość. – Na szczęście nie wydarzyło się ani jedno, ani drugie. – Zanim się nawrócił i został księdzem, był hipnotyzerem w cyrku. Miał władzę nad ludźmi. Potrafił sobie ich podporządkować. Jedno jego porywające kazanie i przestałam być pariasem we wsi, przestałam być trędowatą... Grzmiał potężnym głosem na ambonie, a wiejskie baby wybuchały płaczem... Spacerował ze mną po tajnym cmentarzyku dziecięcym, a tam siedziały ze świeczkami kobiety i łkały nad grobami swych dzieci. Niektóre z tych dzieciątek urodziły się martwe, inne zmarły przy porodzie, a jeszcze inne zostały zaduszone przez własne matki. I one teraz całowały Drekslera po rękach, a on puchł jak paw. O tak, Dreksler to człowiek o zatrważającej miłości własnej, to ogromna i zachłanna psyche, ale są dwie osoby równie potężne... Jedną z nich jestem ja. On dla mnie zrzucił sutannę, on za mną przyjechał do Wrocławia, kiedy po urodzeniu Hani wpadłam w melancholię i uciekłam do tego przeklętego miasta... Zmieniłam imię, stałam się nową osobą... Ale on mnie nie odstępował na krok, mimo że nigdy nie dopuściłam go do poufałości, o której pan myśli. Pisał do mnie listy, gdy byłam w klasztorze, zamieszkał koło mnie, kiedy wyszłam za mąż za Izaaka. Widząc jego uległość, krzywdziłam go, kopałam jak psa... A on wiedział, że tylko swoimi listami może mnie uspokoić... Kochałam jego styl, czytałam je z wypiekami... On mnie przez te swoje listy hipnotyzował... Ja nad nim górowałam, a on nade mną... I tak trwaliśmy w tej równowadze...

– A druga osoba? Kim jest ta druga osoba, która ma psyche równie silną jak Dreksler? – nie wytrzymałem.

Henryka wstała i kilkakrotnie okrążyła pokój. Jej obcasy głośno zastukały po parkiecie. Usłyszałem, że Hania gdzieś daleko jęczy przez sen.

– Dreksler odwiedza często swą przybraną matkę, która mieszka w Piotrkowie Trybunalskim. Właśnie wczoraj do niej pojechał i wróci jutro wieczór... Podczas którejś ze swoich podróży poznał w pociągu człowieka, który roztoczył nad nim jeszcze większą władzę niż ja... To jakiś matematyk, który uwiódł psychicznie mego impresaria... Ten człowiek wszczepił Drekslerowi jakąś ideę zbrodniczego bóstwa, władcy liczb, który żąda ofiar... To psychicznie chory człowiek, który na własne życzenie siedzi gdzieś zamknięty jak w więzieniu... Nie opuszcza swego domu... Dreksler przychodzi do niego pod drzwi i słucha... A ten przez dziurkę od klucza sączy mu w uszy jad, tę bałwochwalczą ideę... I Dreksler wprowadza tę ideę w życie... – Henryka sięgnęła do mojej papierośnicy. Wstałem i podałem jej ogień. Kobieta stanęła w otwartym oknie i zapatrzyła się na uniwersytet. – Mój impresario przyjmował klientów i sadzał ich w mojej poczekali – mówiła cicho, jakby do siebie. – I wszystkich częstował czymś do picia. Troje z tych klientów, kobieta i dwóch mężczyzn, skarżyło mi się, że niesmaczne były to napoje... Po wyjściu ode mnie znów towarzyszył im Dreksler. Zapraszał do siebie, gdzie gratis wykreślał im horoskopy. Tam już się źle czuli... Tracili przytomność... Dreksler w nocy rzucał ich na wózek i targał na nadbrzeże wzdłuż Odry, ciągnął aż do archiwum... Niedaleko miał, a silny był... Cyrkowiec w końcu.... Zrzucał ich tam do Odry, za mostem Pomorskim...

Stanąłem za nią.

– Dlaczego pani nie wyjawiła tych zbrodni wcześniej? – zapytałem równie cicho.

– Komu? Milicji? – Parsknęła śmiechem. – Żebym trafiła do więzienia za współudział? Powiedziałam o tym wszystkim tylko jednej osobie... Tylko panu... A wie pan dlaczego?

Odwróciła się do mnie. W półmroku widziałem jej błyszczące oczy.

– Nie wiem – mruknąłem.

– Bo do dzisiaj trzymaliśmy się z Drekslerem w szachu – powiedziała. – Nie mogłam go wydać, by mnie nie uznano za współwinną. Nie mogłam go wydać, bo on swymi listami trzymał mnie w dziwnej hipnozie... Mówiłam już panu, między nami trwała równowaga... Dopóki pan dzisiaj tej równowagi nie naruszył... W panu mam swego obrońcę... Obydwoje górujemy nad Drekslerem... Poza tym pan mnie nie wsadzi do więzienia... Chyba nie jest pan z milicji, co?

– Nie jestem.

Henryka roześmiała się wesoło.

– Czy pan zdaje sobie sprawę, że ja nawet nie wiem, jak się pan nazywa?

Wtedy ją pocałowałem.

$$\{x, y^{\dagger}, x^{\dagger}, y^{\dagger}, x, y^{\dagger}\}$$

Długo w noc szkicowałem raport, który miałem sporządzić dla Władysława hrabiego Zaranek-Platera i pośrednio dla jego stryja, profesora Apolinarego. Kolejne zdania wychodzące spod mojej stalówki układały się jakby w warstwy geologiczne, które tworzyły jeden potężny pokład – coraz bardziej zwarty i sensowny. Pod wpływem logiki spajającej te warstwy pokład zamieniał się w skamielinę, którą trudno było ukruszyć. Wszystko się zgadzało, a kolejne zdania całej opowieści wynikały w logicznym następstwie ze swych poprzedników.

Eugeniusz Zaranek-Plater spotkał przypadkiem w pociągu Antoniego Drekslera i zaraził go ideą ofiar dla Belmispara. Matematyk przez drzwi, przez dziurkę od klucza, nasączał astrologa tą ideą, gdy ten go odwiedzał najpewniej w swym dawnym księżowskim stroju, który widziałem u niego na ścianie wśród surdutów i peleryn. Sąsiedzi Zaranek-Platera widywali znanego im księdza przychodzącego do matematyka z parafii Świętego Antoniego. Ich zdziwienia zupełnie mógł zatem nie wzbudzać inny ksiądz, który odwiedzał zamkniętego na cztery spusty wariata. Dreksler wykorzystał ideę Zaranek-Platera do mordowania ludzi przychodzących do wróżki Margarity. Dotąd wszystko było pewne.

Po co ich mordował?

Może miał wobec dziecka wszeteczne zamiary? A może naprawdę uważał się za ojca Hani? Na te pytania sam mi jutro odpowie, kiedy odwiedzę go z moim niezawodnym brauningiem. I zaręczam, że nie będę dla niego miły!

Na razie stawiałem hipotezę, że przygotowywał sobie *modus operandi*, by porwać Hanię Rybakównę, a zaginięcie dziewczynki wpisać w serię ofiar dla Belmispara. Śledczy z milicji łatwo uwierzą w samobójstwo nienormalnej dziewczynki zafascynowanej śmiercią i trumnami oraz znienawidzonej przez psychicznie chorą matkę, o czym miałby świadczyć pobyt tej ostatniej na Kraszewskiego. A że to samobójstwo wpisuje się w serię innych samobójstw? Cóż z tego? Policja, o czym niestety dobrze wiedziałem, lubi mieć porządek w papierach. Było bardzo mało prawdopodobne, by jakiś śledczy wnikał w sprawę tak głęboko, że poszedłby drogą, którą tak genialnie odkryła Leokadia, i natrafiłby na wróżkę Margaritę jako na zwornik między rzekomymi samobójcami.

Oczywiście Dreksler przygotowywał sobie grunt, oddziałując psychologicznie i hipnotycznie na Henrykę Fritzhandową – podsycał wciąż jej nienawiść do córki, by w końcu dostać dziewczynkę, czego – ze znanych tylko sobie powodów – tak bardzo pragnął.

To wszystko dokładnie zapisałem, przeczytałem, a potem z rozmachem postawiłem kropkę, omal nie łamiąc stalówki.

Wstałem i poczułem wilczy apetyt. Niewielem dzisiaj jadł – kilka kanapek, którymi poczęstowała mnie Henryka przed samym wyjściem od niej.

Dochodziła druga. Wiedziałem, że już nie zasnę – rozpierała mnie energia triumfatora i pycha zdobywcy. Zapragnąłem jedzenia i wódki. Były to specjały możliwe do kupienia o tej porze jedynie w jakiejś melinie. Znałem taką jedną w pobliżu – mieściła się ona nad barem Studenckim na Curie-Skłodowskiej. Niestety była pewna przeszkoda. Ostatnio milicja dokonała tam kilku nalotów i – aby kupić wódkę i zakąskę – trzeba było znać umówione hasło. To hasło znał z całą pewnością mój kolega z pracy pan Michał Lamparski, który mieszkał w kamienicy obok baru mlecznego.

Telefonowanie do kogokolwiek o drugiej w nocy nie należało do dobrych obyczajów, ale się tym nie przejmowałem. Był czwartek, a w czwartki pan Michał grywał w bridża do późna i potem w piątkowe poranki – po cichu, w tajemnicy przed pryncypałem – opowiadał mi o celniejszych rozgrywkach i obronach. Do aparatu telefonicznego też daleko nie miałem – dziesięć minut marszu – bo tyle mnie dzieliło od budki stojącej na rogu placu Grunwaldzkiego i Curie-Skłodowskiej.

Niestety wśród różnych zapisków przypiętych pineskami do drewnianej tablicy nie mogłem za nic znaleźć telefonu do Lamparskiego. Przerzucając notatki, przez chwilę zatrzymałem wzrok na znajdującym się tam kalendarzu ściennym. Wydarłem kartkę z nieaktualną datą „Środa, 22 sierpnia 1956". Wszak było już po drugiej w nocy, a zatem mieliśmy kolejny nowy dzień. „Czwartek, 23 sierpnia 1956", przeczytałem, „wschód Słońca 5.50, zachód – 19.58".

Cały zesztywniałem. Sięgnąłem po ołówek i zapisałem tę datę w inny sposób, znany mi z artykułu Zaranek-Platera:

23-08-05-50-19-58.

Naprzemienność była cechą wyrazistą tej daty. Każda liczba parzysta następowała po nieparzystej.

Dzień Belmispara - pomyślałem. - Dzisiaj jest dzień Belmispara.

Zacząłem przeglądać kalendarz. Kolejny taki dzień był niedługo,

27-08-05-56-19-50,

a następny, 26-09-06-43-18-43, dopiero we wrześniu.

Usiadłem przy kuchennym stole i drżącymi rękami zapaliłem papierosa. Mordercą jest Antoni Dreksler - mówiłem do siebie. - I jeśli zabierze dziecko, to dzisiaj lub w poniedziałek. Henryka mówiła, że wróci z Piotrkowa w czwartek.

Następna myśl, która mi przeszła przez głowę, była jak cięcie ostrza.

– Od dwóch godzin jest, kurwa, czwartek – powiedziałem do siebie powoli.

Kiedy pół godziny później przekraczałem most Uniwersytecki, na drugim piętrze narożnej kamienicy paliły się wszystkie światła. Poczułem, że coś gwałtownie rozrasta mi się w brzuchu i w piersi. W bramie stało pełno ludzi dyskutujących i gestykulujących zawzięcie. Rej wodziła Wnukowa w papilotach na głowie.

Kiedy mnie ujrzała, zamilkła. W jej ślady poszli wszyscy inni. Przede mną rozstąpił się milczący szpaler. Wszedłem na parter. Drzwi od Wnuków i od Drekslera były otwarte na oścież. Po sekundzie byłem w lokum astrologa. Panował tam potworny bałagan. Pierwsze, co rzucało się w oczy, to brak klatki i małpki Kloto.

Wspiąłem się na górę do mieszkania Henryki. Kobieta stała w drzwiach w koszuli nocnej i wyła przeraźliwie. Zbliżyłem się do niej i przytuliłem ją mocno. Miała sińce na twarzy.

– Wrócił – szeptała Henryka, a jej łzy wsiąkały w moją marynarkę. – Wrócił dzisiaj, związał, zakneblował i porwał dziecko...

– Garbus, przeklęty garbus – usłyszałem głosy. – Pomiot diabelski...

Henryka odsunęła się ode mnie i powiedziała tak głośno, że ludzie zafalowali na schodach.

– To wszystko przez ciebie! Bądź przeklęty, starcze! Niech całe zło spadnie na ciebie i na twój dom!

$\{x, y^{\dagger}, x^{\dagger}, y^{\dagger}, x, y^{\dagger}\}$

Nie przejąłem się zbytnio klątwą wróżki Margarity. Zło spadało na mnie wielokrotnie, ale od kilku lat stawiałem mu czoła bardzo skutecznie dzięki idei, którą przejąłem od doktora Stefanusa. Był to filozof, z którym los mnie zetknął dziesięć lat wcześniej w jednej ze spraw, które prowadziłem już tutaj we Wrocławiu. Twierdził on, że zło jest wyłącznie stanem przejściowym i drobnym zakłóceniem triumfalnego marszu człowieka ku coraz większemu dobru. Te poglądy, które w obliczu końca najstraszniejszej z wojen wydawać się mogły nieuprawnione, a nawet zuchwałe, były tak przekonująco uzasadnione statystycznie, że natychmiast przekonały mnie – człowieka, dla którego liczba, niczym dla pitagorejczyków, była zasadą wszechświata. Zło rozbijało się o mój racjonalny umysł uzbrojony statystycznie przez Stefanusa. Toteż przekleństwo wróżki nie było dla mnie żadnym prognostykiem, lecz jedynie okrzykiem szaleństwa kobiety, której porwano córkę. Poza tym byłem tak ciężko doświadczony przez los, że nie bardzo wiedziałem, co złego może mnie jeszcze spotkać.

Ireneusz Semczuk zwany Bokserem był – w odróżnieniu ode mnie – dzieckiem szczęścia, a na swej drodze nie spotkał żadnego filozofa. W czasie wojny wraz ze swoim bratem Mirosławem zbijali fortunę na szantażowaniu Żydów, za co nawet mieli na karku wyrok wydany przez sąd podziemnego państwa polskiego. Po wojnie zajmowali się handlem walutą i bandyterką. Jego brat nie był dzieckiem szczęścia. Odsiadywał na Kleczkowskiej wyrok piętnastu lat więzienia za napad i gwałt. Boksera omijały dotąd przeciwności losu, przez co sam siebie uważał za niepokonanego.

Tego, co go spotkało miesiąc wcześniej, nie rozumiał. To, co przeżył w ciągu tego miesiąca, wywoływało u niego ślepą furię. Najgorsze było to, że nie wiedział, przeciwko komu ją skierować, na kim wziąć odwet.

Aż do tego dnia. Tego dnia poznał swego wroga. Wiedzę tę okupił tak potwornym bólem i upokorzeniem, że pewnie by wolał pozostać w błogiej nieświadomości.

Była we Wrocławiu jeszcze jedna osoba, dla której lepiej by było, by Bokser trwał w niewiedzy. Tą osobą byłem ja.

Po tym, jak został był uprowadzony z Anatola, Semczuk trafił do jakiejś brudnej i ciemnej celi więziennej. Siedział tam sam, jeśli nie liczyć pająków i karaluchów, które go obsiadały nocami. Raz dziennie odsuwała się zasuwa w drzwiach, dostawał kubek wody i pół bochenka chleba. Kiedy po tygodniu wypełnił wiadro, pozwolono mu je wynieść. Wtedy zapytał klawisza, co zrobił, że tu się znalazł. W odpowiedzi dostał w pysk. Potem już o nic nie pytał.

Tej nocy kiedy porwano Hanię Rybakównę, Semczuk obudził się gwałtownie, jakby ze snu wyrwał go koszmar. Światło w celi się paliło. Nad nim stało czterech więźniów. Zerwał się na równe nogi.

To, co się później stało, było rzeczywiście koszmarem. Po krótkiej szamotaninie, w czasie której udało mu się wymierzyć kilka celnych ciosów, Bokser leżał na podłodze celi. Jeden więzień siedział mu na brzuchu, a dwaj inni na rękach. Czwarty w jednej dłoni trzymał świeczkę, a w drugiej łyżeczkę do herbaty.

Potem Bokserowi wyłupano łyżeczką oko.

Cała reszta była jak senny koszmar.

Słowa: „Spróbuj się mścić, lebiego, to ci brata na Kleczkowskiej kamraty przecwelują!", były zniekształcone i bardzo powoli wypowiadane. Kotwica, wytatuowana na przedramieniu napastnika, rozszerzała się i zwężała miarowo. Potem znikła. Potem wszystko znikło.

Na korytarzu kapitan milicji Józef Franczak, słuchając wycia Semczuka, zaciągnął się głęboko papierosem i ruchem głowy wskazał drzwi celi.

– Wyrzućcie gdzieś daleko skurwysyna – powiedział do mężczyzny w uniformie Służby Więziennej.

$$\{x, y^\dagger, x^\dagger, y^\dagger, x, y^\dagger\}$$

Henryka Fritzhandowa tej nocy znalazła się w kaftanie bezpieczeństwa. Potem krótko wieziono ją przez miasto karetką. Podskakiwała na ławce jak spętany bałwan i miotała obelgi na sanitariuszy. Jeden z nich, młody i niecierpliwy, uderzył ją na odlew w twarz. Nad ranem poczuła woń lizolu i lekarstw. Zapach szpitala. Potem dostała zastrzyk i zapadła w głęboki sen.

Hani Rybakówny nie odnaleziono – ani w piątek, ani w sobotę. Milicjanci z komisariatu rzecznego wraz ze swoimi kolegami z komisariatu X przeszukali w tych dniach Wyspy Bielarską i Słodową oraz całą Kępę Mieszczańską. W niedzielę przerwano dalsze poszukiwania. Brakowało ludzi do tej roboty, a milicji w całej tej sprawie brakowało również chęci do działania. Wielu funkcjonariuszy było jeszcze na urlopach, a upały, jakie zapanowały w ostatnich dniach, rozleniwiały tych, którzy byli na służbie. Antoniego Drekslera uznano za podejrzanego i rozesłano za nim listy gończe, ale i te poszukiwania były równie niemrawe i mało skuteczne jak w wypadku jego ofiary. Pewnie skłaniano się do hipotezy samobójstwa dziecka i przypadkowego zniknięcia astrologa. Ja w to nie wierzyłem.

W ciągu dwóch dni opłynąłem i jeden, i drugi brzeg Odry na odcinku od Kępy Mieszczańskiej po Maślice Małe. Dobrze opłacony kajakarz z Klubu Żeglarza przez dwa dni mocno natężał mięśnie, a ja mocno natężałem wzrok. Na próżno. Oprócz jednej padłej i napuchniętej od upału krowy i zwłok kilku psów nie dojrzałem żadnego ciała.

W sobotę około ósmej wieczór wracałem zniechęcony do domu. Mój flisak pan Zbyszek z regularnością automatu zanurzał w odrzańskim nurcie pióra wioseł, a ja mu w tym pomagałem dość ospale. Co chwila przerywałem i nasączałem octem dwie gąbki, które leżały w kajaku. Woń octu była kiepską ochroną przed rojami komarów, ale bez tego płynu to pewnie by nie było na odkrytych częściach naszych ciał miejsc wolnych od ugryzień.

Dolegliwościom fizycznym, jakich mi przysparzały małe bzyczące owady, towarzyszyły inne. Każdy komar, który zabłądził gdzieś w okolice mojego ucha, bzyczał szyderczo:

– Po co ty się bawisz w marynarza, stary durniu? Czyż Drekssler nie porwał dziewczynki? No to kogo ty tu szukasz, opływając te wszystkie szuwary, chaszcze i rozlewiska? Wszak astrolog na pewno nie poszedł z dzieckiem na nadrzeczną plażę!

Te głosy rzeczywiście były przekonujące. Całe moje śledztwo miało sens. Dzięki niemu odkryłem prawdę – przy założeniu, że Henryka nie kłamała, troje samobójców tak naprawdę zostało zamordowanych przez Antoniego Dreksslera. Dlaczego i po co ich zabił? Stawiałem hipotezę, że tych troje umarło po to, by astrolog mógł porwać dziecko i ukryć je gdzieś na zawsze, sugerując, że jego zniknięcie było kolejnym, czwartym samobójstwem. A jeśli tak było, to moje przeszukiwanie rzeki było teraz działaniem pozbawionym sensu. Hania nie mogła być jednocześnie martwa i pływać w Odrze i żywa, więziona przez Dreksslera!

– Coś tam jest – przerwał mi pan Zbyszek moje rozmyślania. – Coś widzę! Niech pan zobaczy! Wrony siadają na wodzie! Tak samo siadały na krowim trupie!

Użył wiosła jako wskaźnika. Woda ściekła z niego wprost na moją głowę i na chwilę zalała mi oczy. Przez chwilę niewiele widziałem. Kiedy już otarłem twarz, ujrzałem przy brzegu żółtą plamę falującą wraz z powierzchnią rzeki. Z plamy tej coś wystawało – jakby dziecinny stateczek. Krążyły nad nim wrony.

Pan Zbyszek podpłynął bliżej. To, co wziąłem za statek, okazało się okrągłą czapką zakończoną pomponem. Czapka miała pełno dziur – śladów po wronich dziobach. Poniżej brzegu czapki ujrzeliśmy ucho i zarys brody. Na karku czerwieniło się mnóstwo krwawych ran. Tutaj ptaki ucztowały nadzwyczaj żarłocznie. Żółta, falująca plama była płaszczem, pod którym pływało ciało.

Od brzegu dzieliło nas nie więcej niż pięć metrów. Wsadziłem pióro wiosła w miejsce, gdzie – jak sądziłem – znajdował się obojczyk. Poczułem opór. Pchnąłem mocno. Fala płaszcza popłynęła ku brzegowi.

– Dawaj go pan! – krzyknąłem. – Do brzegu go!

Wstaliśmy, a kajak niebezpiecznie się zachybotał. Obaj oparliśmy wiosła na pływającym ciele i na komendę popchnęliśmy trupa. Po kilku takich akcjach ciało dobiło do brzegu.

Po chwili i ja tam byłem. Zrzuciłem spodnie i koszulę, po czym – nie zwracając uwagi na rozwścieczone komary – wszedłem po pas do wody. Przed sobą miałem głowę trupa. Zerwałem z niej podziurawioną czapkę – nie bez trudu, bo była przywiązana pod brodą. Potem chwyciłem topielca za skronie i odwróciłem ku sobie, lekko podciągając ku górze. Głowa wyślizgnęła mi się z rąk, ale krótka chwila wystarczyła, bym poznał trupa.

Opuchnięta biała twarz należała do Antoniego Drekslera, podobnie jak cudaczna żółta peleryna i czapka z pomponem, znak rozpoznawczy cyrkowego klauna. Pan Zbyszek chwycił się za brzuch i szarpnęły nim torsje. Młody był, student, to i pewnie niewiele w życiu widział.

Wyszedłem z rzeki i otrzepałem się jak pies.

Ja widziałem już w życiu wszystko, a spodziewałem się, że niedługo ujrzę jeszcze więcej – całą i zdrową dziewczynkę, która po śmierci prześladowcy odnajduje się i wraca szczęśliwie do swej matki.

Nawet nie wiedziałem, jak bardzo się mylę.

$$\{x, y^{\dagger}, x^{\dagger}, y^{\dagger}, x, y^{\dagger}\}$$

O ósmej rano wyjechałem po Leokadię na dworzec. Pociąg przyjechał tylko z półgodzinnym opóźnieniem. Z kwiatami w ręku przywitałem kuzynkę. Była wypoczęta i szczęśliwa, a kremowa sukienka i kapelusz z niebieską wstążką podkreślały jej zdrowy wygląd. O mnie nie można było tego powiedzieć, mimo że również ubrałem się w letnie jasne barwy. One jednak nie wydobywały ze mnie śladów dawno minionej młodości: wręcz przeciwnie – znużenie, bijące z mojej sfatygowanej twarzy, było tym bardziej wyraziste przez to, że kontrastowało z białym garniturem, kremową koszulą i jasnobrązowym krawatem.

W taksówce, do której ledwo się zmieściły dwie ogromne walizy, Leokadia opowiadała mi o kilku celnych zagrywkach brydżowych i o śmiesznych pomyłkach licytacyjnych. Słuchałem dość nieuważnie, ale – by jej nie urazić – kiwałem głową ze zrozumieniem, a nawet zadałem kilka pytań.

W mieszkaniu było czysto, co zawdzięczałem sumienności pani Pawelskiej, jednej z moich sąsiadek, którą w piątek wynająłem do sprzątania. Zleciłem jej również upieczenie na niedzielę sernika, z czego ta uczynna niewiasta wywiązała się bez zarzutu.

Ten specjał popijaliśmy teraz kawą, a za oknem słońce już stało wysoko. Zapowiadał się piękny letni dzień.

Leokadia patrzyła na mnie z troską. Wiedziałem doskonale, co budzi jej niepokój. W ciągu ostatnich tygodni schudłem i mało co spałem. Nie byłem już mężczyzną ani młodym, ani nawet w średnim wieku, toteż zmęczenie, jakie mnie opadło po kilku dniach bezsenności i rozpaczliwego poszukiwania dziecka, wyryło na mej twarzy trudno usuwalne ślady, które miały się jeszcze utrzymywać przez długie dni. Tego dnia przy goleniu twarzy i głowy uznałem, że moje oblicze nadawałoby się do tego, by pokazywać je podwórkowym chuliganom z takim ostrzeżeniem: „Oto, droga młodzieży, co czyni alkohol z rysami twarzy". Oczywiście obwisłych policzków, podkrążonych i zaczerwienionych oczu oraz szarej cery nie zawdzięczałem wódce, której zresztą w większych ilościach od dawna nie piłem, lecz intensywnej i niestosownej dla siedemdziesięciolatka pracy. Mimo to dla ewentualnych moralistów, ostrzegających młodzież przed alkoholizmem, moje oblicze byłoby po prostu modelowe.

Leokadia nie wiedziała, jakim przyczynom przypisać mój kiepski wygląd, i najpewniej upatrywała ich – znając moje niegdysiejsze zainteresowanie – w alkoholu i w rozpuście. Z minuty na minutę wyglądała na coraz bardziej zmartwioną. Ponieważ wiedziałem, że z powodu swej wrodzonej dyskrecji nie zapyta mnie słowem o moją marną aparycję, postanowiłem sam uśmierzyć jej niepokoje i opowiedziałem o rozwiązaniu przeze mnie sprawy Belmispara.

Słuchała bardzo uważnie, a w jej oczach pojawiały się różne uczucia – od niepowstrzymanej ciekawości do tkliwego współczucia dla nieszczęśliwego dziecka. To pierwsze sprawiało, że wciąż mi przerywała, to drugie – że kilka razy uroniła łzę. Widziałem też, że jest dumna z tego, iż jej „hipoteza" wróżki okazała się właściwym tropem.

Kiedy skończyłem, była godzina dziesiąta. Pod naszym oknem maszerowały na sumę w katedrze zwarte rodzinne szyki. Poluzowałem krawat i rozparłem się z papierosem w fotelu pod zegarem. Patrzyłem na Lodzię i oczekiwałem od niej gorzkich słów. Co z tego, że sprawa była zakończona, a mnie pozostawało tylko napisać raport, na podstawie już sporządzonego szkicu, i udać się z nim do Władysława hrabiego Zaranek-Platera! Co z tego, kiedy moje śledztwo przyniosło złe owoce – Jonkisza pośrednio oślepiłem, a Hani nie uratowałem przed porwaniem! Czułem, że zaraz z ust Leokadii padną te całkowicie zasłużone zarzuty, i czekałem na nie w spokoju i w poczuciu beznadziei.

Tymczasem moja kuzynka nie przestawała czytać listu Dekslera do Henryki *vel* Henrietty i przeglądać spisu klientów wróżki Margarity, jaki swego czasu dostałem od mordercy. W jednej dłoni trzymała filiżankę, a palcami drugiej przerzucała kartki zeszytu z taką gracją, jakby grała na pianinie.

Czekałem i czekałem na jakąś reakcję Leokadii i w tym oczekiwaniu zamknęły mi się powieki. Kiedy je podniosłem, mój naręczny zegarek Delbana wskazywał godzinę jedenastą. Spałem trzy kwadranse. O niestosowności miejsca snu świadczył dotkliwy ból starych kości.

Leokadia wciąż siedziała nad dokumentami. Kiedy na mnie spojrzała, poczułem, że zaraz mi powie coś ważnego. I że nie będą to żadne zarzuty ani krytyka mojej nieskuteczności, ale coś innego, co zaraz wywróci całe moje śledztwo.

– Jest tu, Edwardzie, drobiazg, co budzi mój niepokój – powiedziała. – Pozwól do mnie, to ci wszystko wyjaśnię!

Podszedłem do stołu. Na nim leżał list Drekslera – jako Anioła Stróża – do Henryki, który znalazłem w dziecinnym beciku. Leokadia wskazała mi palcem na zdanie: „Masz jeszcze w pamięci, ile tam było zakopanych dziecinnych trumienek?".

– No i co? – zapytałem niecierpliwie.

– Spójrz, jak Dreksler pisze duże „m". Widzisz?

– Tak, widzę!

Leokadia podsunęła mi teraz pod nos zeszyt Drekslera.

– A spójrz tutaj! – Wskazała mi palcem na jedną z linij. Zaczynała się ona od nazwiska „Gabriela Makowska", a potem wyszczególnione były inne pozycje – kiedy klientka o tym nazwisku przyszła, jakiej jej udzielono porady, jakie zastosowano środki wróżebne *et cetera*.

Leokadia pokazała mi jeszcze trzy inne nazwiska: „Aleksy Mojko", „Mieczysława Chaba" i „Marianna Kobierzyńska".

– Chodzi ci o to, Lodziu – powiedziałem bardzo powoli – że tu jest zupełnie inne duże „m".

– Tak, oba duże „m". – Długie szczupłe palce Leokadii zastukały po powierzchni stołu. – Duże „m" w liście Drekslera do Henrietty jest kompletnie różne od dużego „m", jakie czterokrotnie występuje w spisach dokonywanych przecież tą samą ręką, ręką Drekslera... Są one tak różne, jakby...

Przyjrzałem się dokładnie obu literom. Najpierw tej z listu Drekslera

a potem tej z jego spisu

– Jakby pisały je całkiem różne osoby, tak? – dokończyłem za kuzynkę. – Tak? To chciałaś powiedzieć?

– Tak – odparła. – Od razu to zauważyłam...

Poczułem, że krew mi napływa do głowy. Zdarłem z szyi krawat i rozpiąłem trzy górne guziki koszuli. Wyszedłem do swojego pokoju i usiadłem ciężko na łóżku. Przyglądałem się ascetycznemu wystrojowi wnętrza – żelazne łóżko, duża szafa, biurko i książki leżące w dziesięciu wysokich stosach na podłodze. Stosy odwrócone były do mnie grzbietami. Lekko przekrzywiwszy głowę, widziałem wyraźnie tytuły. Na pierwszym stosie leżały wydania autorów starożytnych, wśród nich ozdoba mojej kolekcji – siedem tomów dzieł wszystkich Cycerona w monumentalnym wydaniu Johanna Caspara von Orelliego. Na dwóch następnych gramatyki i opracowania języków starożytnych. Na kolejnym stosie oprawione wydania czasopism polskich i niemieckich, a na pozostałych – książki historyczne i naukowe. Wszystkie one leżały w idealnym alfabetycznym porządku. Wszystko miało u mnie swój początek i koniec.

Oprócz mojego ostatniego śledztwa.

Otworzywszy drzwi szafy, do której przymocowane było lustro, dokładnie zawiązałem krawat. Włożyłem marynarkę i kapelusz.

Leokadia siedziała w pokoju i odtwarzała na gramofonie jedną z *Gnossiennes* Erika Satie. Kiedy mniej ujrzała, ściszyła głos pokrętłem.

– Jesteś na mnie zły? – zapytała.

– Dlaczego miałbym być zły na ciebie?

– Bo głupim roztrząsaniem rozgrzebałam twoje śledztwo.

Zmarszczyłem brwi i podniosłem głos.

– Jestem na ciebie zły z innego powodu. Jestem pewien, że tę różnicę kaligraficzną z miejsca ujrzałaś. Czy tak było?

– Tak.

– To dlaczego... – mroziłem ją wściekłym spojrzeniem – to dlaczego od razu mi o tym nie powiedziałaś?

Nie wytrzymałem i roześmiałem się. Kiepskim byłem aktorem. Leokadia wyłączyła muzykę i wstała.

– Nie powiedziałam ci od razu – mierzyła mnie spokojnym wzrokiem – bo chciałam, żebyś odpoczął. Źle wyglądasz. Nie masz już czterdziestu lat...

Podszedłem do niej i pocałowałem ją w czoło.

– Twój trop pociągnął to śledztwo – rzekłem. – I twój nowy trop je zakończy.

– A jaki to trop?

– Ksiądz spowiednik...

$$\{x, y^{\dagger}, x^{\dagger}, y^{\dagger}, x, y^{\dagger}\}$$

Ksiądz Jan Blicharski kończył odprawiać mszę świętą, kiedy wszedłem do katedry. Przez tłum wiernych przedarłem się w stronę ołtarza, a kiedy usłyszałem: *Ite, missa est!**, byłem już przy zakrystii. Księża asystujący i ministranci odgradzali mnie od sekretarza kapituły, ale nie na tyle skutecznie, by mnie nie ujrzał. Najpierw uniósł brwi w niemym zdziwieniu, a potem dał znak swej straży przybocznej, by mnie przepuściła.

– Widzę, że musisz ze mną porozmawiać. – Uśmiechnął się na powitanie. – Skoro doszedłeś *ad altare Dei...*** – Kiwnąłem głową. – Idę pokonferować przez chwilę z przyjacielem – powiedział Blicharski do jednego z księży i wskazał wzrokiem na mnie. – Proszę powiedzieć księdzu kanonikowi, że oczywiście będę na obiedzie!

Po chwili siedzieliśmy na ławce pod ogromnym platanem za Kluskową Bramą. Ja mówiłem, Janek palił.

– Jasiu, wybacz mi – zwróciłem się do przyjaciela – że nie opowiem ci wszystkiego *ab ovo*, ale czas nagli, a stawką jest dobro, jeśli nie życie pewnego dziecka. Opowiem ci wszystko w wolnej chwili, przy lemoniadzie nad Odrą. Obiecuję!

– Mów! – powiedział poważnie Blicharski. – Nie musi być *ab ovo*, wchodź, bracie, śmiało *in medias res*!***

– Muszę mieć imienną listę księży, którzy w środy spowiadają w katedrze, i muszę zdobyć możliwie dokładne i wyczerpujące informacje o każdym z nich – wypowiedziałem na jednym tchnieniu. – Czy to się da zrobić, nawet nie pytam. Jesteś mistrzem wywiadu. Ja pytam tylko: na kiedy będę to miał?

Bywa tak, że dawni przyjaciele, osiągnąwszy zaszczyty, mocno się usztywniają, bywa tak, że nie poznają starych druhów – tak postępują ludzie pyszni. Bywa też, że łagodnie, acz stanowczo,

---

* Idźcie, ofiara spełniona.

** Do ołtarza Bożego.

*** Do sedna sprawy.

odseparowują się od dawnych towarzyszy i dystans ten z upływem lat powiększają. Tak postępują ludzie przeczuleni na własnym punkcie albo ci, którzy poprzez odcięcie się od starych okoliczności wytyczają w swym życiu nowe drogi. Ksiądz Jan Blicharski nie należał do żadnej z tych kategoryj. Jego umysł, wyostrzony na subtelnych teologicznych niuansach, precyzyjnie wyłapywał w wypowiedziach wszelkie emocjonalne zabarwienia. Doskonale wiedział, kiedy ma do czynienia ze złośliwą szczerością weredyka, a kiedy z przyjacielską otwartością. Bez wahania uznał moje żądanie za to drugie zjawisko.

– Jutro – odparł. – Jutro będziesz to miał! Dzisiaj jest niedziela, ostatnia niedziela lata! Duchowni też odpoczywają...

– Ja to muszę mieć dzisiaj, zaraz!

Blicharski wstał i okrążył kilkakrotnie pień drzewa. Potem zatrzymał się przede mną i oparł mi ręce na ramionach.

– Edziu, w środy spowiadają w katedrze księża emeryci... – powiedział. – I spis tych księży możesz dostać zaraz. Ale osobiste wiadomości o spowiednikach to poważniejsza sprawa, wszystkie one są w ich aktach osobowych... A te akta nie są zebrane w jednym miejscu, mogą być jeszcze w ich dawnych parafiach, mogły zginąć w czasie wojny... Posłuchaj, Edziu, na moje polecenie mój sekretarz stanie na głowie i zgromadzi dla ciebie na jutro wieczorem wszystko, co jest dostępne we Wrocławiu. To rzecz prawie niemożliwa, ale on tego dokona, to bystry chłopak... Dwie osoby mogą to zrobić: on albo ja... A on jest dzisiaj pod Jelenią Górą, na prymicjach u swego brata, a ja mam mnóstwo zadań w związku z wizytą księdza sekretarza generalnego... Ta wizyta może być przełomowa dla Kościoła wrocławskiego... – Zamilkł i wyciągnął z sutanny paczkę lordów. – Uspokójmy się, zapalmy! Przeraziłeś mnie, mówiąc o tym dziecku, ale ja naprawdę nie widzę innego rozwiązania niż poczekać do jutra! Nawet gdybym wziął kierowcę i pojechalibyśmy na wycieczkę w Karkonosze, by ściągnąć stamtąd mojego sekretarza, to i tak on zacząłby działać dopiero jutro!

Zaciągnąłem się mocno. Wonny dym kłębił się w płucach, w głowie wyostrzał myśli.

– Dobrze, zaraz dasz mi listę – zgodziłem się. – A potem mógłbym porozmawiać z tymi księżmi spowiednikami i tak zdobyć o nich informacje... Grzecznie ich przesłuchać... Zgadzasz się na takie rozwiązanie?

– Idziemy! – Blicharski obrócił się na pięcie. – Zaraz dam ci listę i specjalne pismo, który umożliwi ci rozmowę z nimi! No szybko, Łyssy, bo się spóźnię na obiad do kanonika, a tam będą omawiane ważne sprawy diecezji... Nawet ja sam składać będę raport... No szybciej!

Ruszyliśmy do siedziby kapituły. Tam Blicharski dał mi spis spowiedników w katedrze i odręcznie napisał krótkie pismo tej oto, nieco zawiłej treści: „Jeśliby WP Dr Edward Popielski o coś księdza pytał, to będzie to tak, jakbym to ja sam o to pytał. Proszę odpowiadać szczerze i zgodnie z sumieniem. Z Panem Bogiem! Sekretarz kapituły wrocławskiej ks. dr Jan Blicharski".

Sygnet odciśnięty w laku nadawał pismu urzędowej mocy. Uzbrojony w takie narzędzie ruszyłem do akcji.

$$\{x, y^{\dagger}, x^{\dagger}, y^{\dagger}, x, y^{\dagger}\}$$

Księża emeryci siedzieli w niewielkim ogródku okalającym ich dom na ulicy Kanonia. Widziałem ich przez pręty ogrodzenia. Niektórzy się wygrzewali rozparci wygodnie na ławkach, kilku odmawiało cicho modlitwę różańcową, jeszcze inni pogrążeni byli w rozmowie. Nacisnąłem dzwonek przy furcie. Zaraz pojawił się ksiądz odźwierny. Był to dobrze zbudowany mężczyzna w średnim wieku. Uważnie przeczytał list polecający, jaki otrzymałem od Blicharskiego, a potem przyjrzał mi się jeszcze dokładniej. Od razu wyczułem w nim bratnią duszę. Gdyby nie powołanie duchowne, zostałby pewnie policjantem.

Wpuścił mnie i na moje zapytanie, którzy z siedzących w ogrodzie księży są ujęci na liście Blicharskiego, wskazał mi sześciu staruszków.

Przyglądałem się im dość natarczywie, nie przejmując się ich zdziwionymi minami. Nie było to spowodowane moją arogancją czy agresją, ale wręcz przeciwnie – w miarę przenoszenia wzroku z jednej księżowskiej poczciwej twarzy na drugą, w mojej głowie rodziły się i rozrastały tak potężne wątpliwości, że prawie blokowały mi jakikolwiek ruch. Ogarnęło mnie zwątpienie i zniechęcenie, wyrażające się w pytaniu: Co ja tu w ogóle robię?

Oparłem się o parkan i usiłowałem sam sobie na to pytanie odpowiedzieć.

Trop fałszywego księdza był jedyny, jaki mi pozostał, po wyeliminowaniu trzech osób związanych ze sprawą władcy liczb. Mordercą był człowiek, który przybrał tożsamość Anioła Stróża opiekującego się Henriettą *vel* Henryką Rybak *vel* wróżką Margaritą. To on, na pewno poprzez listy, a być może przez także osobiste rozmowy, manipulował psychicznie chorą kobietą i skomplikowanymi metodami skłaniał ją do oddania sobie dziecka. Sama Henryka jako Anioła Stróża wskazała Antoniego Drekslera. Za tą hipotezą, oprócz oczywistego zeznania Henryki, przemawiały dodatkowe argumenty: i związane z teorią Belmispara wróżby małpki Kloto, i dziwne względy, jakie astrolog okazywał Hani. Dreksler był ostatnim kamykiem bardzo rozbudowanej mozaiki. I kiedy myślałem, że już ją ułożyłem, wkładając ten kamyk w puste miejsce, do akcji wkroczyła Leokadia i pokazała mi, że charakter pisma Anioła Stróża nie jest charakterem pisma Drekslera, a zatem ten ostatni nie jest mordercą.

W swym liście Anioł Stróż użył zwrotu „powtarzam ci to, co podkreślałem wczoraj”. List powstał już po tym, jak poznałem Henrykę, o czym miałaby świadczyć wzmianka o mnie jako o łysym starcu. Z tych dwóch przesłanek wynikał prosty wniosek – Anioł Stróż rozmawiał z Henryką w czasie mojego śledztwa. Ja zaś od miesiąca nie spuszczałem jej z oczu, chyba że wtedy, gdy chodziła do spowiedzi. I tu pojawił się powód tego, że musiałem teraz wejść wśród tych łagodnych staruszków, którzy w ogrodzie rozkoszowali się słońcem. Musiałem to zrobić surowo i zdecydowanie, choć każda cząstka mojego intelektu wołała: Spójrz na tych emerytów. Czyż któryś z nich mógłby być mordercą i porywaczem? A gdzie by mianowicie ukrył dziecko? Pod ławką w tym mikroskopijnym ogródku?

Oderwałem się od parkanu i podszedłem do dwóch pierwszych, których mi wskazał oddźwierny. Ukłoniłem się, przedstawiłem i wręczyłem im list od Blicharskiego. Stary ksiądz założył binokle i wpatrywał się długo w pismo. Potem pokazał je koledze, a ten po chwili skinął głową i potwierdził, iż odcisk sygnetu wydaje się autentyczny. Podeszli do nas i inni księża. Wszyscy wpatrywali się w list, a ja wpatrywałem się w ich twarze. Nie dostrzegłem na nich ani strachu, ani niepokoju, ani pomieszania. Poczułem, jak złośliwy demon podpowiada mi dwa słowa: Błędny trop! Błędny trop!

Poprosiłem pierwszego księdza, by zechciał odejść ze mną na stronę. Niski staruszek o gęstych siwych włosach oparł się na lasce i podreptał wraz ze mną do pustej ławki.

– Jak się ksiądz nazywa? – zadałem pierwsze pytanie.

– Proszę głośniej!

– Nazwisko!

– Proszę uprzejmiej! – odpowiedział mi z widoczną irytacją. – Mówi się: „Czy mógłbym prosić o księdza nazwisko"! A nazywam się Gacek, a imię mam po patronie dnia, kiedym się urodził... To święty Gabriel od Matki Bożej Boleściwej...

– Czy ksiądz zawsze spowiada w środy? – zapytałem.

– Zawsze! – odparł.

– Czy księdzu zdarza się czasami spóźniać?

– Nigdy!

– Czy w innych konfesjonałach zawsze siedzą ci oto księża? – Podsunąłem mu pod nos sześć nazwisk.

– Ależ tak! – krzyknął i potoczył wzrokiem dokoła. – Wszystkich ma pan tutaj! Odpoczywamy przed obiadem!

– Czy zdarza się, że ktoś inny za księdza spowiada, gdy ksiądz na przykład źle się czuje?

– Proszę pana – binokle księdza, uwiązane na szpagacie, opadły na sutannę – przez pięćdziesiąt lat służę Kościołowi i myli się pan całkowicie, sądząc, że na emeryturze porzucę swoją służbę!

Podziękowałem mu i identyczne pytania zadałem pozostałym księżom. Odpowiedzi były bardzo podobne i – w zależności od temperamentu przesłuchiwanych – zabarwione były już to ironią, już to świętym oburzeniem.

Po półgodzinie wyszedłem z ogrodu emerytów i udałem się w stronę otwartego dziś ogrodu botanicznego. Tam stanąłem w cieniu drzew i – spoglądając na bramę stojącej obok ogrodu kamienicy ozdobioną wolnomularskimi emblematami – zamyśliłem się głęboko. Tok moich myśli wciąż był jednak zaburzany różnymi odgłosami. A to jakaś matka strofowała dziecko, a to jakiś starzec wygrażał laską rowerzyście, który omal na niego nie wpadł, a to rozkrzyczał się reklamowymi wierszykami sprzedawca lodów, który pod bramą ogrodu ustawił swe pudło. Spojrzałem w twarz temu ostatniemu i zrobiło mi się go żal. Dysponował słabym głosem i krzycząc: „Lody, lody dla ochłody! Lody, lody dla urody!", wykonywał nie lada wysiłek, o czym świadczyła czerwona barwa jego cery i napięte żyły na szyi.

I wtedy wróciłem do księży emerytów i wywołałem odźwiernego. Zadałem mu jedno pytanie i zrozumiałem wszystko.

Szybko pokuśtykałem do budynku kapituły. Tam znów użyłem swego pełnomocnictwa. Żadna z sióstr zakonnych nie miała dostępu do akt księży emerytów i wszystkie powtarzały – jak zdrowaśkę – że dopiero następnego dnia będzie ksiądz sekretarz księdza sekretarza i mi we wszystkim pomoże. Dowiedziawszy się, że obiad ku czci kanonika jest wydawany w pałacu kapitulnym, ruszyłem tam mimo słabych protestów sióstr.

Do jadalni mnie jednak nie dopuszczono. Dwaj młodzi księża byli najpierw głusi na moje prośby, ale powołanie się przeze mnie na sześćdziesięcioletnią przyjaźń z sekretarzem kapituły zmieniło nieznacznie ich nastawienie. Po krótkiej naradzie zgodzili się szepnąć na ucho księdzu Blicharskiemu, że mam do niego jedno bardzo krótkie pytanie.

Po chwili z jadalni wyszedł Jaś.

– Ciekaw jestem, czy ty mnie kiedyś z kibla wyciągniesz! – warknął gniewnie na mój widok.

Dwaj młodzi księża, słysząc to grube słowo, spuścili skromnie oczy i odeszli kilka kroków dalej. Dyskrecja i dobre maniery istnieją jeszcze na tym świecie – pomyślałem.

– Posłuchaj mnie, Jasiu – mówiłem gorączkowo. – Wśród księży spowiadających w środy jeden ma siłę hipnotyzera. Potrafi pewną kobietę, bogobojną, choć nie w pełni władz umysłowych, zmuszać do czynienia zła. Ale nie jest to żaden z tych emerytów, których właśnie przesłuchałem...

– Nie ma innych. – Blicharski wyjął z sutanny zegarek kieszonkowy i spojrzał na mnie ze złością. – Nie ma żadnych innych, rozumiesz? Nie ma siedmiu konfesjonałów, tylko jest ich sześć. I w środy tylko tych sześciu emerytów spowiada! No to który ma siłę hipnotyzera?

– Jeden z tych sześciu wcale nie spowiada! – odparłem. – A swój obowiązek przekazuje komuś innemu! I wiem, który to robi! Który wyręcza się kimś innym!

Blicharski zaniemówił.

– Ksiądz Gabriel Gacek – odpowiedziałem. – Nie może spowiadać z powodów naturalnych. Jest głuchy jak pień i nigdy nie nosi żadnej słuchawki ani trąbki, o czym mnie poinformował odźwierny z ogrodu emerytów! On nie spowiada, ale wszystkie konfesjonały są zajęte! Ktoś siedzi za zasuniętymi firankami jego konfesjonału, a on w tym czasie, powiedzmy, idzie na spacer. Tamten fałszywy spowiednik sączy jad w uszy pewnej kobiety i zmusza ją do porzucenia własnej córki! To morderca, uwierz mi! Temu komuś, powtarzam: mordercy, z jakichś względów ksiądz Gacek zleca swoją spowiedź! Jak mam zmusić tego staruszka, by mi podał nazwisko mordercy? No jak? Mów, stary!

Z jadalni wyszedł inny młody ksiądz i spojrzał pytająco na Blicharskiego.

– Zaczynają się przemówienia, księże sekretarzu! – powiedział.

– Już idę – odparł Blicharski i pochylił się ku mnie. – Nie wiem, jak masz go zmusić! Nic ci nie mogę poradzić... No nie mogę, do jasnej cholery, słyszysz mnie, Łyssy!

Wszyscy trzej młodzi księża skromnie spuścili oczy.

– Powiedz mu – szepnął mi cicho – że wiem o wszystkim i jeśli ci nie powie, to sprawię, że wyląduje jako pomocnik w diecezjalnej garkuchni dla biednych. Tak mu powiedz!

$$\{x, y^{\dagger}, x^{\dagger}, y^{\dagger}, x, y^{\dagger}\}$$

I tak mu, dokładnie słowo w słowo, powiedziałem pięć minut później. A właściwie napisałem, bo nie chciałem wykrzykiwać gróźb Blicharskiego przy świadkach.

Ksiądz Gabriel właśnie siedział w towarzystwie trzech innych emerytów i jadł pieczeń wołową w sosie, kiedy stanąłem za nim i rzuciłem swoją rosłą sylwetką cień na jego stół. Wykręcił głowę i spojrzał za siebie. Poznał mnie i w jego oczach pojawiła się złość. Wtedy chwyciłem jego krzesło i przyciągnąłem je ku sobie. Wcisnąłem mu binokle na oczy i pod nos podsunąłem wiadomość, którą pośpiesznie napisałem na kartce po wyjściu od Blicharskiego.

Ksiądz sekretarz kapituły wie o tym, że to nie ty spowiadasz w środy. Ktoś robi to za ciebie. Jeśli nie powiesz mi, kto to jest, to ks. Blicharski wyśle cię do diecezjalnej garkuchni dla biednych.

Inni księża wstali zbulwersowani moim zachowaniem. Głośno wyrażali swoje oburzenie. Do jadalni wbiegł potężny ksiądz odźwierny. Gacek uniósł do góry ręce, a potem wskazał na mnie i zakręcił kółko na czole.

– Z wariatami trzeba ostrożnie! – krzyknął i spojrzał na mnie. – Oni są spokojni, jak się z nimi spokojnie rozmawia! Pozwoli mi pan kompot dopić!?

Pozwoliłem. Po chwili siedzieliśmy znów na ławce, którą opuściliśmy trzy kwadranse wcześniej.

– Jak się nazywa ten człowiek, który co środa spowiada zamiast księdza!? – ryknąłęm Gackowi do owłosionego ucha.

– Nazywa się Henryk Bolecki – odpowiedział ksiądz i zamilkł.

Niczego więcej nie wyjaśnił. Widać było, że będę musiał od niego wyciągać informacje powoli i zdanie po zdaniu. Czułem mrowienie na karku. Sygnał, że wybuch był bliski. Mimo że w mojej głowie grały tryumfalne trąby obwieszczające, że znów jestem na właściwym tropie, wciąż nękała mnie i kłuła niewygodna myśl: Im szybciej wszystkiego się dowiem, tym większe mam szanse na uratowanie dziewczynki.

– Bolecki jest księdzem?

– Nie jestem pewien.

– Dlaczego ksiądz oddał mu swoją spowiedź?

– Zmusił mnie do tego.

– W jaki sposób?

Zapadło milczenie. Kark swędział mnie coraz bardziej. Mijały kolejne minuty.

– Nie powiem! – Ksiądz wybuchnął wściekłością i wstał. – Garkuchnia to też miejsce dla ludzi!

Odwrócił się i poszedł w stronę domu. Pokuśtykałem i zagrodziłem mu drogę.

– Nie obchodzi mnie, jak ten Bolecki księdza zaszantażował! – krzyknąłem. – Ani czy ksiądz lubił wódkę czy hazard! To mnie nie obchodzi! Ale muszę wiedzieć wszystko, co ksiądz wie o tym Boleckim! – Swędzenie na karku stało się nie do wytrzymania. Chwyciłem go za sutannę. – Siadaj tu, kurwa, katabasie jeden – wysyczałem i wskazałem na ławkę. – I mów! Kto to jest! Muszę wszystko o nim wiedzieć...

Ksiądz Gabriel usiadł. Długo myślał. Swędzenie ustało. Wiedziałem, że zaraz wszystko będzie jasne.

– Nie powiem panu dokładnie – odezwał się, ku mojemu zaskoczeniu, bardzo cicho – jak mnie zmusił do oddania mu spowiedzi. Dość, że kilka lat temu przyszedł do mnie do spowiedzi... Wcale się jednak nie spowiadał, tylko przez kratki przypomniał mi o czymś, co zrobiłem w czasie wojny i o czym bardzo chciałbym zapomnieć... Zagroził, że mnie wyda, a o moim czynie powie władzom kościelnym... W zamian chciał tylko spowiadać za mnie ludzi. Było mi to bardzo na rękę. Z powodu postępującej głuchoty już się do tego nie nadawałem, penitenci nie przychodzili do mnie, bo musieli głośno wyznawać swoje grzechy... Stawałem się dla Kościoła bezużyteczny... Bolecki zażądał zatem tego, czego i tak pragnąłem się pozbyć... Zgodziłem się chętnie.

– Muszę znaleźć tego Boleckiego – powiedziałem mu do ucha. – On jest bardzo niebezpieczny. Ale żeby go znaleźć, muszę wszystko o nim wiedzieć, począwszy od tego, gdzie go ksiądz poznał...

– Był to młody człowiek, który przyszedł do mnie tuż po wojnie. – Odsapnął ciężko. – Nie powiem panu, gdzie to było...

Pokazał mi sfałszowany przydział do mojej parafii. Nie był żadnym księdzem... Już po jednym dniu zorientowałem się, że on się myli przy odprawianiu mszy... Ministranci zawsze musieli mu podpowiadać. Jednego z nich nazywał nawet suflerem... Ale za to wiedział o mnie coś, o czym chciałem zapomnieć. Dowiedział się o tym przypadkiem kilka miesięcy wcześniej od jednego z moich wrogów... I po przybyciu do parafii, gdzie byłem proboszczem, zmusił mnie, bym tolerował jego fałszywą posługę i ustępował mu we wszystkim. Nie zgodziłbym się na to nigdy i prędzej bym w łeb sobie palnął, ale on żądał tylko dwóch przywilejów: chciał głosić kazania i spowiadać ludzi. Muszę przyznać, był wspaniałym kaznodzieją i spowiednikiem. Nie wiedziałem tylko, że w czasie spowiedzi on potrafi hipnotyzować... Nie wiedziałem, że potrafi podporządkować sobie penitentów. I wtedy się zaczęło! W czasie spowiedzi zdobywał względy niewiast i potem je sromotnie wykorzystywał... Dochodziły do mnie te plotki, byłem w strasznym kłopocie... To było nie do wytrzymania... Aż w końcu postanowiłem uciec z tej parafii i porzucić stan kapłański... Wtedy Bolecki nieoczekiwanie wyjechał za jedną z parafianek... Była nauczycielką... Na imię miała Henrietta, nazwiska nie pamiętam. Była chyba jego kochanką... Odetchnąłem... Poszedłem na emeryturę i trafiłem do Wrocławia... Wszystko było dobrze, aż do czasu kiedy gdzieś tak cztery lata temu za kratką konfesjonału ujrzałem ten wstrętny demoniczny łysy łeb... Nic więcej o nim nie wiem. Tylko to, że bardzo interesował się matematyką... A, jeszcze jedno! W kurii biskupiej, co sprawdziłem później, nie znano żadnego księdza Boleckiego... Nosił fałszywe nazwisko...

Ksiądz umilkł. Milczałem i ja. Opowieść księdza Gacka potwierdziła historię, którą znałem od Henryki. I znów cała sprawa zatoczyła koło. Owszem, ksiądz Bolecki nosił fałszywe nazwisko, bo prawdziwe brzmiało Antoni Dreksler. Wszystko się zgadzało – z wyjątkiem charakteru pisma.

– Kiedy go ksiądz widział po raz ostatni? – zapytałem zrezygnowany. – Czy wtedy, kiedy księdza zaszantażował?

– Nie – odparł mój rozmówca. – Wczoraj go widziałem! Wieczorem! Tu na Ostrowie Tumskim!

Połknąłem przekleństwo i podrapałem się w kark. Wczoraj wieczorem wpatrywały się we mnie martwe oczy Antoniego Drekslera, który – wedle słów księdza – był w tym czasie na Ostrowie Tumskim. Darowałem sobie głupie pytanie: „Czy to na pewno był on?". Musiałem się upewnić w inny sposób.

– Niech mi ksiądz go opisze, bardzo proszę. – Ważyłem każde słowo. – Jak Bolecki wygląda?

– Jak zawsze – mruknął stary kapłan. – Mały, łysy... Cóż mogę jeszcze powiedzieć? Odziany niedbale, miał chyba jakiś płaszcz... W taki upał... Wie pan, nie przyglądałem mu się... Szybko uciekłem. Ja go unikam... On ma w sobie jakąś demoniczną siłę...

– Zawsze był łysy? Także wtedy, gdy przyszedł do księdza parafii jako fałszywy wikary?

– Zawsze był.

– A nie miał przypadkiem takiego puchu na głowie? – opisałem Drekslera. – Długich rzadkich włosów, które powiewały przy każdym ruchu?

– A gdzie tam, panie! – oburzył się ksiądz Gabriel. – Był łysy, no może nie taki jak pan... Jak kolano... Ale był łysy, tylko że wokół głowy to nawet miał gęste włosy. Z boku i z tyłu, no wie pan... Nawet mu się tam kłębiły, były gęste... Zwracałem mu uwagę, gdy był wikarym, na niestosowność takiej fryzury...

– Kurwa mać! – Nie wytrzymałem, ale powiedziałem to na tyle cicho, że mój rozmówca tego nie usłyszał.

Staruszek opisał bardzo trafnie Eugeniusza Zaranek-Platera.

– Słucham?! – krzyknął. – Że co?

– Czy zdaje pan sobie sprawę – mówiłem niezbyt głośno, ale bardzo pieczołowicie otwierałem usta, by mógł czytać z moich warg – że człowiek, którego pan opisuje, od roku siedzi w zamknięciu i nie mógł tu być wczoraj, na Ostrowie Tumskim! Ani tu, ani nigdzie?

– Jestem kapłanem, proszę pana! – zawołał Gacek. – Jestem kapłanem niezależnie od błędu, jaki popełniłem. I na pańskie głupie pytanie, czy zdaję sobie sprawę, że opowiadam jakieś brednie, odpowiem panu bardzo mocno. On jest demonem, proszę pana, a demon może wszystko. Nawet być w kilku miejscach jednocześnie!

$\{x, y^{\dagger}, x^{\dagger}, y^{\dagger}, x, y^{\dagger}\}$

Z pewnością był tam, gdzie teraz małpka Kloto. Zwierzątko broniło się przed nim z całą siłą, sprytem i determinacją. Było jednak z góry skazane na przegraną.

Coś szorstkiego przesunęło się pod jej brodą. Pętla. Zacisnęła się ona tak mocno, że Kloto straciła prawie oddech. Wtedy poczuła na swej głowie sękate palce. Po chwili znalazła się już poza klatką. Pętla została umocowana na sztywnym kiju, dzięki któremu człowiek trzymał ją w sporej odległości od siebie. Mogła wierzgać rękami i nogami, lecz był to daremny wysiłek.

Człowiek zaczął wykonywać ruchy przypominające młócenie cepem zboża. Jednym ruchem obalał małpkę na ziemię, a potem znów stawiał na nogi. Śmiał się przy tym i wołał:

– Wykonałaś już swe zadanie! Nie jesteś mi potrzebna, pokrako!

W końcu przycisnął ją do podłogi. Pod plecami czuła jakiś gruby kształt. Jakby drewno. Mężczyzna przywiązał ją pasem do tego drewna. Mogła ruszać tylko kończynami. Za chwilę i one zostały unieruchomione.

Małpka piszczała z niepokoju.

W ręce mężczyzny pojawił się duży gwóźdź.

$\{x, y^{\dagger}, x^{\dagger}, y^{\dagger}, x, y^{\dagger}\}$

Dopiero przed północą dostałem się do mieszkania Eugeniusza Zaranek-Platera. Wcześniej było to niemożliwe, ponieważ sztaba zabezpieczająca drzwi była nie do ruszenia, choć sforsować ją kazałem sąsiadom matematyka, zastraszywszy ich milicyjnym pełnomocnictwem. Nie dali rady, nawet łomy okazały się bezużyteczne. Grube żelazne drzwi opierały się próbom przepiłowania.

Za drzwiami nie słyszałem najlżejszego szmeru. Moje nawoływania pozostały bez odpowiedzi. Ku mojej rozpaczy nie usłyszałem żadnego dźwięku, jaki by mogło wydać z siebie dziecko.

Jedyne, co uzyskałem za mojej pierwszej bytności pod drzwiami matematyka, to potwierdzenie, że do niego często przychodził również inny ksiądz – oprócz księdza Tadeusza z parafii Świętego Antoniego. Z opisu sąsiadów wynikało, że jest on uderzająco podobny do Antoniego Drekslera.

Zdesperowany niemożnością wejścia do mieszkania pojechałem taksówką do mojego zleceniodawcy. Zdziwiona i zaniepokojona hrabina odparła, że jej męża nie ma, ponieważ... pojechał do mnie w odwiedziny. Przypomniałem sobie kobietę, która podjechała po hrabiego po koncercie symfonicznym, i założyłem, że pewnie moje nazwisko posłużyło tu jako nieudane alibi. Niczego nie wyjaśniałem, zostawiłem niewiastę w bezgranicznym zdumieniu i pojechałem do Jasia Blicharskiego, aby zdobyć adres profesora Apolinarego, czyli drugiego z dwóch ludzi, którzy mieli klucz do mieszkania matematyka. Niestety natknąłem się tu na barierę nie do przebycia – trzej młodzi księża zagradzali mi drogę do apartamentów kapitulnych i zgodnym chórem twierdzili, że księdza sekretarza nie ma teraz we Wrocławiu i może przyjąć mnie dopiero następnego dnia.

Wróciłem zatem jak niepyszny na ulicę Zelwerowicza i od pilnujących mieszkania ludzi dowiedziałem się, że nie słyszeli za drzwiami nawet szmeru.

Wiele godzin zajęło mi poszukiwanie kilofów i mężczyzn, którzy byliby gotowi do ich użycia. Tutaj niewiele mi pomagało milicyjne pełnomocnictwo, musiałem zastosować inne, stare jak świat argumenty, czyli zaoferować robotnikom godziwą zapłatę.

Przed północą kamienica zatrzęsła się od huku. Kilofy wbiły się swymi ostrymi nosami w ścianę przy drzwiach mieszkania Zaranek-Platera. Kwadrans po północy jeden z nich przebił się do środka. W powstałą w ten sposób dziurę wryły się następne. Po kilku minutach mieszkańcy kamienicy – oczywiście nie ci, którzy tłumnie wypełniali klatkę schodową i pchali się jeden przez drugiego – mogli wreszcie usnąć. Robotnicy poszli do domu, a ja – ubrudziwszy się nieco – wlazłem przez wyrąbany otwór do mieszkania matematyka.

Z całego serca wierzyłem, że w jakimś kącie siedzi przerażony Eugeniusz Zaranek-Plater z równie przerażoną Hanią. Miałem nadzieję, że na mój widok rzekomy demon się podda, a dziecko podbiegnie z radością i mnie uściska.

Obejrzałem dokładnie przedpokój, kuchnię i łazienkę. Nie pominąłem nawet sufitu. Nikogo. Skradałem się cicho, zaciskając palce na brauningu. Pod moimi butami szeleściły kartki z dziecięcymi rysunkami. Spojrzałem na nie uważnie. Niewprawna dziecinna rączka wyrysowała las. Wśród drzew stały groby ozdobione krzyżami. Z niektórych mogił wystawały trumny. Dwie były otwarte. Wysuwały się z nich dziewczynki z warkoczykami i kokardami.

Na progu pokoju ujrzałem lalkę z urwanymi nogami.

Nagle zrobiło mi się zimno. Usłyszałem dziecięcy pisk. Wpadłem do pokoju z wycelowanym pistoletem.

To nie piszczało dziecko.

To piszczała ukrzyżowana żywcem małpka.

Nad wiszącym na ścianie krzyżem, na którym szarpało się zwierzątko, widniał napis:

„CHWAŁA CI, BELMISPARZE"

$$\{x, y^\dagger, x^\dagger, y^\dagger, x, y^\dagger\}$$

Nigdy nie byłem człowiekiem zabobonnym. Nie wierzyłem w duchy, strzygi, upiory. Śmiałem się do rozpuku z rewelacyj, jakich doświadczali uczestnicy seansów spirytystycznych. Zacierałem ręce z satysfakcją, gdym się dowiadywał, że zdemaskowano gdzieś fałszywe medium, które zamiast ektoplazmy wydzielało z ust zwoje bandażu. Byłem człowiekiem racjonalnym i byłem pewien, iż logika i nauki przyrodnicze w dużej mierze wyjaśniają świat. Jeśli dla tych dyscyplin istnieje coś niewyjaśnionego, to z biegiem czasu z tej zasłony tajemnicy zostają strzępy.

To, co teraz widziałem, było sprzeczne z rozumem. Z zabezpieczonego sztabami i kratami mieszkania położonego na ostatnim piętrze zniknęły, wyparowały wręcz, dwie osoby. Pozostały po nich przedmioty materialne – teczki z matematycznymi obliczeniami, rysunki przedstawiające cmentarz, kaleka lalka i ukrzyżowane zwierzę wijące się z bólu na ścianie.

To wszystko dokonywało gwałtownej inwazji na mój racjonalny umysł. Ukrzyżowana małpa, ludzie śpiewający teraz wokół mnie pieśni kościelne i przeraźliwa inwokacja do demona na ścianie – to wszystko sprawiało, że mój rozum się kruszył. Słowa księdza Gacka o demonie, który może być w kilku miejscach jednocześnie, i oskarżenia o uwolnienie zła rzucane na mnie przez opętaną kobietę wywoływały erozję tego, w co najmocniej dotąd ufałem – że świat jest możliwy do zrozumienia. Już samo pojawienie się teraz w moich myślach słowa „opętanie" w odniesieniu do Henrietty *vel* Henryki było jak wstęp do szaleństwa.

Ktoś ściągnął konające zwierzę z krzyża, ktoś otworzył biurko, ktoś darł na strzępy rysunki chorego dziecka, ktoś śpiewał pogrzebową pieśń *Salve Regina*. Ludzie zaczęli myszkować po mieszkaniu. Było ich coraz więcej. Robiło się coraz goręcej. Wygasający piec koza wciąż ział ciepłem w dusznym pomieszczeniu.

– Do domów, obywatele! Do domów! – rozległ się nagle potężny, władczy głos.

Ludzie niechętnie i wolno przepychali się przez dziurę wyrąbaną w ścianie. Ja nie wychodziłem. Chciałem mieć absolutną pewność, że nie ma w tym mieszkaniu żadnego wyjścia, przez które ktoś mógłby uciec. By nie pobrudzić garnituru, pochylony przemieszczałem się między ścianami i wpatrywałem się we wszystkie kąty.

– Uwolniłeś zło! – huczał w mojej głowie głos Henryki.

Kapitan Józef Franczak wszedł na środek pokoju i przyglądał mi się obojętnie. Jego koszula z krótkim rękawem była tak napięta na brzuchu, że między guzikami tworzyły się charakterystyczne łezki. Ocierał pot z purpurowej twarzy. Za nim stało dwóch umundurowanych milicjantów. Paski przytrzymujące ich czapki wrzynały im się w brody. Obaj byli spoceni. W ich wzroku widziałem gotowość rzucenia mi się do gardła na jedno słowo szefa.

– Uwolniłeś zło! – powtarzała Henryka w mojej głowie.

Franczak otarł w końcu pot z czoła i zapalił papierosa.

– Pisz, jest poniedziałek 27 sierpnia, wpół do pierwszej – powiedział do jednego z milicjantów, a potem spojrzał na mnie. – Co ty tu, kurwa, robisz, dziadu, zamiast spać grzecznie na zapiecku?

Nie odpowiedziałem. Przed oczami pojawiła mi się kartka z kalendarza. Sięgnąłem do marynarki, milicjanci wyjęli pistolety, Franczak uspokoił ich ruchem ręki. Na widok mojego notesu włożyli broń z powrotem do kabur.

– Dzisiaj jest 27 sierpnia? – zapytałem Franczaka.

– Od pół godziny tak. – Kiwnął głową.

Spojrzałem na moje zapiski. „27-08-05-56-19-50". Dzisiaj był dzień Belmispara.

– Uwolniłem zło! – powiedziałem wolno. – Zrobiłem straszny błąd! Uwolniłem zło! Możesz jeszcze temu zapobiec? No co, możesz, kapitanie?

Kapitan ruchem ręki odprawił milicjantów.

– Przestań mi tu pierdolić! – szepnął do mnie rozwścieczony. – A o jakim złu ty mówisz? Jeśli ci chodzi o Boksera, to sprawa jest załatwiona! Zrobiłem to, co chciałeś! A teraz spierdalaj mi stąd! Cały dom postawiłeś na nogi i nie wiem, czy uda mi się tę sprawę zatuszować...

– Uwolniłeś zło – rozległ się głos Henryki. – Franczak zrobił, co chciałeś, i już jest za późno!

– Zabił demon! – powiedziałem i opuściłem duszne mieszkanie.

$$\{x, y^\dagger, x^\dagger, y^\dagger, x, y^\dagger\}$$

Leokadia była bardzo zaniepokojona moją długą nieobecnością. Nie mogła zasnąć. Wciąż wstawała z łóżka i podchodziła do otwartego okna.

Bokser w towarzystwie dwóch kompanów stał pod oknem i nasłuchiwał wszelkich odgłosów z mieszkania. Słyszał krzątanie się Leokadii, syk maszynki spirytusowej, kiedy robiła sobie herbatę, i pstryk wyłącznika lampy, którą kuzynka nerwowo włączała i wyłączała.

Leokadia zapaliła w końcu światło na dłużej. Usiadła przy lampie i piła napar z mięty. Za drzwiami usłyszała jakieś szmery. Podeszła. Bała się otworzyć.

– To ty, Edziu!? – zawołała.

Jeden z ludzi Boksera zbliżył się do okna pokoju Popielskiego. Spojrzał na uchylony lufcik. Postawił stopę na parapecie.

Leokadia stała przy drzwiach i przykładała do nich ucho. Z drugiego pokoju doszedł metaliczny trzask. Nie ruszyła się. Stała jak sparaliżowana. Bała się wchodzić do pokoju, z którego doszedł ten niepokojący dźwięk. Bała się otworzyć drzwi wejściowe, bo słyszała za nimi przyśpieszony oddech.

Człowiek Boksera przeklął, kiedy mu pod butem trzasnęła nierówna blacha pokrywająca parapet. Otworzył szerzej lufcik i wspiął się na okno. Przez lufcik włożył rękę do pokoju i sięgnął do klamki. Po chwili był w środku. Ciężko zeskoczył na podłogę. W ciemności potrącił jeden ze stosów książek, który runął z hukiem.

Leokadia krzyknęła przeraźliwie i podbiegła do okna w swoim pokoju. Wiedziała, że jest zakratowane, ale wierzyła, że ktoś usłyszy jej krzyk.

– Ratunku!!! – wrzasnęła. – Wtedy usłyszała, że otwierają się drzwi wejściowe. – Ludzie!!! Ratunku!!! – krzyczała w ciemną noc.

Nagle ktoś ją chwycił za twarz. Usiłowała go ugryźć, ale straciła równowagę.

Zgasło światło. Przyciskał ją do ziemi potworny ciężar. Poczuła w ustach jakiś knebel, z którego coś – może piasek – posypało się jej do gardła. Charkot, który z siebie wydobyła, był jak warknięcie. Nie mogła się ruszać, nie mogła oddychać. Mogła tylko patrzeć.

Usłyszała szczęk żabek. Ktoś zasłonił dokładnie okno. Potem w pokoju zapaliło się światło.

Bokser kucnął obok Leokadii.

– Gdybyś nie była taka stara – powiedział cicho – tobym cię wyruchał... Ale jesteś tak stara, że nawet moim psom cię nie rzucę do wyruchania...

Leokadia ujrzała mężczyznę z przepaską na oku. W jego ręku błysnęła łyżeczka do herbaty.

– Dawaj jej mordę – powiedział do kompana – to jej te ślipia wyłupię... Jedno po drugim...

Bokser chwycił Leokadię za włosy koło uszu i przyciągnął do siebie, by lepiej ją widzieć. Jego uwagę przykuł natychmiast złoty wisior. Zerwał go z szyi i patrzył na niego przez chwilę. Potem przybliżył łyżeczkę do oka i wcisnął ją w oczodół. Naciskał coraz mocniej, ale łyżeczka nawet skóry nie przecięła. Na kneblu Leokadii pojawiła się gęsta ślina. Kobieta zachłystywała się z bólu.

– Zbyt tępa, do kurwy nędzy. – Bokser wstał. – Trzymać ją, a ja czegoś w kuchni poszukam! Tylko żeby mi się ta stara kurwa nie udusiła! Na żywca jej gały wyłupię!

Wstał i poszedł do kuchni. Zapalił światło. W ręku wciąż trzymał wisior. Jeszcze raz mu się przyjrzał. Wygrawerowano na nim ni to rybę, ni to węża. Stwór owijał się wokół czegoś, co przypominało kotwicę.

Wtedy sobie przypomniał senny koszmar. Zwężającą się i rozszerzającą kotwicę zniekształconą przez łzy ze zdrowego oka.

Kotwica.

Kotwica. Ozdoba. Wytatuowana kotwica. Ozdoba przedramienia napastnika. Kryminalisty, który mu wsadzał łyżeczkę do oka i mówił:

– Spróbuj się mścić, lebiego, to ci brata na Kleczkowskiej kamraty przecwelują!

Gwałt, zapowiedziany słowem „przecwelują", był dla każdego więźnia gorszy niż kara śmierci. Wtrącał go momentalnie na samo dno upodlenia. Od momentu gwałtu stawał się ofiarą – pogardzaną, torturowaną i wykorzystywaną najpodlej.

Bokser wszedł do pokoju.

– Puścić ją! Idziemy!

Po chwili Leokadia była w mieszkaniu sama. Próbowała złapać oddech i wykaszleć z płuc drobinki piasku lub kurzu. Na oku rozrastał się jej krwiak. Nie będzie widziała nic przez najbliższy miesiąc.

V

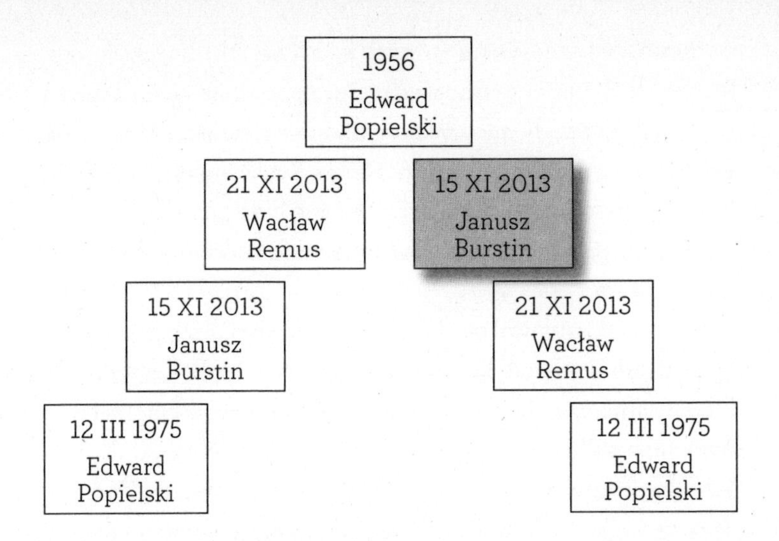

FILOZOF WACŁAW REMUS PRZEPISAŁ Z TABLICY do notesu numer telefonu komórkowego profesora Janusza Burstina. Kiedy ten odchodził w licznej eskorcie matematyków, by zaraz uczestniczyć w bankietach, rautach i ceremoniach, Remus długo za nim spoglądał.

Nie wiązał zbyt wielkich nadziei z wieczornym spotkaniem. Od dwudziestu czterech lat starał się wyjaśnić trzy zagadki, które mu jego ojciec Edward Popielski pozostawił w spadku w swym trzytomowym pamiętniku. Pierwszą, którą nazwał „Otchłanią filozofów" udało mu się rozwiązać rok wcześniej. Druga, „Ofiara dla Belmispara", wydawała mu się przypadkiem beznadziejnym. Aby ją wyjaśnić, należałoby znaleźć mordercę, którym najprawdopodobniej był Eugeniusz Zaranek-Plater, i dowiedzieć się, w jaki sposób porwał Hanię Rybakównę. Było to jedyne możliwe działanie, niestety z gruntu skazane na porażkę. Gdyby matematyk z pamiętnika ojca w ogóle jeszcze żył, to miałby dziś lat dziewięćdziesiąt cztery. Pozostawała nadzieja, że żyje porwana przez niego śliczna dziewczynka, dziś starsza pani w sześćdziesiątym ósmym roku życia.

Remus od dwudziestu czterech lat szukał ich obojga, ale jego kolejne próby, poprzedzone wizytami we wszystkich możliwych urzędach. kończyły się fiaskiem. Żadna z dwunastu mieszkających w Polsce kobiet o nazwisku Hanna Rybak ani żadna z ośmiu, które nosiły to nazwisko jako panny, nie była poszukiwaną osobą. Wśród czterech Henryków Boleckich żaden nie był Aniołem Stróżem.

Remus poszukiwał tego ostatniego także w inny sposób. Słał do różnych matematyków na całym świecie liczne listy i maile z pytaniem, czy cokolwiek wiedzą o rachunku logeometrycznym i czy obiło im się o uszy imię Belmispar. Dołączał do nich kserokopie z matematycznymi fragmentami artykułu Zaranek-Platera, który znajdował się w przejętym przez niego archiwum Popielskiego. Wszyscy bez wyjątku uczeni odpowiadali na listy i maile. Większość z nich potwierdzała, że rozważania Zaranek-Platera nie mają wielkiej wartości. Ostateczną ich konkluzją było, iż w życiu nie czytali niczego, co mogłoby przypominać teorię Belmispara. Niektórzy matematycy nie chcieli się podjąć opiniowania tego artykułu, mówiąc, iż nie dotyczy on dziedzin, jakimi się zajmują. Kilku pisaninę Zaranek-Platera nazwało „bełkotem", a pewien brazylijski profesor określił ją jako *„brave piece of shit"*.

Mimo tych porażek Remus nieustannie aktualizował listę matematyków i słał swe zapytania nowym, którzy wstępowali na arenę naukową. Z profesorem Januszem Burstinem nigdy nie udało mu się skontaktować, choć dobrze znał jego nazwisko z licznych prac naukowych. Ta niemożność była spowodowana bardzo prostą przyczyną – wiadomo było, że Burstin żyje i mieszka w Izraelu, ale nie pracuje na żadnej z uczelni. W pracach naukowych z przeróżnych dziedzin zwyczajowo obok nazwiska autora artykułu umieszcza się nazwę jednostki badawczej, w której uczony pracuje. Obok nazwiska profesora nie było nigdy żadnej adnotacji. Niektórzy powiadali, że to jakiś szalony asceta w typie genialnego Grigorija Perelmana, który odrzuciwszy miliony dolarów za udowodnienie hipotezy Poincarégo i kilku innych, porzucił pracę naukową i hoduje karaluchy w obskurnym petersburskim bloku. Inni – że Burstin pracuje dla Mosadu.

Filozof zaangażował się w „sprawę Belmispara" z jednego podstawowego powodu. Nie mógł uwierzyć, że jego ojciec, którego dobrze znał jako racjonalistę i krytyka zabobonów, zakończył drugi tom swojego pamiętnika wyznaniem, że troje rzekomych samobójców pozabijał demon. W głowie nie chciało mu się pomieścić, że ten krzepki i uparty mężczyzna, którego on sam był zwierciadlanym – i psychicznym, i fizycznym – odbiciem, porzucił skomplikowaną sprawę detektywistyczną, zadowalając się stwierdzeniem, godnym autorów piętnastowiecznego *Młota na czarownice*. Remusowi się zdawało, gdy o tym dużo myślał, że ojciec specjalnie pozostawił takie zakończenie tego tomu pamiętnika – na metafizycznej scenie ukrzyżowania małpy i inwokacji „Chwała Ci, Belmisparze!" – by wzmóc ciekawość syna i w ten przewrotny sposób przekazać mu tajne przesłanie: „Wyjaśnij tę sprawę, synu!".

Remus starał się ją wyjaśnić od lat dwudziestu czterech i wykorzystał już prawie wszystkie możliwości. Pozostawało mu jedynie czekać na takie prezenty od losu, jak choćby obecność we Wrocławiu nieuchwytnego dotąd i legendarnego wśród matematyków profesora Janusza Burstina.

Filozof wrócił do domu od razu po wykładzie inauguracyjnym, przebrał się w dres i zajął się pisaniem recenzji pewnego doktoratu z filozofii logiki, który powstał pod kierunkiem jego kolegi z Uniwersytetu Opolskiego. Praca doktorska była solidnie uargumentowana i pokazywała pewne istotne *nova* z zakresu filozoficznych zastosowań logiki parakonsystentnej. Remus wiedział, że zakończy swoją recenzję pozytywną klauzulą i na razie rozwijał różne uwagi krytyczne.

Około czwartej poczuł dotkliwy głód i odgrzał sobie zupę pomidorową i potrawkę z królika. Zjadł sam te specjały, ponieważ jego żona, nauczycielka łaciny w VII Liceum Ogólnokształcącym, miała tego dnia wrócić dopiero wieczorem po wywiadówce. Córka zaś, prawie trzydziestoletnia pielęgniarka pracująca w Szpitalu Wojskowym, od dawna mieszkała osobno z mężczyzną, który miał dwoje nieślubnych dzieci z dwiema różnymi kobietami, Remus nie znosił swego „zięcia" z powodu jego anarchistycznych i trockistowskich poglądów.

Filozof po poobiedniej drzemce pracował nad recenzją do szóstej, a potem zatelefonował do profesora Burstina. Tu najpierw spotkało go srogie rozczarowanie. Matematyk przez godzinę nie odbierał telefonu. Kiedy już się Remusowi w końcu udało z nim połączyć, profesor sprawiał wrażenie, jakby nie pamiętał zupełnie ich dzisiejszej rozmowy i swojej obietnicy. „Belmispar, Belmispar" – powtarzał imię władcy liczb jak magiczną formułę. Ostatecznie ta mantra dała pozytywny wynik. Burstin przypomniał sobie filozofa i zgodził się z nim spotkać pod takim jednak warunkiem, że ten wybierze jakiś lokal, w którym będzie można coś zjeść, jak to określił „jak za dawnych czasów na bazarze na Krakowskiej, gdzie pyzy się jadło pod bimber". Remus zgodził się natychmiast i zapowiedział, że przyjedzie po profesora taksówką do hotelu Art na Kiełbaśniczej, gdzie ten ostatni się zatrzymał. Potem filozof popadł w długi namysł. Po kilku rozmowach telefonicznych, w których przedstawił upodobania kulinarne Burstina, wybrał restaurację U Dyzmy przy placu Świętego Macieja.

Przypadła ona Burstinowi rzeczywiście do gustu, choć nie podawano tu pyz, ale różne inne zakąski do wódki. Remus przepchnął się przez grupę okupujących bar studentów i zamówił wódkę, śledzie i galaretkę z nóżek. Tym zestawem wprawił w zachwyt matematyka, który zaczął szybko wychylać jeden kieliszek po drugim, aż się Remus poważnie wystraszył, że jego towarzysz zaraz się upije. Burstin jednak jak szybko zaczął, tak i szybko wyhamował. Po wypiciu czterech kieliszków czterdziestogramowych zabrał się do galaretki, oznajmiając, że wódki już mu na razie wystarczy.

– Słucham pana – powiedział, nabijając na widelec śledzia. – Pan mówi, ja jem! No, pan mówi, mówi!

Remus przedstawił mu ustalenia Zaranek-Platera i pokazał kserokopię z jego wyliczeniami. Matematyk ledwie omiótł wzrokiem dowody, ale musiał się odznaczać pamięcią fotograficzną, bo po chwili zaczął je cicho powtarzać – jakby do siebie. Remus go dobrze nie słyszał, bo gwar w knajpie był ogromny.

Przysunął się bliżej do Burstina.

– Mnie nie interesują te bzdury, ta cała logeometria. – Uniósł widelec i tłusta kropla kapnęła na kserokopię. – Mnie interesuje demon Belmispar! Skąd pan o nim wie?

– Od mojego ojca. – Filozof był mocno zawiedziony tym, że ich rozmowa zeszła na temat władcy liczb, o którym matematyk nic nie słyszał, co zakomunikował już od razu po wykładzie. – On studiował matematykę w Wiedniu u Mertensa na początku dwudziestego wieku – dodał Remus nie bez pewnej dumy.

– U Mertensa? U Franza Mertensa? – Burstin był tak zdumiony, że odłożył na bok widelec ze śledzikiem. – Przecież Mertens urodził się w połowie dziewiętnastego wieku! To ile lat miał pański ojciec, kiedy pan się pojawił na tym najlepszym z możliwych światów? Sto?

– Nie – zaprzeczył spokojnie filozof. – W roku 1956, kiedy się urodziłem, mój ojciec miał lat siedemdziesiąt.

– I co on sądził o Belmisparze? – zapytał Burstin, jakby teraz już zupełnie niezainteresowany wątkiem wieku Popielskiego.

Remus nie bardzo wiedział, czy odpowiedzieć prawdę gołą, czy też nieco zinterpretowaną. Gdyby powiedział nagą prawdę, wówczas przedstawiłby swego ojca jako wyznawcę zabobonów, gdyby zinterpretował jego zachowanie jako tajne przesłanie, mógłby narazić się na śmieszność.

– Nie wierzył w Belmispara – odparł w końcu. – Ale ten demon, nawet nieistniejący, jakoś go fascynował. Ojciec chciał go zniszczyć, a potem z jakichś powodów z tego zrezygnował... Może nawet chwilowo w niego wierzył! I myślę, że nie zaprzestał jego poszukiwań do końca życia... Ojciec był z zawodu policjantem, niezwykle upartym i podejrzliwym...

Burstin spojrzał na Remusa z krzywym uśmiechem.

– No to stary idiota osiągnął swój cel!

Filozof zamilkł. Czuł, że oblewa go rumieniec wściekłości. Zacisnął zęby i wycedził przez nie:

– Kogo nazywa pan idiotą? Mojego ojca?

Matematyk nadal się uśmiechał.

– Coś panu opowiem. – Przysunął się do Remusa na trzeszczącym krześle. – W roku 1974, świeżo po ukończeniu studiów, wyjechałem do Warszawy i zostałem na krótko sekretarzem redakcji „Wiadomości Matematycznych". Pewnego dnia przyszedł do redakcji jakiś starszy mężczyzna i wręczył mi w kopercie swój maszynopis z zapytaniem, kiedy będzie on u nas w końcu opublikowany. Zdumiony takimi manierami zapytałem, skąd wie, że w ogóle go opublikujemy. On uśmiechnął się i zapewnił mnie, że redaktor naczelny podjął już stosowne decyzje. Dodał ponadto, że ten tekst podyktowało mu bóstwo geometrii... Zostawił maszynopis i wyszedł bez pożegnania. Przeczytałem ten stek banałów. Nie pamiętam, czy nazywał swój rachunek „logeometrycznym", czy też nie... Ale pamiętam jego drogi dowodowe. Są identyczne z tymi, które pan mi przedstawił. Następnego dnia redaktor naczelny oświadczył mi, że nikomu nie obiecywał żadnej publikacji. Odesłałem maszynopis na adres podany w kopercie. Pozwoliłem sobie dołączyć karteczkę z pewną złośliwością: „Opublikujemy pański tekst wtedy, gdy choć jeden matematyk uwierzy w pańskie bóstwo geometrii", jakoś tak to napisałem. No i okazuje się, że ten stary idiota, tak „stary idiota", to mówię o tym szaleńcu – osiągnął swój cel. Bo był matematyk, student Mertensa, który uwierzył w Belmispara. Pański ojciec...

– Jak się nazywał ten człowiek? – Remus już się uspokoił.

– Nie pamiętam dokładnie, proszę pana – odparł Burstin. – Ale miał nazwisko albo takie samo jak pewien przedwojenny, bardzo znany autor kryminałów, albo bardzo podobne...

– Słyszał pan jeszcze kiedyś o nim? Może nękał pana, wciskając inne swoje rewelacje?

– Nie, nigdy. – Burstin pokręcił głową i momentalnie zapadł w jakieś odrętwienie.

Remus wyjął swojego potężnego smartfona Samsung Galaxy Mega i połączył się z Internetem. Wpisał w okienko wyszukiwarki „literatura polska okresu międzywojennego". Pojawił się link do artykułu z Wikipedii pod tytułem „Literaratura polska – dwudziestolecie międzywojenne". Kiedy Remus już tam się znalazł, rozwinął listę „Pisarze i poeci okresu międzywojennego". Na dwudziestu sześciu twórców nie znał dwóch: Albina Dziekońskiego i Antoniego Marczyńskiego. Pierwszy był poetą, drugi autorem powieści sensacyjnych.

Remus podsunął smartfona Burstinowi pod oczy. Matematyk przerwał rozmyślania, w których na chwilę się pogrążył, i spojrzał na ekran urządzenia. Potem uniósł widelec i wskazał nim nazwisko Antoni Marczyński. Najpierw dotknął imienia, a potem nazwiska, po czym znów zagłębił się w myślach.

Na szczęście widelec nie ociekał już olejem.

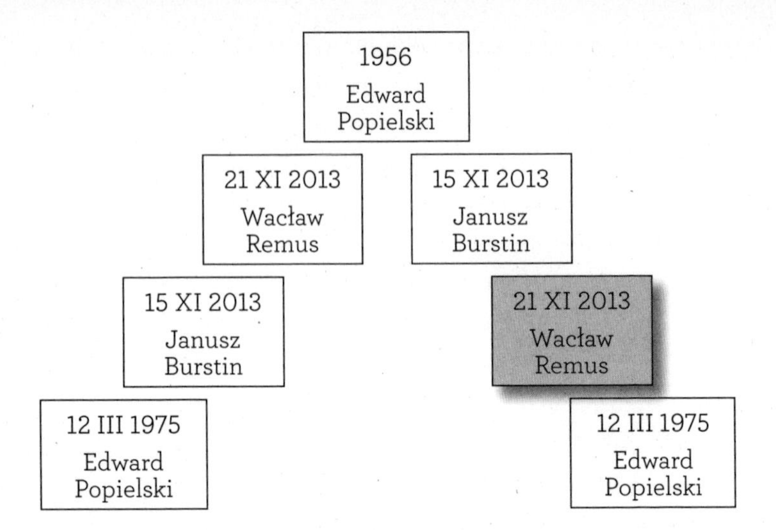

CZTERY DNI ZAJĘŁO WACŁAWOWI REMUSOWI ustalenie losów Antoniego Marczyńskiego. Nie byłoby to możliwe, gdyby nie Andrzej Ratajski, z którym Remus studiował na jednym roku filologię klasyczną. Ratajski po ukończeniu studiów pod koniec lat siedemdziesiątych wstąpił do milicji i przepracował w niej dziesięć lat w dochodzeniówce Komendy Dzielnicowej Wrocław-Krzyki, a potem w takimż dziale Komendy Wojewódzkiej. W wolnej Polsce szybko awansował, ponieważ cieszył się zasłużoną opinią znakomitego fachowca i człowieka apolitycznego. Przeszedł na emeryturę w wieku lat pięćdziesięciu jako naczelnik wojewódzkiej dochodzeniówki.

Przez te wszystkie lata Wacław Remus należał do nielicznych kolegów z lat studenckich, którzy utrzymywali z Ratajskim stały kontakt. Jedni go unikali, bo uznali, że w stanie wojennym stał się zaprzedaną reżymowi świnią i lepiej się przy nim nie odzywać, bo może ich zaaresztować za nieprawomyślność, inni zerwali z nim kontakty, bo nie zgodził się interweniować w sprawie jakiegoś wykroczenia, którego się dopuścili. Pierwsze było nieprawdą. Ratajski służył reżymowi, unikając jak ognia polityki, i nikomu nigdy nie zaświnił. Powstrzymywanie się natomiast od interwencji w sprawie znajomych świadczyło po prostu o jego pryncypialności, którą Remus dobrze rozumiał i szanował. Ich przyjaźń, zawarta w czytelni na Szewskiej, gdzie wspólnie ślęczeli nad Liwiuszem, przetrwała lat prawie czterdzieści.

Andrzej Ratajski, obecnie właściciel świetnie prosperującej firmy detektywistycznej, zdobył dla swojego przyjaciela ze studiów informacje o Antonim Marczyńskim. Pierwszy ślad, jaki się pojawił w aktach, mówił, iż człowiek o tym nazwisku, urodzony w roku 1920, zameldował się w roku 1956 w podwrocławskiej Trzebnicy, gdzie kupił dom. Mieszkał w nim sam. Pracował do 1975 w trzebnickiej Centrali Rybnej jako księgowy. W 1957 roku kupił samochód warszawa ambulans i zarejestrował go pod numerem XX 216. W roku 1975 przeniósł się do Wrocławia, gdzie kupił dom na ulicy Wylotowej na Ołtaszynie. Tam mieszka do dziś. Do 1990 roku pracował jako księgowy w Spółdzielni Izopren. Potem przeszedł na emeryturę.

Ratajski wysłał kilku swoich ludzi na Wylotową i w ciągu jednego dnia zdobyli oni dalsze informacje. Otóż Marczyński wciąż żył. Nikt z sąsiadów nie słyszał o jego córce, wszystkim przedstawiał się jako wdowiec. Jedna z sąsiadek, nadzwyczaj gadatliwa wdowa, nie żałowała swych opinii o sąsiedzie. Uważała go za człowieka zamożnego i skąpego, za milczka i niechlujnego odludka. Kiedy raz u niego była – by prosić go o pomoc w sprawie awarii elektryczności – dostrzegła coś, co ją wprawiło w osłupienie. Przy jego biurku nie stało krzesło, ale kołysała się umocowana do sufitu dziecinna huśtawka. Dwa miesiące temu, jak twierdziła ta niewiasta, upadł na schodach, uszkodził sobie kręgosłup i obecnie leżał pod opieką pielęgniarki, która przebywa u niego stale za dnia; noce spędza poza domem chorego. Ludzie Ratajskiego dotarli do lekarza, który zdiagnozował u Marczyńskiego tetraplegię, czyli niedowład kończyn, spowodowaną przerwaniem rdzenia kręgowego w dolnym odcinku szyjnym.

Remus podziękował serdecznie Ratajskiemu, a potem długo surfował po Internecie. Odwiedzał głównie anglojęzyczne strony o substancjach psychoaktywnych. Wiadomości, które na ich temat zdobył, starannie przeanalizował, po czym zatelefonował do doktora Mariusza Rudzkiego. Dzień później poszedł wraz z nim do lokalu Hells Bells, gdzie zakupił siedem płatków LSD.

Po awanturze z narkotykowym dilerem, w wyniku której stracił tylną szybę w nowiutkiej toyocie avensis, i po złamaniu przepisów, co omal nie doprowadziło do kraksy, Remus dojechał na dużej szybkości do świateł przy placu Legionów.

– Przepraszam – powiedział do Rudzkiego. – Przeze mnie straciłeś dostawcę towaru...

– Upokorzyłeś go przy dziewczynach i przy kumplach – odparł socjolog. – Już za chwilę pod wagonami zrobi się głośno, że jakiś dziadek, wybacz to określenie „przyłożył Słoniowi z liścia". On tego nie puści płazem... Będzie cię szukał, ostrzegam! A ja? Jestem wkurwiony, bo przecież cię uprzedzałem! Ale zaraz mi minie... Mnie zemsta Słonia już nie dotyczy... Wystarczy, że przez najbliższy tydzień nie będę się pokazywał na mieście. A potem wyjeżdżam. Do Warwick w Anglii... Sam mi opiniowałeś to stypendium... I może już tu nie wrócę...

Zapadło milczenie. Remus skręcił w ulicę Zdrową, gdzie mieszkał Rudzki. Szukał odpowiednich słów, by przeprosić swego towarzysza. Ten jednak go uprzedził.

– Sprawdzałeś towar? Słoniu cię nie oszukał? Jest rzeczywiście siedem sztuk?

– Nie liczyłem, ale na pewno jest kilka płatków...

– Pamiętaj, nie bierz ich wszystkich naraz, bo będziesz miał betripa...

– Co proszę!?

– *Bad trip*. Zła podróż, być może do samego piekła...

– To dobrze. Bo właśnie za chwilę się wybieram na spotkanie z Belzebubem.

Podrzucił kolegę pod jego blok na ulicy Zdrowej, po czym ruszył Zaporoską w stronę ronda Powstańców Śląskich. Był piątkowy wieczór. Hałaśliwe gromady nastolatków przetaczały się przez ulice, nie zwracając uwagi ani na pasy, ani na światła, ani na pisk hamujących gwałtownie samochodów. Remus jechał bardzo ostrożnie i nie zwracał uwagi na beztroskich i agresywnych młodych ludzi. Nadmiar gniewu już dzisiaj wyładował. Pozostawała mu zimna złość na człowieka trojga nazwisk, który niegdyś zamordował troje niewinnych ludzi: pełną dobrych nadziei Antoninę Juszczykowską, zakochanego i szczęśliwego młodzieńca Mariana Pasternaka i tragicznie uwikłanego we własną seksualność Zenona Frosta. Oprócz tego zabił nieszkodliwego dziwaka Antoniego Drekslera, a wszystko to po, by zdobyć dla siebie małą dziewczynkę.

Do czego mu ona była potrzebna? Co z nią robił? Czy ona jeszcze żyje? Tego wszystkiego chciał się Remus dowiedzieć, aby wypełnić tajne przesłanie ojca.

Minął Wieżę Ciśnień na Wiśniowej, gdzie mieściła się jedna z najlepszych wrocławskich restauracji. Na parkingu przy tym architektonicznym dziele mistrza Karla Klimma żegnało się jakieś rozbawione towarzystwo. Mężczyźni w ciemnych marynarkach i w koszulach rozpiętych pod szyją padali sobie w objęcia. Ich partnerki śmiały się perliście.

Pili czy wciągali kreski? – pomyślał Remus. – A może płatki kładli sobie pod języki? O tej metodzie zażywania LSD przeczytał w Internecie. Przeczytał jeszcze wiele innych rzeczy, a najbardziej zainteresowało go to, czego nazwy nie znalazł, a przed czym go ostrzegał Mariusz Rudzki. *Bad trip.*

Zaparkował auto na strzeżonym parkingu pod Akademickim Szpitalem Uniwersytetu Medycznego na Borowskiej. Nie chciał, by ktoś mu się dostał do samochodu przez rozbitą szybę. Wokół tułowia obwiązał się grubym sznurem, za który wsunął żelazny łom. Włożył na siebie czarną bluzę z polaru i czapkę z daszkiem tejże barwy. Do zamykanej na zamek kieszeni schował kwit parkingowy i płatki LSD, po czym ruszył w stronę wiaduktu odcinającego Borowską od ulicy Grota-Roweckiego. Na nogach zamiast sfatygowanych nieco oksfordów miał adidasy, na dłoniach cienkie gumowe rękawiczki.

Po piętnastu minutach był na ulicy Wylotowej. Sprawdziwszy w Internecie lokalizację budynku, czuł się tutaj pewnie. Uliczka była kiepsko oświetlona, a czarna bluza i czapka wtapiały się w tło tworzone przez ciemne drzewa i żywopłoty.

Nie spodziewał się, by na posesji stróżował jakiś pies. Człowiek obłożnie chory nie mógłby się nim odpowiednio zajmować, a Remus nie sądził, by jakakolwiek pielęgniarka chciała do swoich obowiązków dokładać usuwanie z posesji psich odchodów.

Dom Zaranek-Platera był rzeczywiście zaniedbany i zarośnięty chwastami. Rosło ich sporo na podjeździe, co Remusa bynajmniej nie martwiło. Zszedł tam ostrożnie. Drzwi do garażu były zamknięte na zwykły zamek. Wyłamywanie ich nie byłoby najlepszym rozwiązaniem. Remus już wyobrażał sobie huk rozrywanego zamka i przeraźliwy trzask drewnianych szczap.

Obszedł dom dokoła. Na podwórzu zobaczył piwniczne okienko. Niestety było zamknięte. Wznosił się nad nim balkon na kilkumetrowych gładkich stalowych słupach. Odszedł w głąb ogrodu i ocenił całą sytuację. W oknie balkonowym paliło się mdłe światło. Jego źródłem była najpewniej nocna lampka. Okno było uchylone i aż zapraszało, aby się przez nie dostać do domu. Do pokonania były jednak słupy podtrzymujące balkon. By się po nich wspiąć, musiałby zamienić się w pająka.

Opadły mu ręce. Musiał przyjść tu kiedy indziej z potrzebnym oprzyrządowaniem: lina wspinaczkowa była tu niezbędna. Odwrócił się i ruszył z powrotem przez zarośnięty ogród.

Oddychał z ulgą, a jego gwałtownie bijące serce uspokajało się powoli. Znalazł mordercę i prędzej czy później z nim porozmawia. Ale tutaj nie miał nic do roboty. Niczego tu nie zdziała bez narzędzi. Musi wszystko lepiej zaplanować. Był w końcu myślicielem, nie włamywaczem.

– Jeszcze tu wrócę – cicho powiedział do siebie.

Nagle się potknął i uderzył boleśnie w kolano. Zachwiał się i omal nie upadł. Wśród wysokich chaszczy leżała jakaś spora stalowa konstrukcja. Była to przewrócona huśtawka, pozbawiona jednak łańcuchów i siodełka, które – jak twierdziła sąsiadka – służyło Zaranek-Platerowi *vel* Boleckiemu *vel* Marczyńskiemu za biurkowy fotel.

Remus podniósł stelaż z wielkim trudem. Sapiąc z wysiłku szacował odległość od jego górnej krawędzi do podłogi balkonu. Wynosiła ona na jego oko nie więcej niż jeden metr. Szarpnął za stelaż i zaczął go ciągnąć w stronę balkonu. Rozlegał się przy tym jedynie cichy szelest, bo metalowe rury sunęły po miękkiej ziemi, wyrywając przy tym kłęby trawy.

Kiedy już szkielet huśtawki stał przy balkonie, Remus wspiął się na jego pierwszą poprzeczkę. Stojąc tam, chwycił się podłogi balkonu i pomacał podeszwą buta górną krawędź swojej prowizorycznej drabiny. Nie była śliska, a sam stelaż był stabilny.

Z lekkim sapnięciem Remus zaryzykował i po sekundzie stał obiema nogami na górnej krawędzi konstrukcji. Rękami trzymał się prętów balustrady. Nawet gdyby teraz stelaż runął, on sam byłby bezpieczny. Zdążyłby wskoczyć na balkon.

Tak też uczynił, starając się nie robić wiele hałasu. Ukucnął pod oknem, a po chwili lekko wychylił głowę nad parapet. Na szpitalnym łóżku rehabilitacyjnym leżał stary człowiek i wpatrywał się w telewizor. Na nocnym stoliku piętrzył się stos pieluchomajtek.

Remus pchnął lekko okno. Otworzyło się z lekkim skrzypnięciem. Starzec niczego nie usłyszał. Filozof już bez zbędnych ceregieli wskoczył do pokoju, zwalając na podłogę doniczkę z kaktusem.

Starzec, zbudzony hukiem rozbijającego się naczynia, krzyknął przestraszony.

Remus nie zwlekał. Podszedł do łóżka i krzyknął:

– Chwała ci, Belmisparze!

Starzec uśmiechnął się. Ryj, w jaki się wygięły jego bezzębne usta, gwałtownie zafalował. Nad jego pomarszczonym czołem wznosiła się wypukła kopuła czaszki pokryta brązowymi plamami. Zza uszu wyłaziły na poduszkę gęste kłęby włosów. Leżące bezwładnie ręce były obrzęknięte.

– Uciekł pan mojemu ojcu Edwardowi Popielskiemu – mówił spokojnie Remus. – I skazał go pan na wieczną niepewność. I mój ojciec umarł w tej niepewności prawie czterdzieści lat temu. A ja, wie pan, chciałbym pójść na jego grób i powiedzieć mu wszystko: jak pan uciekł ze swojego mieszkania na strychu i co pan zrobił z dzieckiem, z Hanią. Po to tu do pana przyszedłem. – Starzec zabulgotał śmiechem i patrzył rozbawionym wzrokiem na Remusa. – Nic panu nie zrobię, przecież i tak pan niedługo umrze – powiedział filozof. – Ja tylko pytam, jak pan wyszedł z mieszkania na poddaszu i co się stało z dzieckiem. Dowiem się i pójdę. Spokojny i nasycony wiedzą...

– Jesteś synem Popielskiego? – zapytał starzec nieoczekiwanie.

– Tak – odparł Remus.

– Dobrze. – Leżący uniósł się nieco i zdjął klucz z szyi. – Chcesz poznać prawdę?

– Tak – powtórzył filozof.

– No to idź do świątyni Belmispara. – Podał mu klucz. – Wejście przez garaż!

Remus z obrzydzeniem schował klucz do kieszeni. To uczucie mu towarzyszyło, gdy przewracał starca z boku na bok, aż znalazł pod poduszką telefon komórkowy. Włożył go również do kieszeni. Podczas tych czynności odkrył, że łóżko rehabilitacyjne jest zaopatrzone w pasy bezpieczeństwa. Wprawdzie wiedział, że starzec cierpi na niedowład kończyn, ale na wszelki wypadek zapiął mocno pasy, krępując leżącego. Fałdy skóry wokół ust tego ostatniego układały się w drwiący uśmiech. Remus zdarł mu z obrzękniętych stóp wełniane skarpety, zwinął je w kulę i wepchnął mu do ust. Obrzydzeniem zareagował na widok wychudzonych kończyn.

Zszedł po schodach do garażu. Zapalał światło, nie przejmując się, że ktoś z sąsiadów, na przykład wścibska sąsiadka, może się zdziwić, iż niesprawny ruchowo Marczyński chodzi po domu. Remus nie dbał jednak o to. Czuł, że zbliża się do prawdy, a to zawsze – paradoksalnie – uwalniało w nim emocje tak silne, że blokowały intelekt.

Piwnica była pusta i brudna. W garażu natomiast, śmierdzącym kocim moczem, walały się jakieś rupiecie, żelastwo i stare garnki. Oprócz dużej dwuskrzydłowej bramy było w nim dwoje drzwi – jedne, przez które się tu dostał, i drugie z hebrajskim napisem בלמספר.

Remus jako student uczęszczał wraz z kilkoma kolegami na hebrajskie *privatissimum**, które prowadził nieodżałowany profesor Jerzy Woronczak. Było to czterdzieści lat wcześniej i filozof już dawno zapomniał to, czego się nauczył. W jego głowie pozostał jednak kształt hebrajskich liter.

– B, L, M, S, P, R – przeczytał powoli. – Belmispar...

Podszedł do drzwi, nacisnął klamkę i pchnął. Otwierały się od siebie. Były ciężkie i zaopatrzone w zaskakująco duże i grube

* Wykład dla małej, ograniczonej liczby słuchaczy.

zawiasy. Napierał na nie z dużym trudem, aż udało mu się zrobić szczelinę na tyle dużą, by wejść do pomieszczenia.

Było tu ciemno i chłodno. Remus sięgnął po swój smartfon i uruchomił go. Na ekraniku wybrał ikonę „latarka". Wtedy uruchomiła się lampa błyskowa wbudowanego w telefon aparatu i oświetliła wnętrze.

Do drzwi było przymocowane coś, co na pierwszy rzut oka przypominało ogromną betlejemską szopkę. Ostre światło padające z komórki zaraz jednak rozwiało to pierwsze mylne wrażenie. Nie była to szopka, choć na desce znajdowało się coś, co przypominało dom.

Ale nie był to dom.

To była klatka.

W klatce na tronie siedziała małpka, zabawka dziecięca, z wyszczerzonymi w uśmiechu zębami. Jej sierść pokryta była kurzem, podobnie jak szklane okrągłe oczy. Do jej potylicy przypięte było koło z kartonu. Wznosiło się ono za jej głową jak aureola świętego. Na kartonie wyrysowane były cztery koncentryczne okręgi. Na każdym okręgu wypisane były matematyczne równania.

Belmispar. Władca liczb.

Remus omiótł wnętrze snopem światła. W bezokiennym pomieszczeniu niczego więcej nie było. Oprócz umieszczonej pod sufitem kratki wentylacyjnej.

Remus skierował się z powrotem do drzwi wejściowych. Wtedy coś go połaskotało po łysej głowie. Myśląc, że to pajęczyna, rzucił się ze wstrętem w bok.

I tu coś go musnęło po głowie – jakby ogon zakończony szorstką kitą.

Szarpnął się i oświetlił sufit.

Zwisały z niego dwa długie warkocze.

Remus odsunął się gwałtownie i oparł o ścianę.

Do sufitu kilkunastoma obejmami przymocowana była mała kobieca postać.

Dziewczynka. Śmiejąca się dziewczynka.

Jedna obejma zaciskała się jej na czole, jedna na szyi, kilka na tułowiu i kilka na każdej kończynie. Ciało to wyglądało, jakby było przyklejone do sufitu. Było zmumifikowane i ubrane w jakąś szatę przypominającą całun. Skóra na twarzy i rękach dziecka była pomarszczona i brunatnożółta. Na kościach twarzy opinała się tak mocno, że kąciki ust były nieco uniesione, tworząc uśmiech, który przeraźliwie kontrastował ze szparkami, jakie pozostały po wyschniętych oczach.

Remus poznał prawdę.

Wyszedł ze świątyni Belmispara, potem z garażu, i pokonując po dwa stopnie naraz, wbiegł po schodach na piętro.

Zaranek-Plater patrzył na niego rozbawionymi oczyma. Remus wyrwał mu z ust knebel i usiadł ciężko na krześle.

– To była część prawdy – sepleniły bezzębne usta. – Teraz dowiesz się wszystkiego... Drekslier podał herbatę tym trojgu, którzy byli u wróżki. Dodał do niej arszeniku... Wróżka zachęcała do picia. Tak jej kazałem. Miałem nad nią władzę, podobnie jak nad Drekslerem. Władzę absolutną, władzę życia i śmierci... To ja ją przecież po raz pierwszy wyspowiadałem, tam na Kaszubach, a potem ją od spowiedzi uzależniłem... Nie mogła bez niej żyć... Co środa do mnie przychodziła do katedry i słuchała chciwie mego głosu... Ona mnie naprawdę uważała za swego Anioła Stróża... By mnie chronić, rzuciła Popielskiemu Drekslera na pożarcie... – Kaszlał przez dłuższą chwilę. – Ale zanim to się stało, Dreksler był również moim sługą... Przychodził do mnie w przebraniu i siadał pod drzwiami... A ja go uświadamiałem, mówiłem o magii liczb i o Belmisparze... Wspólnie z Drekslerem wrzuciliśmy trzy ciała do Odry. Na koniec kazałem mu to samo zrobić z samym sobą. Otruł się arszenikiem i wskoczył do rzeki... Tym sposobem zdobyłem worek pieniędzy, bo mój stryj Apolinary nie uwierzył w brednie Popielskiego, że niby ja zabijałem. I tak stałem się posiadaczem małej Hani. A potem, 30 września i ja popełniłem samobójstwo... Nikt nie wnikał, co się stało z moim ciałem... Zostawiłem list pożegnalny... Wszystko było zaplanowane. Ludzie popełniają samobójstwa, nawet dziecko chorej psychicznie matki, a co dopiero chory psychicznie matematyk! Obłęd jest przypisany do mojej profesji. Łatwo było uwierzyć w to wszystko i zamknąć śledztwo. A tymczasem ja, nie niepokojony przez nikogo, przeniosłem się nocą, po cichu, do Trzebnicy, do wcześniej kupionego tam domu... Zmieniłem nazwisko i podjąłem niewinną pracę księgowego. A w loszku trzymałem małą Hanię. Musiałem kneblować i wiązać biedne dziecko, kiedy wychodziłem do pracy... A potem wracałem do domu, uwalniałem ją i zasiadałem do matematyki... Ja u góry udowadniałem twierdzenia Belmispara, a ona w piwnicy twierdzenia, które jej zadawałem. To było moje dziecko, a więc chciałem, by dokonywało tak jak ja wiekopomnych odkryć. Niestety ona mnie zawiodła. Chciałem z niej uczynić wielką matematyczkę, a ona była dobra tylko w rachunkach. Trzymałem ją w piwnicy domu odizolowaną od świata, żeby mogła się skupić... Gryzła się swymi niepowodzeniami, przejmowała... W końcu się zdenerwowałem. Uznałem, że ma ona nie więcej rozumu niż Kloto. No to zacząłem ją tresować tak, jak niegdyś małpkę... Kijem, prętem, ogniem... Nie wytrzymała tego... Powiesiła się... Umarła... Nawet nie miała lat trzynastu... Wisiała sobie w loszku w moim domu w Trzebnicy, a ja na nią patrzyłem... Utrwaliłem moje marzenie... Stała się bardzo lekka, sztywna i bezwonna... Łatwa do przeniesienia. Przeprowadziłem się do Wrocławia i przeniosłem ją tutaj... To wszystko... Już wiesz wszystko! A może tylko nie wiesz tego, że dzień po pogrzebie twojej matki, dziesięć lat temu, pamiętasz? Było tak ciepło... Tak, dzień po pogrzebie byłem na jej grobie i nawet spędziłem tam noc, opatuliwszy się jej pogrzebowymi wieńcami... No to już wiesz naprawdę wszystko!

– Jeszcze nie! – odpowiedział Remus. – Jak wylazłeś z dziewczynką z poddasza? I jak w ogóle z niego wychodziłeś, kiedy, jak sam mówisz, pomagałeś Drekslerowi pozbywać się ciał?

– Jestem demonem! – Starzec przewrócił oczami. – Masz odpowiedź!

Remus stanął nad leżącym. Czuł, że napinają mu się mięśnie twarzy. Spod bluzy wyjął łom.

– Połamię ci giry, stary skurwysynu – syknął – jeśli mi nie powiesz, jak wylazłeś z tego poddasza!

– Otworzyłem okno. – Zaranek-Plater mówił teraz bardzo poważnie. – Wyjąłem ze ścian kraty i pofrunąłem nad nocnym miastem, trzymając mocno twoją siostrę! Powiedziałem wszak, że jestem demonem... – Remus cofnął się nagle pod ścianę, jakby uderzyła w niego jakaś cuchnąca fala powietrza. Zastosował jedną ze stoickich metod opanowania wzburzenia. Wyobraził sobie, że słowa wychodzące z ust Zaranek-Platera są to roje bakterii. Matematyk chciał go zarazić złem, głupotą, agresją, ale on, Remus, nie pozwoli na to. On, Remus, nie zgodzi się, by jego emocjami zawładnął jakiś szaleniec. – Tak, tak, na suficie jest rozpięta twoja siostrunia – szeptał starzec. – Wiesz, co zrobił Popielski, kiedy został sam na sam w ten romantyczny wieczór z Henriettą Rybak? W ten wieczór, kiedy ona mu powiedziała to wszystko, co jej kazałem? Że Aniołem Stróżem jest Dreksler? Zadarł jej sukienkę i zrobił to, co od dawna chciał... A ja stałem w pokoju obok i patrzyłem na to... Wyfrunąłem z mieszkania... Jestem przecież demonem...

Remus, postanowił zastosować inną bardzo prostą technikę stoicką. Nazwać inaczej całą sytuację. I kiedy już określał „manipulację psychologiczną" jako „bredzenie szaleńca" przyszła mu do głowy oczywista myśl.

– Posłuchaj, demonie. – Uśmiechnął się drwiąco. – Jestem panieńskim dzieckiem, ale moja matka nie nazywała się nigdy Henrietta Rybak, lecz zawsze Henryka Remus, i pochodziła z Kaszub, gdzie mnóstwo ludzi nosi to właśnie nazwisko!

– To ostatnie to akurat prawda. – Przywiązany do łóżka matematyk szarpnął się gwałtownie. – Twoja matka pochodzi z Kaszub. Kiedy weszli tam Rosjanie i zaczęli gwałcić wszystko, co się rusza, twoja Henrietta szybko zmieniła imię na bardziej polskie Henryka, by się choć tak przed nimi uchronić. A słowo „remus" to nic innego jak „rybak" w jednym z dialektów koło Kościerzyny...

Remus chwycił się za głowę. Tym razem zastosował sposób swojego ojca, który on z kolei przejął od swojego starego niemieckiego przyjaciela Eberharda Mocka. Zaczął w pamięci powtarzać łacińskie wiersze, których się niegdyś wyuczył na pamięć. I wtedy w jego głowie pojawił się ostatni argument – przeraźliwie jasny i logiczny.

– Henrietta Rybak *vel* Henryka Fritzhand poznała Popielskiego pod koniec lipca 1956 roku. – Odetchnął z ulgą. – A ja urodziłem się w maju tegoż roku. Czyli byłem już na świecie od trzech miesięcy, a Popielski od tychże trzech miesięcy cieszył się późnym ojcostwem. Jaki z tego wniosek? Że moja matka Henryka Remus zaszła w ciążę z Edwardem Popielskim na jesieni roku 1955, czyli wtedy gdy jeszcze wcale nie znał wróżki. I co z tego wynika? Że wróżka i moja matka to kompletnie różne osoby!

– A jesteś pewien, że urodziłeś się w roku 1956? – prychnął Zaranek-Plater. – Nie wiesz, że w tamtych czasach ludzie często postarzali swoje dzieci? Kobiety rodziły często w domach i rejestrowały dzieci w urzędzie, kiedy tylko chciały... A o ile wiem, Henrietta sama się postarzyła o rok. Dlaczego miała tego nie uczynić z własnym dzieckiem? Ciesz się, jesteś młodszy, niż sądziłeś!

Remus nie miał już na to żadnej techniki stoickiej. Nie mógł zweryfikować tych słów u matki, która nie żyła. Zło, które zasiał w nim ten starzec, rozrastało się gwałtownie. Bujnie się w nim pleniło.

Drżącymi rękami ścisnął mocniej pasy na łóżku.

– Wiesz, że ludzie przed śmiercią widzą często całe swoje życie? – zapytał. Zaranek-Plater milczał i ciężko oddychał po długiej rozmowie. – Wiesz, że mordercy i kaci widzą swe ofiary? Tak, tak się dzieje! Kora mózgowa obumiera i mechanizmy obronne zanikają! Ofiary przychodzą do swych oprawców, mażą ich krwią, każą patrzeć w swe czarne puste oczodoły! Nie wiem, czy tak się stanie z tobą, bo jesteś przecież demonem. Ale mam coś, co w twoim mózgu otworzy drogę dla twych ofiar... Coś, co zrobi w nim dziurę... A przez nią wejdą: Antonina Juszczykowska, Zenon Frost i Marian Pasternak... I Hania... A potem się jeszcze Antoni Dreksler pojawi... A może i moja matka przyjdzie? Prawdziwy korowód upiorów...

W dłoni Remusa pojawił się strunowy woreczek. Filozof podszedł do leżącego, a potem wszedł kolanami na wezgłowie łóżka. Ścisnął nimi i unieruchomił jak imadłem szarpiącą się głowę starca.

– Tak, będziesz teraz wszystko widział – szeptał. – Dobrze ci wzrok wyostrzę... – Jedną ręką chwycił Zaranek-Platera za powiekę, drugą włożył mu do oka płatek LSD. Czynność tę powtórzył siedmiokrotnie, po czym zza bluzy wyjął gruby sznur, który wcześniej przytrzymywał łom. Na końcu sznura była zawiązana pętla. – A to – wskazał na stryczek – na wypadek, gdybyś nie mógł znieść tej złej podróży...

Kiedy pół godziny później wychodził przez garaż z domu i przemykał się pod żywopłotami sąsiednich posesji, był nasycony wiedzą i prawdą.

Pod wpływem LSD Zaranek-Plater powiedział, jak wydostał się z mieszkania.

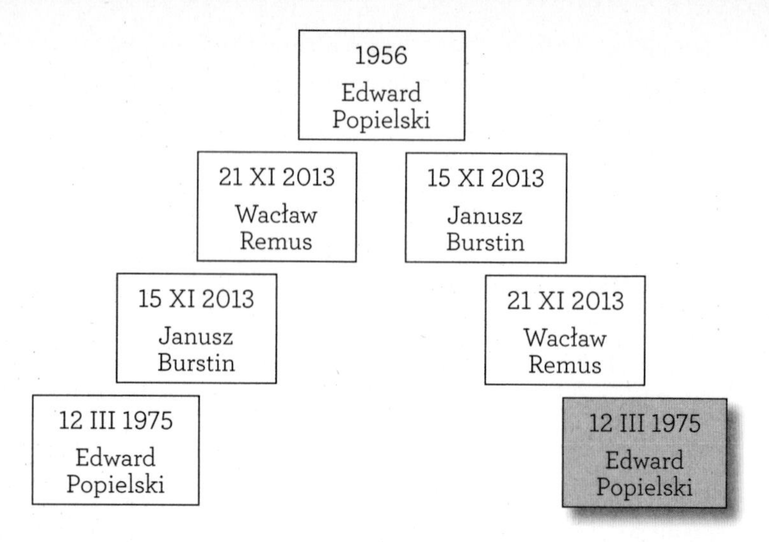

„MÓJ UKOCHANY SYNU, WACŁAWIE – pisał osiemdziesięciodziewięcioletni Popielski. – Kiedy kapitan Franczak wyrzucił mnie z mieszkania Zaranek-Platera, nie poszedłem od razu do domu. Zajrzałem jeszcze do sąsiada, który mieszkał poniżej. Chciałem go zapytać, czy nie ma jakiegoś przejścia pomiędzy jego mieszkaniem, a tym, które się nad nim znajdowało. Żadnego przejścia nie było, natomiast dostrzegłem różnicę w ustawieniu pieca kaflowego. U sąsiada stał on w zupełnie innym miejscu niż u Zaranek-Platera. Przypomniałem sobie słowa matematyka.

– Tamten piec nie działa – mówił wtedy – ale nie pozwalam go remontować... Przyjdzie jakiś zdun, cham, prostak, i rozbije te piękne kafle...

Pobiegłem na górę. Mundurowi znali mnie i wpuścili, choć niechętnie. Niechętnie też patrzył na mnie kapitan Franczak.

Zacząłem oglądać ogromny piec, dzieło niemieckich mistrzów zduńskich.

I znalazłem przejście. Za żelaznymi drzwiczkami zamiast paleniska był mały korytarzyk. Nie mógłbym tam wcisnąć się ja, a tym bardziej kapitan Franczak, ale dla niewysokiego i szczupłego Zaranek-Platera i dla dziewczynki wejście do korytarzyka nie było żadnym kłopotem. Oświetliłem wnętrze pieca. Trzeba było tylko wepchnąć tam głowę i ramiona, a potem się podciągnąć. Po wciśnięciu kolan można się było wyprostować, a potem po dwóch stopniach wejść do dużego szybu prowadzącego na dach.

Udaliśmy się przez strych na dach i odkryliśmy komin, który różnił się od innych. Był on przykryty ruchomym daszkiem i zaopatrzony w kilkuszczeblową drabinkę.

Franczak jeszcze raz, zdecydowanym, a nawet groźnym tonem, odesłał mnie do domu, gdzie zastałem zmaltretowaną Leokadię. Potem się dowiedziałem, że stryj Apolinary uruchomił swe możliwości i Franczak zapomniał o całej sprawie. Po prostu ją zatuszowano. Profesor Apolinary umarł na zawał serca na początku września. Nie wiadomo, co zrobił ze spadkiem. Władysław twierdził, że nie dostał ani grosza. Z łaski wypłacił mi jakieś nędzne honorarium, które nie miało zbyt wiele wspólnego z kwotą, jaką mnie hrabia kusił, prosząc o przyjęcie swojego zlecenia. Powoli wszyscy zapominali o tajemniczych samobójstwach. Ja nie zapomniałem. Dwa miesiące później udałem się do Henryki Rybak, która po tej głośnej na cały Wrocław sprawie zmieniła miejsce zamieszkania i nazwisko. Teraz nazywała się Remus. Kiedy mnie zobaczyła, kazała mi się wynosić. Nie ustępowałem. Wciąż pytałem ją o jej zaangażowanie w „sprawę Belmispara". W końcu wskazała palcem na swój lekko zaokrąglony brzuch i powiedziała:

– To jest moje alibi, a właściwie ochrona przed tobą. Wszak nie zamkniesz chyba w więzieniu matki własnego dziecka?

Usiłowałem znaleźć przez kolejne lata Eugeniusza Zaranek-Platera. Nie wierzyłem w jego dobrowolne samobójstwo, nie wierzyłem, że 30 września, czyli w dzień Belmispara, sam siebie złożył w ofierze dla władcy liczb, jak to zapowiedział swemu stryjowi. Próbowałem go szukać. Lata leciały. Stawałem się coraz starszy. Nie miałem siły. I chyba z tą zagadką umrę.

Jeszcze jedno na sam koniec. Twoja matka nie pozwalała Ci się ze mną widywać. Wiesz dlaczego? Bo nie była pewna, czy w końcu Ci nie zdradzę tajemnicy o jej współudziale w tych trzech morderstwach i w pozbyciu się własnego dziecka, Twojej siostry Hanny. Na pewno Ci mówiła, że jestem ostatnim łajdakiem. Kiedy się spotkaliśmy po raz pierwszy pod twoim liceum, zapytałeś mnie, czemu Cię wcześniej nie odwiedzałem. Odpowiedziałem, że widziałem Cię po narodzinach, a potem przez piętnaście lat z pewnych względów unikałem Twojego widoku. Teraz Ci odpowiem, jakie to były względy. Otóż Twoja matka zrobiła z Ciebie parawan ochronny dla swojej zbrodni. I ja w Tobie nie widziałem mojego syna, ale właśnie ów parawan, zasłonę dla zbrodni".

Edward Popielski wstał od biurka i zapatrzył się w krzak forsycji. Potem wyrwał kartkę, na której przed chwilą przyznał się własnemu synowi, że jego matka jest byłą wróżką zamieszaną w trzy zabójstwa. Podarł ją na drobne kawałki, które spalił w papierośnicy.

Wacław nie znał przeszłości swojej matki i ta wiedza nie była mu do niczego potrzebna.

– Prawda jest jak cios, synu – powiedział Popielski i sięgnął po papierosa, by podkarmić swego raka. – A ty nie zasłużyłeś na ten cios.

Zapalił carmena, zaciągnął się z rozkoszą, a potem długo patrzył w oczy nadchodzącej śmierci.

EPILOG

EUGENIUSZ ZARANEK-PLATER *vel* Antoni Marczyński najpierw zobaczył, jak okno traci swe ostre kontury. Po chwili przybrało ono kształt eliptyczny. Brzegi owej elipsy rozbłysły żółtym światłem. W jego blasku jakaś postać przeskoczyła przez okno i zniknęła w ciemnościach ogrodu.

– Uciekł – szepnął do siebie starzec i odetchnął z ulgą. – Już nie przyjdzie...

Za to przyszli inni.

Najpierw Hania wynurzyła się z ciemności klatki schodowej. Podeszła do łóżka i patrzyła na starca. Jej usta rozciągnęły się w uśmiechu, przez co zaczęła pękać skóra na szarych suchych policzkach. Pęknięcia zaczęły się rozszerzać. Z czarnych jam wyfrunęły zielone opalizujące owady i napełniły bzyczeniem cały pokój. Z ciał owadów – zewsząd, z głowy, tułowia i odwłoków – wystawały poruszające się czółki.

Starzec poczuł paniczny strach.

– Nic się nie dzieje naprawdę – szeptał do siebie. – To wszystko wytwory mojego umysłu...

Przekręcił głowę, by nie patrzeć na zmarłą i na rój ścierwic. Wbił wzrok w telewizor. Wtedy stolik telewizyjny zaczął się poruszać w jego kierunku. Każdemu jego ruchowi towarzyszył świst. Potem nie było już stolika, a coś świstało wokół jego łóżka. Zamknął oczy. I wtedy pojawiły się płonące obręcze. Każda z nich – jak rama do zdjęcia – otaczała jakąś twarz. Poruszały się i zachodziły na siebie. Biała obręcz otaczała uśmiechnięte oblicze Antoniny Juszczykowskiej, pomarańczowa – zuchwałą i pewną siebie twarz Mariana Pasternaka. Zenon Frost, odgarniający sobie z czoła opadający lok, fruwał w ramach żółtych, a Antoni Dreksler, gryzący palce w zamyśleniu, w jasnozielonych.

Starzec otworzył oczy. Upiory wciąż latały nad jego łóżkiem, a świetliste obręcze, które wcześniej otaczały ich twarze, teraz wznosiły się nad ich głowami. Pokój drżał i powoli się wydłużał. Towarzyszył temu uparty i jednostajny dźwięk – jakby obsesyjne podwodne dudnienie.

Zaranek-Plater znów zamknął oczy. Wydawało mu się, że długo spał.

Świt eksplodował w oknie białym światłem. Ptaki zaczęły szczebiotać w przyśpieszonym tempie. Do pokoju szybkim mechanicznym krokiem wbiegła pielęgniarka.

Odetchnął z ulgą. Wszystko wracało do normy, do błogosławionej codzienności.

Pielęgniarka podeszła do starca i pochyliła się nad nim. Jej oczy zaszły bielmem. Z ust popłynęła woda, na jej powierzchni pływały skrawki wodorostów. Jej policzki zaczęły się poruszać, jakby płukała usta. Spomiędzy wydętych warg wysunął się długi czółek. Pomiędzy zębami zazgrzytała skorupa.

Rak wyskoczył z ust na klatkę piersiową starca i zaczął się od niej odpychać swym odwłokiem.

Chory otworzył usta i wydał z siebie bulgocący krzyk. Wtedy na dziąsłach poczuł muskanie czułków.

Kiedy pielęgniarka pani Alina Tabisz przyszła o ósmej rano do domu swego pacjenta, ujrzała go wyprężonego na łóżku. Był martwy. Miał zamknięte oczy. Na policzkach widniały cienkie smugi krwi sięgające aż do powiek. Usta były wypełnione zaschniętymi kluchami wymiocin.

Obok leżał sznur ze stryczkiem i kartka papieru, na której były krzywo wypisane jakieś liczby.

Wrocław, dnia 4 marca 2014 roku, godzina 14.39.

POSŁOWIE

JAKO MOTTA DO MOJEJ POWIEŚCI użyłem słów greckiego filozofa pitagorejskiego Filolaosa, zamieszczonych w fundamentalnym zbiorze Hermanna Dielsa (Diels, H.: *Die Fragmente der Vorsokratiker*, 3. Aufl., Berlin: Weidmannsche Buchhandlung, 1912, t. I, s. 314). Wypowiedź Filolaosa przytaczam we własnym przekładzie.

Niektóre wątki wykładu profesora Janusza Burstina, wygłoszonego w Instytucie Matematycznym Uniwersytetu Wrocławskiego, zostały przeze mnie zaczerpnięte z esejów Jerzego Mioduszewskiego (Mioduszewski, J.: *Cztery szkice z przeszłości matematyki*, Kraków: Impuls, 2013).

Jeszcze nigdy w żadnej mojej powieści nie udało mi się uniknąć jakichś błędów. A to przyporządkowałem pewien typ broni palnej czasom, kiedy jej już (lub jeszcze) nie używano, a to wadliwie opisałem jakiś samochód, a to niedokładnie przedstawiłem jakiś specyficzny zwyczaj *et cetera*. Wnikliwi Czytelnicy błędy te dostrzegali i korygowali, za co jestem im bardzo wdzięczny.

Na pewno dostanę niejeden list w sprawie usterek we *Władcy liczb*. Jedną z nich popełniłem jednak świadomie i niniejszym się do tego przyznaję. W lipcu 1956 roku Edward Popielski siedzi pod oknem swojego wrocławskiego mieszkania na ulicy Grunwaldzkiej i obserwuje milicjantów pracujących w pobliskim komisariacie. Oczywiście – odpowiadam na ewentualny zarzut – wiem, że w roku 1956 nie było jeszcze komisariatu milicji na ulicy Grunwaldzkiej we Wrocławiu (Komisariat IV MO, ulokowany wcześniej na ulicy Piastowskiej 40, został tam przeniesiony dopiero w latach sześćdziesiątych). Wiedząc o tym, zdecydowałem się jednak – z pewnych względów – popełnić ten błąd anachronizmu.

Podczas pisania powieści korzystałem ze specjalistycznej wiedzy innych osób. Z zakresu medycyny sądowej konsultacji udzielał mi – jak zawsze – dr Jerzy Kawecki; z medycyny ogólnej –

dr Robert Krawczyk; z toksykologii – dr Marcin Zawadzki. Tajemnice ludzkiej psychiki i mózgu odsłaniał przede mną psychiatra dr Tomasz Piss.

Wątki matematyczne przeanalizował dr Roman Tuziak, matematyk i logik z Katedry Logiki i Metodologii Nauk Uniwersytetu Wrocławskiego. Dziękuję mu także za uwagi literackie i za wskazanie licznych niespójności, których usunięcie zwiększyło – by tak rzec – logiczną zwartość mojego tekstu.

Świat dilerów narkotykowych przedstawił mi Pająk, który w niniejszych podziękowaniach nie życzył sobie być wymieniany pod własnym nazwiskiem. Gdyby nie jego wiedza i doświadczenie zawodowe, scena kupowania narkotyków przez Wacława Remusa byłaby sztuczna i naiwna.

Wszystkim moim Ekspertom bardzo dziękuję, a jeśli popełniłem jakieś błędy w kwestiach, w których udzielili mi konsultacji, to sam sobie jestem winien. Widać nieuważnie ich słuchałem.

SPIS TREŚCI

Książki Marka Krajewskiego w Znaku

Erynie
Liczby Charona
Rzeki Hadesu
Śmierć w Breslau
Koniec świata w Breslau
Widma w mieście Breslau
W otchłani mroku
Festung Breslau